LA SENSIBILITÉ
RÉVOLUTIONNAIRE
(1789-1794)

OUVRAGES DU MÊME AUTEUR

POÉSIE

Le Cycle des Chimères, Paris, A. Lemerre, in-12, 1929.
(Couronné par l'Académie française.)
Les Jours sans Ombre, Paris, Boivin, in-12, 1933.

CRITIQUE

Prosper Mérimée et l'Art de la Nouvelle. Paris, Presses Universitaires, in-8°, 1923.
(Académie française. Prix d'Éloquence.)

La Jeunesse de Prosper Mérimée. Paris, Champion, 2 vol. in-8°, 1925.
(Couronné par l'Académie française.)

Prosper Mérimée de 1835 à 1853. Paris, Champion, in-8°, 1928.

La Vieillesse de Prosper Mérimée, 1853-1870. Paris, Champion, in-8°, 1930.

P. Mérimée : Lettres à Viollet le Duc. Édition critique, Paris, Champion, in-8°, 1927.

P. Mérimée : Théâtre de Clara Gazul. Édition critique, Paris, Champion, in-8°, 1927.

P. Mérimée : Lettres à Francisque Michel, Édition critique. Paris, Champion, in-8°, 1930.

Bibliographie des Œuvres de Prosper Mérimée (en collaboration avec P. Josserand), Paris, Champion, in-8°, 1930.

Une Revue oubliée, La Revue Poétique, 1835. Paris, Champion, in-8°, 1925.

Le Romantisme défini par le Globe, Paris, Presses françaises, in-12, 1925.

Les Maîtres de la Sensibilité française au XVIIIᵉ siècle (1715-1789). Paris, Boivin, 4 vol. in-8°, 1931-1933.

PIERRE TRAHARD

Professeur à l'Université de Dijon

LA
SENSIBILITÉ
RÉVOLUTIONNAIRE

(1789-1794)

ANCIENNE LIBRAIRIE FURNE

BOIVIN & Cie, ÉDITEURS

3-5, Rue Palatine

PARIS (VIe)

CHAPITRE I

L'ESPRIT RÉVOLUTIONNAIRE

Pendant un siècle et demi, les origines intellectuelles de la révolution française ont servi de thème commode aux historiens et aux critiques. Rendre les écrivains responsables des événements qui bouleversèrent la société en 1789 présentait le triple avantage de contenir une vérité relative, d'assurer la primauté de l'esprit, chère aux « intellectuels », d'éliminer comme superflue toute recherche approfondie dans l'ordre des réalités humaines. Avec Michelet, le XIXᵉ siècle a vu « la Révolution en marche, toujours Rousseau, Voltaire en tête. Les rois eux-mêmes à la suite, les Frédéric, les Catherine, les Joseph, les Léopold; c'est la cour des deux chefs du siècle. Régnez, grands hommes, vrais rois du monde, régnez, ô mes rois [1]! » Ce romantisme naïf et désuet a créé, pendant cent ans, un dangereux mirage. La réaction n'en a été que plus forte. Après avoir loué ou blâmé les écrivains d'être les promoteurs du mouvement révolutionnaire, on les relègue dans l'ombre. Les historiens contemporains, substituant aux intui-

---

1. *Histoire de la Révolution française.* Paris, Lacroix, 6 vol., in-8°, 1876, t. I, p. 69. — Ainsi un lieu commun s'établit : Montesquieu et Voltaire sont la « sagesse et la raison » de la Révolution, Rousseau en est « l'élan, le sentiment, la passion ». (P. Lanfrey : *Essai sur la Révolution française,* Paris, Charpentier, in-12, 1879, p. 50.)

tions dangereuses de Michelet les strictes disciplines de
l'analyse documentaire et de la synthèse, font passer
au premier plan les causes politiques, économiques et
sociales. La conception idéaliste cède ainsi la place à
une conception matérialiste, respectueuse des faits,
fidèle à la réalité. Que pèsent l'*Esprit des Lois* ou *Candide*,
le *Contrat Social* ou le *Barbier de Séville* en face de la décom-
position du despotisme royal et ministériel, de la crise
économique, de la ruine financière, de la misère ouvrière
et paysanne, de la famine, de l'indiscipline aux armées
et de l'anarchie? Il semble que, aujourd'hui, après
tant d'études et de controverses, les historiens tombent
d'accord pour donner la prééminence aux fautes de
l'Ancien Régime, à « l'excès des maux chaque jour
sentis et [à] la vue claire des moyens de s'en affranchir [1] »;
la philosophie ne vient qu'en second lieu, les origines
intellectuelles passent à l'arrière-plan. Les déclarations
de certains révolutionnaires, opposés à l'idéalisme et à
la mystique historiques, commandent notre conception
moderne : « On n'eût rien fait, pas même en suivant
les leçons des philosophes », déclare le Constituant
Durand de Maillane en 1791; et Mirabeau : « Il n'est
personne qui n'avoue aujourd'hui que la nation française a été préparée à la révolution par le sentiment de
ses maux bien plus que par le progrès de ses lumières. »
Barnave, de son côté, déclare : « Les hommes qui veulent
faire des révolutions ne les font pas avec des maximes
métaphysiques... On n'entraîne [la multitude] que par
des réalités [2]. » Autant de réponses aux nombreux

1. Ph. Sagnac, *La Révolution et l'Ancien Régime* (*Revue de Synthèse
historique*, t. XIII, p. 288). Cf. *Revue d'Histoire moderne et contemporaine*, t. XIV, p. 153.
2. Cf. Sagnac, *art. cité, Revue de Synthèse historique*, t. XIII, p. 289.
— Barnave : *Œuvres*, Paris, Chapelle et Guiller, 4 vol. in-8°, 1843,
t. I, p. 262.

révolutionnaires qui se réclament de Montesquieu et de Jean-Jacques, de Voltaire et de Diderot, et qui se bercent trop souvent de creuse idéologie en des discours factices. Le problème, d'ailleurs, est complexe. « L'histoire des révolutions, écrit Lénine, révèle des antagonistes sociaux mûris au cours de dizaines d'années et de siècles [1]. » Il ne s'agit donc plus de modeler inconsciemment les doctrines sur les faits, « pour montrer que les faits incarnent des doctrines »; il ne s'agit plus de proclamer, au nom de l'idéalisme hégélien, que la Révolution est sortie toute armée du cerveau du XVIIIe siècle, ni que la seule intelligence a ruiné l'Ancien Régime [2]. Un singulier mélange de timidité et de hardiesse caractérise les esprits les plus vigoureux, entre 1730 et 1789; les hésitations, les « repentirs » de Jean-Jacques sont un indice qui ne trompe pas. Dès lors, Michelet perd du terrain. En 1902, E. Faguet ramène la crise révolutionnaire à une question de misère et de famine. « Ce ne sont pas les idées qui gouvernent le monde, affirme-t-il, ce sont les faits, que les penseurs transforment après coup en idées [3]. » En 1933, M. D. Mornet restreint la part de l'intelligence, et appuie sa thèse par une foule de documents sérieux, dont quelques-uns paraissent commander l'adhésion [4]. Ainsi le génie intuitif de Carlyle avait vu dans la Révolution française l'effet de la misère et du sans-culottisme [5]. Le premier tiers

1. *Œuvres complètes*, Paris, Éditions sociales internationales, in-8º, s. d., t. VII, p. 105.
2. Cf. Carcassonne, *Montesquieu et le problème de la Constitution française au XVIIIe siècle*, Paris, Presses Universitaires, in-8º, s. d., p. xv.
3. *Questions politiques*, Paris, Colin, in-12, 1902, p. 1 à 23, et p. 170.
4. *Les Origines intellectuelles de la Révolution française*, Paris, Colin, in-8º, 1933.
5. *Histoire de la Révolution française*, Paris, Germer-Baillière, 3 vol., in-12, 1865, t. I, p. 221.

du xxᵉ siècle répudie donc tout romantisme intellectuel
et penche vers le matérialisme des faits.

Cependant des compromis s'esquissent, et des protestations s'élèvent, qui, elles aussi, s'appuient sur des
faits [1]. Beaucoup de théoriciens persistent à croire que
la seule confrontation des idées suffit à assurer la supré-
matie de la meilleure doctrine; beaucoup d'intellectuels
ont foi dans la primauté de l'esprit en matière politique.
Répudiant la lutte physique, la révolte, la violence,
c'est-à-dire le caractère spécifique et, jusqu'à ce jour,
fatal, de toute révolution, ils créent des confusions
pénibles, où le problème, à nouveau, s'embarrasse. Car
restreindre la part de l'intelligence, c'est, leur semble-t-il,
restreindre également la part de la sensibilité, puisque
l'une est fonction de l'autre; et cette restriction est
inadmissible à leurs yeux. S'il est entendu en effet que
les théories, les principes et les systèmes comptent peu
ou ne comptent pas du tout pour un peuple qui souffre,
qui a faim, qui est écrasé d'impôts, qui prend conscience
de l'injustice et du privilège, s'il est entendu que sa
colère est justifiée en fait, sa révolte fondée en droit,
encore faut-il que ni l'une ni l'autre ne tombent au
premier obstacle, tant l'œuvre à accomplir est immense
et l'effort qu'elle exige surhumain. Or, qui soutiendra
cet effort? La foi, mieux, l'acte de foi, la confiance
illimitée dans la justice de l'œuvre entreprise; et cette
foi, dont Michelet et Carlyle soulignent la force nécessaire, dont Lénine avoue qu'elle est « déjà le commencement de la révolution [2] », implique toutes les puissances
affectives et mystiques de l'être, l'ardeur exaltée, l'en-

1. Cf. L. Madelin, *La Révolution*, Paris, Hachette, in-8º, 1910,
p. 14. — Sur la force des idées en Russie avant la révolution de
1917, cf. L. Trotsky, *Vie de Lénine*, Paris, Rieder, in-12, 1936, t. I,
p. 198.

2. *Œuvres Complètes*, t. VII, p. 66.

thousiasme, la violence, la chaleur du sang, la jeunesse
de l'âme, l'amour, le sacrifice à un cher idéal. Ces mots,
où vibre une réalité douloureuse, les textes les répètent
à satiété, les archives en prolongent l'écho. Le contre-
révolutionnaire Mallet du Pan reconnaît que toute
révolution exige de l'enthousiasme et que la démocratie,
née de la Révolution, « électrise le plus fortement et
généralise le plus vite les passions [1] ». Personne ne le
conteste en 1793. « S'il n'y avait pas eu des hommes
ardents, si le peuple lui-même n'avait pas été violent,
il n'y aurait pas eu de révolution », affirme Danton,
qui ajoute : « Il faut de l'exaltation pour fonder les
Républiques [2]. » Barnave n'est pas moins affirmatif.
« La République, dit-il, subsiste par les passions du
cœur, et les Français ne connaissent que les passions
de la tête. » Il explique, ou croit expliquer ainsi, pourquoi la Révolution française finit par aboutir à la République, et pourquoi cette République ne put se maintenir [3]. Sur ce thème séduisant les révolutionnaires,
en fils émus de Jean-Jacques qu'ils avaient la prétention
d'être, ont brodé avec complaisance, et le lyrisme de
Michelet a consacré la puissance du cœur après avoir
consacré celle de l'intelligence [4]. Danger nouveau :
car il ne s'agit pas de substituer la première à la seconde,
il s'agit de faire à chacune sa part, en évitant de verser
dans la dialectique sensible comme dans la dialectique
idéologique. Quelques esprits avertis l'ont essayé. « La
révolution, dit Guéhenno, c'était surtout un acte de foi
en l'humanité, en la puissance de l'esprit humain...
C'est la foi qui fait les révolutions, mais c'est la raison

1. *Considérations sur la nature de la Révolution française*, Londres et
Bruxelles, Flon, in-16, 1793, p. 30.
2. *Discours*, Paris, Cornély, in-8°, 1910, p. 411, 442.
3. *Œuvres*, t. II, p. 47.
4. *Ouvr. cité*, t. II, p. 244 à 369.

critique qui les continue, elle qui assure le mouvement de l'histoire [1]. » On réalise ainsi cette harmonie de deux forces contraires, cet équilibre cher aux Français, même dans les périodes les plus troublées.

***

Équilibre factice, qui se trouve fatalement rompu au moment de l'action. Le Français admet avec peine qu'il puisse l'être, et il le déplore, comme il déplore, en général, toute rupture brusque de l'ordre établi. L'habitude, le préjugé, le respect de la tradition l'empêchent d'applaudir les hommes qui contrarient cette habitude, bousculent ce préjugé, brisent cette tradition. C'est pourquoi il est très rare qu'un historien de la Révolution cherche, en France, à définir d'abord l'esprit révolutionnaire. L'ignorance de cet esprit l'entraîne aux plus graves erreurs de jugement et à une interprétation illusoire des faits. On peut reprendre sans présomption la phrase de Saint-Just : « Tant d'hommes ont parlé de cette révolution, et la plupart n'en ont rien dit [2]. » Ou, s'ils en ont dit quelque chose, ce fut tantôt avec des idées préconçues, étroites, haineuses, tantôt avec un détachement qui empêchait l'intelligence de l'époque. Si le pamphlétaire est négligeable, l'érudit sérieux mérite audience. Or, l'un déclare qu'il est Guelfe avec les Gibelins et Gibelin avec les Guelfes, l'autre qu'il apprécie la Révolution et répugne à la Terreur [3]. Ce dilettantisme et ce modérantisme, commodes à distance et respectables en soi, ne permettent pas de pénétrer l'esprit révolutionnaire. Il ne s'agit pas de

1. *Conversion à l'Humain*, Paris, Grasset, in-12, s. d., p. 82.
2. *Œuvres Complètes*, Paris, Fasquelle, 2 vol. in-12, 1908, t. I, p. 251.
3. Madelin, *ouvr. cité*, p. v. — Mornet, *ouvr. cité*, p. 3.

savoir si, en 1936, tel Français est Guelfe ou Gibelin,
si tel autre approuve ou condamne la Terreur. Il
s'agit de rechercher et d'expliquer pourquoi, en 1793,
des hommes exceptionnels ont suivi une ligne de conduite dans des circonstances exceptionnelles. Michelet,
Louis Blanc, malgré leurs défauts, et peut-être à cause
de leur intuitive sympathie, l'ont fort bien compris [1].
Nul ne saisit les mobiles de cette conduite, nul n'entre
dans cet état d'exception, s'il ne fait un effort pour
pénétrer la pensée et la conscience des hommes de 1793.

Qu'est-ce donc que cet esprit révolutionnaire? Les
révolutionnaires mêmes, qui sont le mieux qualifiés
pour répondre, permettent de le définir, et il n'est rien
que je ne leur emprunte [2]. C'est un esprit à la fois
idéal et pratique, idéal parce qu'il conçoit lentement
un monde nouveau, qui est une construction abstraite
de la pensée méditative, pratique parce qu'il cherche
ensuite à réaliser ce monde nouveau par la persuasion
ou, s'il le faut, par l'action directe, la force, la violence.
Deux grandes expériences, l'expérience française de
1789, l'expérience russe de 1917, facilitent l'interprétation de cet esprit. Car ces deux expériences, loin de
se contrarier, ne se peuvent concevoir l'une sans l'autre,
« participent du même mouvement lent sans doute,
mais irrévocable de l'histoire, selon lequel un nombre
toujours plus grand d'hommes éclairés doivent et veulent
faire reconnaître leur dignité [3] ». Si la révolution
française est une révolution à demi bourgeoise, qui
bénéficie de formes d'organisation toutes faites, et

1. Cf. L. Blanc, *Histoire de la Révolution*, Paris, Furne, 12 vol. in-8º,
1869, t. I, p. xxxiii. — R. Rolland, *Le Théâtre du Peuple*, Paris,
A. Michel, in-12, s. d. (1903), p. 85 : Michelet « écrivit l'histoire de
la Révolution comme un homme de la Révolution qui l'a vraiment
vécue ».
2. Tous les détails qui suivent sont tirés des œuvres révolutionnaires.
3. J. Guéhenno, *Jeunesse de France (Europe*, 15 février 1936, p. 177).

la révolution russe une révolution prolétarienne, qui
doit tout créer [1], l'une et l'autre exigent pareillement
une conception rigoureuse du devoir social, une appli-
cation non moins rigoureuse de l'esprit révolutionnaire. Ce que doit être le parfait révolutionnaire,
nous le savons par d'innombrables aveux : un homme
de réflexion et de volonté, un homme qui allie la bonté
à la rigueur, la pitié à la justice. Cet homme ne s'improvise pas, il se forme par de longues et persévérantes
études; loin d'être un ignorant ou un impulsif, il est
un homme de cabinet avant d'être un homme d'action,
mais il s'instruit chez le peuple plus que dans les livres.
Guidé par l'esprit de principe et par la foi dans les
« masses » [2], il est sans faiblesse comme sans présomption,
et son audace est prudente. Le dilettantisme lui est
étranger, odieux même; sachant que la Révolution est
une crise, un état passager qui prépare un ordre nouveau,
il se donne à elle et ne ménage point son effort qui,
lui aussi, est passager. Le saut dans l'inconnu ne l'effraie
pas, mais, après avoir anéanti l'ennemi, il ne chante
point victoire, il consolide sa victoire. Perspicace, capable
de saisir rapidement et de deviner, il a le sens profond
des événements imminents, il veut l'ordre, l'unité,
la cohésion, et il les veut d'une volonté froide, continue [3].
La vie politique d'un Robespierre, d'un Saint-Just,
n'est, en conséquence, qu' « un acte ininterrompu de
volonté [4] ». Volonté pour imposer un idéal, pour plier

  1. Lénine avait senti l'impossibilité d'une répétition mécanique
des faits. (*Œuvres Complètes*, t. VII, p. 211.)
  2. « J'ai suivi le fil des mouvements populaires au fond du cœur
des hommes que j'ai trouvés capables de les susciter. » (Saint-Just,
Œuvres complètes, t. I, p. 356).
  3. Cf. *Lénine tel qu'il fut*, par Staline, Molotor... Paris, Bureau
d'Éditions, in-8°, 1934, pp. 22 à 30.
  4. Ch. Vellay : Introduction aux *Œuvres Complètes* de Saint-Just,
t. I, p. xv.

au besoin les faits à l'idée directrice, pour substituer au privilège une organisation centralisée. S'il part idéalement de la liberté abstraite, c'est pour aboutir à la liberté concrète, sensible à chaque homme dans chaque condition sociale. Les mots d'utopie, de chimère, il les répudie, car le rêve n'a de valeur pour lui que s'il entre en contact avec le réel et le transforme. C'est pourquoi le vieil adage par lequel « le préteur ne se soucie pas des détails insignifiants », il le répudie avec non moins de force. Il se penche vers l'humble vie quotidienne, la misère innombrable, la plainte qui monte des foules ignorées. Robespierre s'instruit en plaidant des causes ingrates et obscures, puis, lorsqu'il aborde les problèmes politiques et sociaux qui, pour lui, se confondent, il ne s'écarte jamais de la réalité. Son esprit n'est ni géométrique, ni abstrait. Positif, il domine les problèmes, veille à la minutie de l'exécution, s'occupe de l'administration, de la diplomatie, de l'armée, de la justice, des approvisionnements, des Conventionnels en mission, des généraux, des courriers... « Il embrasse, d'un regard vaste et sûr, tout le champ du combat révolutionnaire, l'avant et l'arrière, la France et l'étranger. Il est le contrôleur universel perpétuellement en éveil [1]. » Saint-Just, lui aussi, « voit tout, sait tout, ordonne tout [2] » avec la même précision mathématique, car la machine révolutionnaire est délicate et veut que les rouages fonctionnent. Il s'exerce sur l'affaire des biens communaux de Blérancourt, discute les droits de propriété des habitants, parle arpentage, bois, marais, prairies, arbres, étangs, troupeaux... Plus tard, aux armées, il pèse les rations, le fourrage, réquisitionne les capotes

1. A. Mathiez, *Pourquoi nous sommes robespierristes* (*Robespierre terroriste*, Paris, Renaissance du Livre, in-12, s. d., p. 187).
2. Ch. Vellay, *ouvr. cité*, p. XVII.

et les souliers pour les soldats, s'intéresse à l'exploitation des mines de houille [1]... Lénine interroge les ouvriers, se préoccupe des amendes, de l'eau bouillante pour le thé, prépare tout lui-même, veut, comme Robespierre et Saint-Just, de l'exactitude, de l'ordre, de la méthode, un rigoureux contrôle, un esprit pratique, constructif, car le révolutionnaire, contrairement à l'idée que l'on se fait de lui, est « un homme qui a plus que les autres le sens profond et le besoin de l'ordre [2] ».

Alliance rare du dogmatisme et de l'opportunisme, de l'idéal et du réel. Les uns, comme les Girondins, se comportent trop idéalement, hésitent devant l'action, se perdent et compromettent par leur faiblesse la cause de la Révolution. Les autres, comme les Montagnards, sauvent momentanément cette cause, gardent le sens étroit du réel, et se perdent à leur tour par la cruauté des moyens qu'ils emploient. Hébert et Camille Desmoulins marquent les positions extrêmes entre lesquelles oscille la masse des peureux et des lâches, ou simplement des hommes dont Saint-Just redoute la « souplesse », plus dangereuse à ses yeux que « l'austérité ou le délire [3] ». « Enfin, plaisante le premier, j'ai vu le rasoir national (la guillotine) séparer la tête pelée de De Custine de son dos rond. » — « Je crois que la liberté, c'est l'humanité », réplique le second, liberté magnanime qui « n'insulte pas le coupable avant ni après son supplice », liberté qui est le bonheur [4]. Placé entre ces deux extrêmes, le révolutionnaire ne tergiverse pas; il est, selon les circonstances, Hébert ou Desmoulins. « Homme de

1. *Œuvres Complètes*, I, 225 à 248; II, 105, 359.
2. Cf. Guéhenno, *art. cité*, p. 184, et *Conversion à l'Humain*, p. 172. — *Lénine tel qu'il fut...* p. 25 à 30, 167. — Marc Vichniac, *Lénine*, Paris, Colin, in-16, 1932, p. 33, 55, 242.
3. *Œuvres Complètes*, I, 356.
4. C. Desmoulins, *Œuvres*, Paris, Charpentier, 2 vol. in-12, 1874, t. II, p. 286-288.

cœur, fier de sa vertu, brûlant de patriotisme, exalté par le sentiment de la grandeur des intérêts qu'il défend, connaissant les grands mouvements des passions et l'art d'amener les scènes tragiques..... », tel il apparaît à Marat : chaleur d'âme qui lui donne un air d'emportement, tête à la fois brûlante et froide, ardeur du zèle et pureté du cœur, voilà les caractères de celui qui veut dominer les événements, inspirer confiance aux hommes, sauver la cause du peuple [1]. Les qualités affectives, que traduisent, sous la plume de Marat, tant de mots passionnés, dominent donc chez le révolutionnaire. Robespierre et Saint-Just, moins exaltés que Marat, théoriciens plus objectifs, ne sont pas loin de s'accorder avec lui lorsqu'ils définissent le bon « patriote ». Ce n'est, dit le premier, qu'un homme « probe et magnanime dans toute la force de ce terme », un homme qui joint à la probité l'indépendance, la fermeté, la pénétration [2]. Le bon patriote, selon Saint-Just, a « la froideur de l'esprit, le feu d'un cœur ardent et pur, l'austérité, le désintéressement ». Or, écrit-il de Saverne au *Comité de Salut Public*, « le peuple français se compose de patriotes ; le reste est ilote ou n'est rien [3] ». Le révolutionnaire est donc un patriote qui s'oublie, se sacrifie, meurt pour le pays : internationaliste d'aspiration, il exige dans la pratique un amour sectaire de la patrie; européen, universel en théorie, il se révèle dans ses actes nationaliste fervent. Et voici que Saint-Just, incarnant ce révolutionnaire, en trace, à la manière classique, un admirable portrait où chaque mot porte, où chaque

1. Marat, *Correspondance*, Paris, Fasquelle, in-12, 1908, p. 166, 172-173.
2. Robespierre, *Œuvres choisies*, Ed. Laponneraye, Paris, 3 vol. in-8°, 1832-1842, t. III, p. 640. — Hamel, *Histoire de Robespierre*, Paris, A. Lacroix, 3 vol., in-8°, 1865-1867, t. I, p. 60.
3. *Lettres inédites (1791-1794)*, Le Puy, Peyrillier, in-8°, 1910, p. 11.

détail correspond à une réalité terrible : « Un homme révolutionnaire est inflexible, mais il est sensé, il est frugal; il est simple sans afficher le luxe de la fausse modestie; il est l'irréconciliable ennemi de tout mensonge, de toute indulgence, de toute affectation. Comme son but est de voir triompher la Révolution, il ne la censure jamais, mais il condamne ses ennemis sans l'envelopper avec eux; il ne l'outrage point, mais il l'éclaire; et, jaloux de sa pureté, il s'observe quand il parle, par respect pour elle; il prétend moins être l'égal de l'autorité qui est la loi, que l'égal des hommes, et surtout des malheureux. Un homme révolutionnaire est plein d'honneur; il est policé sans fadeur, mais par franchise, et parce qu'il est en paix avec son propre cœur; il croit que la grossièreté est une marque de tromperie et de remords, et qu'elle déguise la fausseté sous l'emportement. Les aristocrates parlent et agissent avec tyrannie. L'homme révolutionnaire est intraitable aux méchants, mais il est sensible; il est si jaloux de la gloire de sa patrie et de la liberté, qu'il ne fait rien inconsidérément; il court dans les combats, il poursuit les coupables et défend l'innocence dans les tribunaux; il dit la vérité afin qu'elle instruise, et non pas afin qu'elle outrage; il sait que, pour que la Révolution s'affermisse, il faut être aussi bon qu'on était méchant autrefois; sa probité n'est pas une finesse de l'esprit, mais une qualité du cœur, et une chose bien entendue. Marat était doux dans son ménage, il n'épouvantait que les traîtres. J.-J. Rousseau était révolutionnaire, et n'était pas insolent sans doute : j'en conclus qu'un homme révolutionnaire est un héros de bon sens et de probité[1]. »

Héros de bon sens et de probité, Saint-Just mérite ce beau titre. Il travaille, vit dans ce triste isolement qui

1. *Œuvres Complètes*, II, 372.

est celui des saints, auxquels il pense, et des martyrs, qu'il rejoindra bientôt [1]. Visage impassible, tête perpendiculaire sur la haute et ample cravate qui le raidit encore, il regarde en face ses responsabilités écrasantes de révolutionnaire en mission auprès des armées. « Père et ami » du soldat, il est sans pitié pour lui et pour les autres. « De quels hommes publics peut-on dire qu'ils sont innocents du malheur du peuple? » demande-t-il. Il a vingt-cinq ans, et son courage est d'un stoïcien. « Les circonstances, déclare-t-il, ne sont difficiles que pour ceux qui reculent devant le tombeau. » Lui ne recule pas; il provoque la mort, crie à ses ennemis avec une violence exaltée : « Vous êtes tous des lâches qui ne m'avez point apprécié. Ma palme s'élèvera pourtant, et vous obscurcira peut-être... Arrachez-moi le cœur et mangez-le, vous deviendrez ce que vous n'êtes point, grands! » Orgueilleux de son œuvre, il veut une mort digne de lui. « Les grands hommes ne meurent point dans leur lit », déclare-t-il, et le révolutionnaire ne doit dormir que dans le tombeau. Lui meurt à vingt-sept ans, sur l'échafaud. Qu'importe! Sa vie est ailleurs. « Je défie, s'écrie-t-il, qu'on m'arrache cette vie indépendante que je me suis donnée dans les siècles et dans les cieux! » Il vit dans l'avenir, et il presse sur son cœur la postérité innocente des maux présents [2].

* *

Tel est le révolutionnaire accompli. Pour en avoir un portrait à peu près fidèle, j'ai choisi, non pas des théoriciens qui peuvent se permettre impunément toutes les audaces sur le papier, mais des hommes d'action qui sont aux prises avec une réalité terrible; et, parmi

1. *Lettres inédites*, p. 6.
2. *Œuvres Complètes*, I, 349; II, 84, 493 à 495.

eux, j'ai choisi ceux que l'on considère comme les plus inflexibles et les plus durs. Or, Saint-Just constate que le révolutionnaire est « sensible » et doit avoir un « cœur ardent », Robespierre lui accorde des vertus « magnanimes », Marat insiste sur sa « chaleur d'âme » et ne peut le concevoir sans passions [1]. Ni l'intelligence, ni la raison, ni la volonté, ni le sang-froid ne suffisent donc au révolutionnaire; il lui faut des qualités sensibles, comme aux autres hommes. Si l'on interroge sur ce point les Girondins par exemple, ou tel révolutionnaire de second plan, les réponses sont encore plus nettes, et la part de la sensibilité l'emporte sur la part de l'intelligence. On a cru devoir en louer le parti girondin, dont Lamartine n'a pas été le seul à glorifier l'élégance morale et l'atticisme sentimental. Mais l'abus même de cette sentimentalité a précipité la ruine de ces hommes impulsifs, généreux et imprudents; la lutte avec la Montagne nous en donnera plus tard la sensation nette. Tout excès dans l'ordre affectif, comme dans l'ordre idéologique, se paie, lorsqu'il s'agit d'agir et de construire. C'est pourquoi les purs théoriciens, comme Proudhon, Karl Marx, Engels, se méfient de la sensibilité et l'ignorent délibérément. C'est pourquoi la sensibilité slave ne gâte presque jamais la dialectique claire et précise d'un Lénine, d'un Trotsky, d'un Dzerjinski, d'un Sverdlov, d'un Zinoviev..., et n'entrave pas leur action : résolution, discipline, autorité, opiniâtreté, réalisme leur suffisent. Se défiant du « révolutionnarisme subjectif », ils refoulent en eux-mêmes l'être intime; ils ne le tuent pas — comment le pourraient-ils? — mais, aux heures décisives de l'action, ils lui

---

[1]. « Le mal n'est pas tout entier dans les âmes ardentes... », affirme Saint-Just (*Œuvres Complètes*, t. I, p. 356). De Lénine, on nous dit qu'il « faisait tout avec passoin » et que le fond de sa nature était « un état passionné » (Trotsky, *Vie de Lénine*, t. I, p. 293).

imposent silence [1]. Le révolutionnaire français consent avec beaucoup plus de peine à ce sacrifice. A-t-il tort ou raison? Nous rechercherons d'abord pourquoi il veut rester homme, pourquoi il ne mutile la notion d'homme qu'à la dernière extrémité.

Car le problème de la sensibilité révolutionnaire est un problème humain. Lorsque, parlant des Constituants, Taine écrit avec dédain : « Tous ces gens-là sont trop sensibles », lorsqu'il croit découvrir dans la sensibilité la cause du désordre et de l'anarchie où, selon lui, la Révolution tombe dès 1789, le reproche serait acceptable si l'historien des *Origines*, qui ne peut comprendre la mentalité jacobine ni l'esprit révolutionnaire, n'en profitait pour représenter la Révolution comme une œuvre de déséquilibrés, de « gens ivres », de malades, de fous et d'assassins [2]. Son langage médical n'est que flétrissure et anathème; partout, et toujours, il met en cause la « sensibilité » qui « fait explosion », la nervosité, la surexcitation, l'emphase sentimentale..., c'est-à-dire les manifestations inférieures de la sensibilité. Taine serait bien surpris de se rencontrer par instants avec les révolutionnaires russes, en particulier avec Lénine, qui hait l'emphase et le sentiment. Mais l'erreur historique de Taine a été démontrée depuis longtemps, et personne n'oserait soutenir aujourd'hui que la sensibilité transforma en déments les hommes de la Constituante [3].

1. Cf. Victor Serge, *L'An I de la Révolution russe*. Paris, Librairie du Travail, in-12, 1930, p. 52 et suiv...; 303 à 310. — *Vie des Révolutionnaires*, Paris, Librairie du Travail, in-12, s. d. — J. Sadoul, *Quarante Lettres*, Paris, Société d'Éditions, in-12, s. d.

2. Aux « outrances » de Taine, M. L. Madelin oppose la sérénité impartiale d'A. Vandal (*La Révolution*, p. III).

3. Cf. *Les Origines de la France contemporaine, La Révolution*, t. I, p. 107, 118 à 128, 144 à 154, 371, 460; III, 190, 220, 251 à 265, 328, 331, 419 à 422; IV, 228, 270, 276, 285-287. — Taine parle souvent comme Marmontel (*Mémoires*, Paris, Jouaust, 3 vol. in-12, 1891, t. III, p. 84, 175, 181, 309, 322, 330).

La réalité est plus complexe, plus nuancée, dans les âmes comme dans les faits [1]. Elle est même composée d'éléments si variables et si contradictoires que les révolutionnaires ne pensent, ne sentent, ni n'agissent d'une façon uniforme. Si les uns sont inflexiblement, utilitairement révolutionnaires, comme Saint-Just ou Lénine, d'autres, comme Rosa Luxembourg, ne craignent pas de tempérer leur dogmatisme par la compréhension de tout ce qui est beau et bon. Les premiers accusent les seconds de romantisme bourgeois, les seconds reprochent aux premiers la sécheresse de leur matérialisme. Beaucoup de scissions politiques ont pour causes profondes cette différence de tempérament et cette opposition naturelle.

Le problème que pose toute révolution ne se résoud en effet ni par l'amour ni par la haine. Lorsque Vergniaud s'écrie pathétiquement : « On a cherché à consommer la Révolution par la Terreur; j'aurais voulu la consommer par l'amour [2] », il proclame, en une belle formule, une double impossibilité, que justifie l'expérience. Le problème est d'ordre humain. Il ne faut pas oublier que tout révolutionnaire est un homme, et que, s'il consent par avance aux persécutions, au sacrifice, à la mort, s'il n'a pas le droit de se prêter aux compromissions les plus légères, s'il ne conçoit jamais la vie en dehors de l'action, il garde le sens de la vie et travaille à la libération totale de l'individu. Son esprit analytique et lucide, sa volonté inflexible et précise ne doivent pas l'empêcher de sentir la misère humaine et de mesurer ses actes à cette misère. Il ne craint pas la mort, mais il sait le prix de la vie, et il la respecte chez les autres

---

1. Albert Vandal, puis M. L. Madelin (*La Révolution*, p. IV à VI) ont insisté avec raison sur cette complexité. La Révolution, loin d'être un bloc, présente d'innombrables aspects.

2. *Œuvres*, Paris, Cournol, in-12, s. d., p. 216.

plus qu'en lui-même; il s'efforce même de réaliser en
lui une vie plus complète, plus harmonieuse, plus universelle, et d'incarner l'homme futur. D'un côté, la
théorie, le système, l'abstraction gardent leur valeur
et leurs droits incontestables; de l'autre la réalité mou-
vante ne permet pas au révolutionnaire d'oublier qu'il
travaille, non plus *in abstracto,* mais sur des êtres de chair
et de sang, qui réagissent avec leurs préjugés, leurs
instincts, leurs faiblesses, leurs passions. Le drame révolutionnaire est dans cette opposition fondamentale.
Si l'on admet que la sensibilité joue son rôle dans ce
drame — et il est difficile de ne pas l'admettre — laissera-
t-elle asservir l'individu au bénéfice de la collectivité,
ou réclamera-t-elle, au mépris des formules les plus
salutaires, les droits de la nature et le respect de chaque
personnalité? Acceptera-t-elle que le révolutionnaire
soit un être simplifié à l'excès, mutilé, sectaire et étroit,
un être à qui manquent les nuances, à qui les émotions
et les conflits douloureux demeurent étrangers, ou bien
acceptera-t-elle de disparaître pour ne pas entraver
l'œuvre nécessaire, ou cherchera-t-elle enfin un compromis entre les exigences sociales et ses propres exigences?
On peut répondre à l'avance que tout compromis,
comme toute compromission, n'est pas d'essence révolutionnaire : les hommes de 1793 vont nous en donner
un éclatant exemple. Il vient une heure où ce n'est
pas le système qui s'adapte à l'individu, selon la loi
raisonnable et juste, mais où c'est l'individu qui doit
se plier au système, pour sauver la révolution. Alors le
jeu de balance entre l'enthousiasme et la raison, l'harmonieux compromis dont on nous parlait tout à l'heure,
ne résiste pas à la pression des événements; alors cette
formule commode dont je me suis servi : *d'un côté,*
de l'autre ne suffit plus à sauvegarder des intérêts ou
des sentiments qui s'opposent, mais qui sont également

respectables : « Le petit bourgeois, tout comme notre
historien Raumer, dit toujours : *d'un côté,* et : *de l'autre,*
constate Karl Marx. Deux courants opposés, contradictoires dominent ses intérêts matériels et, par conséquent, ses vues religieuses, scientifiques et artistiques,
sa morale, enfin son être tout entier. Il est la contradiction vivante[1]. » Or, cette contradiction, le révolutionnaire s'efforce de l'abolir, parce que l'action exige
une unité organique, un dessein net, un plan concerté.
Il n'y réussit pas toujours, et, quand il réussit, sa victoire
est mêlée de souffrance, parce qu'elle implique un sacrifice. Il semble qu'on ne puisse comprendre, sinon juger,
les hommes de 1793, si l'on ne conçoit pas d'abord la
nécessité où ils se trouvent de rester des révolutionnaires,
au sens précis du mot, et de sauver leur idéal. La con-
testation, le blâme ni l'injure ne peuvent rien contre
la brutalité de ce fait. « Labourez profond », disait
Duport. Robespierre comme Barère, Saint-Just comme
Marat, sont convaincus de cette inéluctable loi, et ils
le disent [2].

Mais à qui se confier, où se prendre pour une telle
recherche? Aux historiens? Leur témoignage est précieux, sans être toujours sûr, et tant de contradictions
révèlent souvent une partialité si déformante! Aux
documents, aux archives? Ils sont indispensables, sans
échapper non plus au reproche de partialité; le mensonge,
en eux, prend une forme écrite, qui semble définitive,
sinon éternelle, et le souffle de la vie s'est retiré d'eux
à jamais. Aux révolutionnaires, acteurs ou témoins
du drame? Ce ne sont, « dans le meilleur des cas, affirme
l'un d'eux, que de passables chroniqueurs [3] ». Déjà

---

1. *Proudhon jugé par Karl Marx* (K. Marx, *Misère de la Philosophie,*
Paris, Giard et Brière, in-12, 1896, p. 257).
2. Cf. Michelet, *ouvr. cité,* t. V, p. 401.
3. V. Serge, *L'An I de la Révolution russe,* p. 2.

M. Aulard, après Mortimer-Ternaux, avait dit les
raisons de sa méfiance à l'égard des *Mémoires* écrits par
les révolutionnaires. Peu de ces *Mémoires* paraissent
authentiques, et leurs auteurs préfèrent souvent « le
souci de leur propre apologie au souci de la vérité.
Écrits après les événements, pour la plupart sous la
Restauration, ils ont un vice commun très grave : je
veux parler de la déformation des souvenirs, qui en
gâte presque toutes les pages[1]. » Aussi les *Correspondances* et les *Journaux* semblent-ils plus sûrs à M. Aulard.
   Toutefois le moraliste peut accueillir les *Mémoires*
avec moins de réserve que l'historien. D'abord les *Mémoires* déforment-ils les faits plus que les *Journaux* et les
Correspondances, dont beaucoup sont suspects? Ensuite,
s'il est vrai qu'un certain nombre furent composés
après la Révolution, embellis par la magie du souvenir
et l'ambiance romantique, ce n'est pas le plus grand
nombre. Seuls les survivants, c'est-à-dire les hommes de
troisième plan ou ceux que le hasard a servis, ont connu
la joie intéressée de composer après coup leur personnage. Au contraire, tous ceux qui, entre 1789 et 1795,
moururent sur l'échafaud ou périrent de mort violente,
nous ont laissé des œuvres calquées sur une réalité
brûlante. Souvent ils sont partiaux. Qui ne l'est pas,
même à son insu? La discrimination est d'autant plus
facile entre la vérité historique et l'apologie personnelle
que nous avons des moyens de contrôle efficaces. Depuis
le début du xxᵉ siècle, les *Mémoires* des grands révolutionnaires ont été soumis à de patientes études, réédités
parfois avec un soin critique minutieux[2]. Hommes et

   1. Aulard, *Histoire politique de la Révolution française*, Paris, Colin,
in-8°, p. xi. — Mortimer-Ternaux, *Histoire de la Terreur (1782-1794)*,
Paris, M. Lévy, 6 vol. in-8°, t. I, p. v. — A. Cochin conteste cette
méthode étroite (*La crise de l'histoire révolutionnaire. Taine et M. Aulard*,
Paris, Champion, in-8°, 1909, p. 67...).
   2. Il s'en faut de beaucoup que ce travail de mise au point soit

faits s'éclairent peu à peu les uns par les autres, se dégagent des dithyrambes et des malveillances systématiques. Qui donc aujourd'hui rejetterait le témoignage d'un Camille Desmoulins ou d'un Barbaroux, d'un Robespierre ou d'un Saint-Just? Ces hommes, habitués à l'analyse et à l'action, se connaissent parfaitement et se livrent sans contrainte. Une œuvre objective comme celle de Saint-Just, ou une œuvre passionnée comme celle de Buzot, a, malgré ses insuffisances, une incontestable valeur morale, une valeur de document psychologique. Or, lorsqu'il s'agit de pénétrer l'être sensible, pourquoi n'accueillerait-on pas ces *Mémoires* au même titre que les souvenirs et les confidences des grands écrivains romantiques? La méthode n'est ni spécifiquement historique ni étroitement littéraire; elle est humaine, parce qu'elle cherche à saisir l'homme à travers ses aveux sincères et ses mensonges mêmes. Ni Stendhal, ni Sainte-Beuve, ni Barrès n'ont négligé pareille richesse, pareille ouverture sur l'âme secrète [1].

On répondra : sans doute, mais cette âme révolutionnaire fut aux prises avec une réalité puissante, et le souci politique l'absorba sans mesure; il faut donc la considérer pour ainsi dire en dehors d'elle-même, et dans le seul ordre des contingences matérielles. Il serait imprudent en effet de ne pas maintenir en connexion étroite cette âme et ces contingences, d'isoler l'humain du politique : l'un et l'autre sont inséparables, puisque la politique est l'œuvre des hommes, puisqu'elle suit le rythme de ses instincts et de ses besoins, de ses désirs et de ses espérances. Aussi les *Mémoires*, les *Correspondances*, les *Journaux* recevront-ils le secours de la science

---

terminé, et la médiocrité, l'incertitude de nombreux textes rendent la tâche ingrate.

1. On verra en particulier l'attitude de Barrès en face de Saint-Just.

historique. Celle-ci ne peut rien sans eux, comme eux ne peuvent rien sans elle. C'est donc aux messages des révolutionnaires que je ferai le plus souvent appel pour suivre les vicissitudes de la sensibilité entre le 14 juillet 1789 et le 28 juillet 1794. Ce sont eux qui nous révèleront d'abord si les révolutionnaires français étaient préparés, par leur formation intellectuelle et morale, à résoudre l'inévitable conflit qui met aux prises la sensibilité, dont ils se réclament tous, et le dogme de la Révolution, dont ils se réclament également.

CHAPITRE II

LA FORMATION SENSIBLE DES RÉVOLUTIONNAIRES

Bien préparés, ils ne semblent pas l'être. Ce que nous appelons aujourd'hui la formation « pré-révolutionnaire » a pour eux un sens vague, théorique. Bourgeois confinés dans la tradition et dans les carrières libérales, ils ne sont à aucun degré des « réfractaires » irréductibles ou des « révoltés » qui veulent un bouleversement total. Quiconque leur applique ces mots abrupts commet une erreur. Un siècle s'est écoulé entre eux et un Jules Vallès ou un Maxime Gorki. Aucun n'a plié sous la dure contrainte, sous le persistant malheur qui jettent l'homme dans la révolte et forgent en lui un esprit nouveau ; aucun n'a été soumis au terrible apprentissage que subirent la plupart des révolutionnaires au xixe et au xxe siècles ; aucun n'a payé de sa tranquillité ou de sa vie l'audace d'une pensée en rupture avec le conformisme[1]. Ni les châtiments corporels, ni l'exil, ni la prison, ni la torture, ni l'espionnage, ni la corruption, ni les formes multiples de la répression qui s'attaque à la vie morale comme à la vie matérielle, rien ne leur a donné le sens d'une action libératrice, ne leur en a montré l'urgente nécessité[2]. Car cette école préparatoire de la propagande et de l'organisation révo-

1. Cf. la trilogie de *Jacques Vingtras* et *Les Réfractaires* de J. Vallès.
2. Cf. V. Serge, *Vie des Révolutionnaires*, p. 26-30.

lutionnaires, où d'autres excelleront plus tard, ils ne
l'ont pas connue; et ils n'ont pas connu cette agitation
audacieuse, opiniâtre, secrète, que certains Russes
entretinrent pendant un demi-siècle avant la Révolution d'Octobre, opposant la ruse à la ruse, la violence
à la violence, l'attentat à la répression; ils n'ont connu
ni cette passion, ni cette énergie, ni ce mystère[1]. Nul
ne rompt, avant l'heure, avec une société où tous vivent
sans fièvre ni souffrance. C'est la double pression des
événements et du peuple qui les détachera lentement
d'un régime perdu. En 1789, la plupart sont encore
royalistes, monarchistes, tel Robespierre, et beaucoup
le resteront jusqu'en 1793. Même chez les plus audacieux
l'esprit de l'Ancien Régime continue de s'affirmer,
parce qu'il n'a pas été touché, avant 1789, dans ses
œuvres vives; ainsi l'on a pu soutenir sans paradoxe
que Robespierre et Saint-Just n'étaient, en somme,
que de « faux aristocrates », et que « l'on ne retrouve
guère la mentalité révolutionnaire en Saint-Just »[2].
Pourtant, nous l'avons vu, Saint-Just a l'idée la plus
exacte des nécessités révolutionnaires, et il incarne,
pendant dix-huit mois, l'idéal de la Révolution montagnarde; mais il est vrai qu'il n'a point eu à faire d'opposition dangereuse avant d'accéder au pouvoir, et que
son aristocratie de race, assez dédaigneuse du peuple,
s'accommoderait volontiers d'une dictature personnelle.
On ne peut donc comparer le révolutionnaire français
de 1789 aux révolutionnaires que des événements plus
récents nous ont fait connaître dans leur période militante et souffrante; il ne leur ressemble, ni dans sa formation intellectuelle, ni dans sa formation sentimentale.
Quelles que soient ses velléités d'indépendance, il pense

1. Cf. Guéhenno, *art. cité*, p. 179.
2. Marie Lenéru, *Saint-Just*, Paris, Grasset, in-12, 1922, p. 179.

et il sent comme la majorité de ses contemporains. Il pense, répètent tous les biographes, comme Montesquieu, comme Rousseau, comme Voltaire, comme les Encyclopédistes..., et cette pensée est déjà un signe de libération. Il serait puéril de nier une influence si souvent affirmée et démontrée par les révolutionnaires mêmes, les historiens et les critiques littéraires [1]. Mais tel ouvrage récent, comme celui de M. Mornet, limite cette influence et lui enlève sa pointe [2]. Les futurs révolutionnaires sont presque tous les dociles élèves des Jésuites et des Oratoriens; or, ni la discipline, ni les programmes, ni les méthodes d'enseignement des collèges ne tendent à la libération de l'individu. Si quelques esprits, comme Brissot, Condorcet, Billaud-Varenne, s'insurgent contre cette « barbarie », l'immense majorité accepte cette culture vouée au passé, gréco-latine, étroitement classique, où Homère, Plutarque et Virgile constituent l'apport principal; les discours les plus révolutionnaires, plus tard, en témoigneront. Rien ne laisse pressentir une culture nouvelle. On nous dit que Buzot se fait au collège une « âme sensible et humanitaire » [3]. Mais comment? Est-ce l'enseignement reçu ou l'instinct naturel qui rend cette âme sensible? Sans doute beaucoup élargissent ce classicisme de commande. Le goût des langues vivantes, des sciences, de l'histoire, de l'économie politique, de la philosophie contribue à cet élargissement; la lecture des écrivains modernes, français et étrangers, atténue ce que la stricte observance de l'antiquité pour-

1. « Le génie de quelques philosophes de ce siècle avait remué le caractère public. » (Saint-Just, *Œuvres Complètes*, t. I, p. 253.) Rivarol ne nie pas cette influence, mais il estime qu'elle s'est exercée de biais sur le peuple, qui ne lit pas. (*Œuvres*, Paris, Didier, in-12, 1852, p. 57, 186-187.)

2. Sur les réserves que comporte cet ouvrage, cf. l'article de G. Pagès (*Revue Historique*, janvier 1935, p. 167).

3. Mornet, *ouvr. cité*, p. 416.

rait avoir de pauvre et d'artificiel. Mais est-ce là une éducation révolutionnaire? On peut choisir le cas du jeune homme le plus hardi, le plus libéré des conventions littéraires et sociales; il lui manque toujours cette vaste culture, puisée à d'innombrables sources, qui fera la force, au XIXᵉ et au XXᵉ siècles, du révolutionnaire « professionnel », linguiste, érudit, grand liseur, dialecticien, propagandiste, écrivain, voyageur, de ce révolutionnaire doué d'une éthique nouvelle, parce qu'il a rompu délibérément et sans retour avec la classe sociale dont il est sorti [1]. En 1789, ce jeune homme n'a pas rompu avec sa classe, il ne l'a pas pu, il ne l'a pas voulu. Car jamais il n'a envisagé l'action directe et violente : ni Montesquieu, ni Voltaire, ni Jean-Jacques, ni Helvétius ne l'y ont invité sérieusement. Les gazettes d'avant-garde, les écrits les plus audacieux, les pamphlets les plus virulents, les journaux les plus agressifs, les systèmes les plus neufs respectent l'ordre établi et gardent les apparences d'un académisme théorique. On discute, mais d'une façon cartésienne, abstraite, et l'on considère un changement radical dans l'ordre politique comme une utopie. Le révolutionnaire français aborde ainsi la Révolution sans avoir un plan concerté, parce qu'il n'a pas été formé en vue de la révolution, et l'on a pu dire : « Un Lénine et un Trotsky ont voulu une certaine révolution; ils l'ont préparée, puis accomplie, puis dirigée. Rien de pareil en France. Les origines de la Révolution sont une histoire; l'histoire de la Révolution en est une autre » [2].

Fait capital : les révolutionnaires français, au lieu de rompre brutalement avec la société dont ils portent en eux la condamnation, lui restent fidèles et ne l'abat-

1. C'est, par exemple, le cas de Lénine.
2. Mornet, *ouvr. cité*, p. 471.

tent pas sans hésitations ni regrets. A part quelques
exceptions, ils n'appartiennent point aux classes qui
ont souffert avant 1789, ils ne connaissent ni la misère,
ni la faim, ni les vexations humiliantes, ni les jougs qui
déshonorent, ils sont bourgeoisement heureux. Autant
que leur intelligence, leur sensibilité appartient au
XVIIIᵉ siècle, et elle en garde les charmantes, les aristo-
cratiques empreintes. Elle n'est pas préparée à la terrible
épreuve qui la bouleversera au point de la ruiner ou
de la dégrader. Cependant une inquiétude est en elle,
comme un trouble est dans l'intelligence; elle lui vient
de Vauban, de Racine, de Fénelon, qui rêvent d'appliquer au salut social les tendresses chrétiennes, de Voltaire,
que l'injustice et l'intolérance irritent, de Rousseau, que
l'ardeur des passions entraîne aux longs débats de la vie
intime : ainsi le XVIIIᵉ siècle se forme « une âme d'humanité infiniment riche, et il n'y a pas un seul événement de
la Révolution où cette âme ne palpite [1]. » Peut-être
Jaurès, subtil analyste de cette âme collective, exagère-
t-il l'influence qu'elle exerce sur des événements où la
politique joue le premier rôle; mais voilà le problème
posé. La solution en est délicate, puisque les uns refusent
toute sensibilité aux révolutionnaires, et que les autres
voient dans la sensibilité le motif essentiel de toute
action révolutionnaire.

***

Que disent les révolutionnaires eux-mêmes ? Leurs *Mémoires*, leurs *Correspondances*, leurs *Discours*, ne tarissent point
sur la sensibilité. Comme Prévost, Jean-Jacques et Diderot,
ils proclament qu'ils sont « les plus sensibles des hommes »,
multiplient les aveux, déroulent d'insistantes confessions.

1. Jaurès, *Histoire Socialiste*, Paris, J. Rouff, s. d., t. I, p. 756.

S'ils exagèrent, c'est moins dans la réalité que dans l'expression, d'ailleurs banale et traditionnelle, de cette réalité morale. Tous prétendent qu'ils sont doués d'une extraordinaire sensibilité physique, qui se traduit par l'exaltation, les larmes, les émotions douces, les crises violentes, le déséquilibre des facultés, bref par les symptômes que manifestent les héros de roman et les personnages de la tragédie ou du drame. Mirabeau incarne cette sensibilité, qui le mène de la sensation brute et de la sensibilité avouée au sentiment le plus ardent et le plus délicat, qui lui donne des instincts de bête lascive et des élans de spiritualité presque divine [1]. Spectacle étrange, qui se renouvelle, à un degré moindre, chez un Barbaroux, un Buzot, un Brissot, un Louvet... Que de pleurs mouillent les pages où ces jeunes hommes se confient, pleurs de joie, pleurs de désespoir, pleurs qui ruissellent, avec le sang, jusque sur les marches de l'échafaud ! Il est des effusions touchantes, il en est d'indiscrètes et de ridicules, il en est de morbides et d'hypocrites. La qualité de l'attendrissement n'est pas la même chez un Danton et un Camille Desmoulins, un Chabot et un Grégoire, un Vergniaud et un Pétion; mais l'attendrissement est chez tous une marque indélébile. En voici trois exemples : « Toute ma vie, écrit Condorcet à Mme Suard, j'ai presque toujours aimé quelque chose... Nous sommes pour le sentiment comme les gens avides sont pour la fortune [2] » (c'est-à-dire insatiables). Lorsque le petit Saint-Just dérobe l'argenterie de sa mère, le médecin écrit à celle-ci : « Il est d'une sensibilité comme je n'en ai point vue » : sensibilité naturelle, puisque Taine prétend que chez Saint-Just l'insensibilité est

1. Cf. Mirabeau, *Lettres d'amour*, Paris, Garnier, in-12, 1877. — *Revue de Paris*, 1er décembre 1895, p. 462-515. — *Revue Bleue*, 1909, t. II, p. 641 et suiv...
2. *Revue des Deux Mondes*, 15 septembre 1911, p. 313.

« voulue ». Saint-Just, pour qui l'exaltation est vertu,
non fureur, ne dit-il pas que son âme est « précipitée
et sensible [1] ? » Du petit Robespierre ses tantes affirment :
« C'est un ange! » Plus tard, le métier d'avocat désespère
le jeune homme, qui répugne à condamner, à faire
mourir : d'où les luttes de conscience dont nous avons
de nombreux échos dans ses *Œuvres Judiciaires*, où les
mots *sensible* et *humain* s'entrelacent au point qu'on
relève ce dernier mot seize fois en trente-cinq pages :
« Ne dites pas : Qui êtes-vous pour annoncer la vérité?
Hélas! je suis un homme depuis longtemps douloureusement occupé des affreux désastres qui accablent d'autres
hommes; je suis un homme qui, confident de mille
traitements cruels, de mille vexations secrètes, de mille
faits décisifs que je suis forcé de taire parce que la preuve
juridique en serait incertaine ou dangereuse, réunis au
sentiment de ma faiblesse la douleur de n'oser employer
que la moitié des moyens relatifs à leur défense. Je suis
un homme qui, blessé, agité de ces sentiments pénibles
et profonds, ai voulu du moins ramasser toutes mes forces
pour présenter sous un jour lumineux les moyens puis-
sants et invincibles qui me restaient encore pour les
arracher à la misère et à l'ignominie. » Ailleurs l'émotion
lui coupe la parole. « Je m'arrête, s'écrie-t-il... j'étouffe
le cri de ma douleur [2]... » Le même mouvement sensible
anime Saint-Just qui, discutant du droit des gens,

---

1. *Œuvres complètes*, t. II, p. 385. — *Revue de la Révolution française*,
1897, t. XXXII, p. 97-119. — *Revue historique de la Révolution française*, 1910, p. 4. — Taine, *ouvr. cité*, t. II, p. 420; III, 247. —
Marie Léneru, *Saint-Just*, p. 70-80.

2. *Œuvres Judiciaires*, publiées par Barbier et Vellay, 1910, p. 329;
cf. p. XVIII, XXXVIII, 211, 219, 223-261, 280, 286, 320, 396, 504,
583, 612, 618. — *Correspondance de Robespierre*, p. 31. — *Mémoires de
Charlotte Robespierre*, p. 50, 121. — Hamel, *Histoire de Robespierre*,
t. I, p. 35, 60. — Ralph Korngold, *Robespierre*, Paris, Payot, in-8°,
1936, p. 28.

s'écrie : « La douleur déchire mon cœur et arrête ma plume [1]. »

Sensibilité innée; Marat déclare en effet qu'il est né « avec une âme sensible », que, à huit ans, un acte de cruauté le soulève d'indignation, que, à onze ans, il se jette par la fenêtre dans un sentiment de dépit contre une injustice; que lui, médecin, ne peut assister, par excès de sensibilité, à l'ouverture du corps d'un ami [2]. Or, cette sensibilité naturelle, tout concourt, au XVIIIe siècle, à la développer, à lui donner ce caractère agressif, qui accuse le tempérament et l'oblige aux manifestations extérieures. La mode veut qu'on soit sensible; à force de dire qu'on l'est, on croit l'être, ou on le devient. Les apparences, un certain vernis, suffisent à beaucoup de jeunes bourgeois; quelques-uns proclament avec trop d'insistance qu'ils sont sensibles pour l'être profondément, et la banalité du sentiment lui ôte de son efficace. Mais enfin, le sentiment existe; on ne se contente pas de l'éprouver, on l'analyse, on en fait un objet d'étude, on cherche ses origines dans la sensation. Tout jeunes, les révolutionnaires ont connu ces curiosités scientifiques, où le siècle incline avec ferveur. En 1773, le médecin Marat, fidèle à la méthode positive chère à Diderot, soutient que la sensibilité du corps est la mesure exacte de la sensibilité de l'âme et que, par conséquent, la sensibilité de chaque individu dépend de causes purement physiques. « Nous ignorons le fond des choses, dit-il avec prudence; la connaissance de leurs rapports est la seule à laquelle il nous soit permis d'atteindre. » Aussi refuse-t-il de sortir du domaine physiologique pour expliquer comment la sensibilité

1. *Œuvres Complètes*, t. I, p. 333.
2. *Œuvres*, Paris, Décembre-Alonnier, in-12, 1869, p. 4 à 6, 58, 98, 254. — *Correspondance*, Paris, Fasquelle, in-12, 1908, p. 8, 13, 142, 144, 160, 166, 168, 172.

se traduit en image ou en réflexion, et ne hasarde-t-il qu'une seule affirmation d'ordre moral : « L'idée du juste ne se développe pas moins par le sentiment que par la raison [1]. » Affirmation importante, si l'on songe que, vingt ans plus tard, le terroriste Marat se réclame, comme Robespierre, comme Saint-Just, comme Couthon, de la justice. Barnave, au contraire, plus spiritualiste, ramène la sensibilité à l'intelligence, et n'aperçoit entre elles qu'une différence de degré. C'est d'elle que dépend le bonheur de l'individu, but suprême de la Révolution; or, si l'intelligence est fonction de la sensibilité, elle engendre des complications, des tourments, des souffrances, des inquiétudes, car elle augmente la vulnérabilité de chaque homme. Les plus intelligents parmi les révolutionnaires ne seront donc pas les plus secs; ils connaîtront les pires conflits intérieurs, les scrupules et, parfois, les indécisions cruelles. Selon Barnave, l'homme doit être « un composé de sensibilité proportionnée aux choses, éclairée par une raison saine, dominée par un caractère nerveux [2]. » Formule abstraite, dont Robespierre et Saint-Just semblent devoir s'accommoder. Il n'est pas indifférent que Barnave et Marat, entre beaucoup d'autres, partagent les préoccupations théoriques du siècle sur la nature de l'être sensible; ainsi s'expliqueront tant de dissertations subtiles, d'essais justificatifs, d'aveux arrogants sous la plume des révolutionnaires, lorsque leur sensibilité sera mise en cause. Ils revendiqueront pour eux la nature et ses interprètes, les physiologistes, les médecins et les philosophes.

Aussi repousseront-ils le reproche d'artifice ou de

1. *De l'Homme ou des principes et des lois de l'influence de l'âme sur le corps et du corps sur l'âme.* Londres, 1773. (Cf. *Œuvres*, p. 11-12.) Marat précède Diderot, dont les *Éléments de Physiologie* paraîtront entre 1774 et 1780.

2. *Œuvres*, t. III, p. 53 à 366.

mensonge, et s'efforceront-ils de paraître humains
jusque dans leur inhumanité. Le XVIIIe siècle, en ébau-
chant une libération timide de la famille, permet une
éducation moins fermée aux tendresses et aux échanges
sentimentaux. Il est curieux de voir la place très grande
que la mère occupe dans le souvenir des révolutionnaires.
Du père il n'est presque jamais question ; mais les *Mémoires* et les *Correspondances* consacrent de longues
pages émues à celle qui forma l'enfant. Douce empreinte
de l'éducation maternelle, souvenir attendri de la première enfance entre des mains de femme, évocation de
la maison natale, du jardin, des fêtes de famille, des
larmes versées le jour de la séparation, des scènes touchantes, à la Diderot, tout révèle une influence apaisante
dans une atmosphère bourgeoise [1]. Danton fléchit devant
sa mère, Barnave consacre à la sienne une page pleine
d'émotion et de poésie, la piété filiale de Barbaroux
s'exalte jusqu'à l'idolâtrie, Condorcet, voué à la Vierge
Marie, timide et gauche dans ses bleus vêtements de
fille, demeure longtemps sous le contrôle maternel [2].
Saint-Just hérite de sa mère une mélancolie maladive,
Marat un penchant à la charité, Billaud-Varenne un
désir d'épancher son cœur, Larevellière-Lépeaux un
don d'émotion parfois naïve [3]... Aux heures les plus

1. Cf. Chevallier, *Barnave*, Paris, Payot, in-8°, 1936, p. 1 à 36. —
R. Korngold, *Robespierre*, p. 1 à 28.
2. Cf. Robinet, *Danton, Mémoires sur sa vie privée*, Paris, Charavay,
in-8°, 1884, p. 106. — Barnave, *Œuvres*, t. II, p. 339-340 ; Sainte-
Beuve, *Causeries du Lundi*, t. II, p. 26. — Barbaroux, *Correspondance*,
p. 11 à 23. — L. Cahen, *Condorcet et la Révolution française*, Paris,
Alcan, in-8°, 1904, p. 5.
3. Cf. Aulard, *Les Orateurs de la Législative et de la Convention*, Paris,
Hachette, 2 vol., in-8°, 1886, t. II, p. 444. — Marat, *Œuvres*, p. 5.
— Billaud-Varenne, *Mémoires*, p. 11, 755, 761. — Larevellière-
Lépeaux, *Mémoires*, t. I, p. 3 à 5. — Barras, *Mémoires*, t. I, p. 70.
— Chabot, *A ses Concitoyens* (*Annales révolutionnaires*, 1913, t. VI,
p. 534).

difficiles, la pensée ardente de ces hommes retourne
vers la mère : éternel besoin, éternelle nostalgie d'un
inviolable asile !

Ce besoin, cette nostalgie sont de tous les temps;
mais ils s'affirment avec d'autant plus de force au
xviiie siècle que la littérature et l'art, faisant violence
à l'enseignement traditionaliste des collèges, élargissent
l'horizon intellectuel et donnent la première place à
la sensibilité. L'histoire grecque, l'histoire romaine,
Plutarque provoquent, assure-t-on, l'enthousiasme de
la jeunesse; sincère ou non, cet enthousiasme comporte
une part d'artifice et d'ennui. C'est un fait, au contraire,
que les livres modernes sont lus, commentés, assimilés
par cette jeunesse avec un désir de renouvellement et
une émotion toujours vive. Si les futurs révolutionnaires
lisent Montesquieu et Helvétius, Voltaire et Mably,
Raynal et les Encyclopédistes, s'ils connaissent les
réformateurs sociaux et les théoriciens politiques, ils
lisent davantage peut-être la littérature romanesque
et sentimentale de l'époque. En tout cas, ils parlent
beaucoup plus de celle-ci dans leurs lettres et dans leurs
Mémoires, et ils en parlent avec une reconnaissance
qui ne trompe pas; la curiosité de leur esprit n'est
souvent dirigée que par les exigences de leur cœur. On
ne s'étonne pas de les entendre alléguer la Bible ou
Fénelon, qui leur semblent comporter des leçons neuves;
on s'étonne moins encore de les entendre célébrer
Rousseau et Young, Ossian et Goëthe, Richardson et
Prévost : ceux-là tiennent encore au passé, mais ils
s'en détachent déjà, ils sont des maîtres dans l'art de
sentir. A cet égard, un ouvrage comme les *Études Litté-*
raires de Barnave est instructif et curieux. Si Barnave
n'aime point Ossian, il admire le « touchant » Werther;
s'il fait des réserves sur Jean-Jacques, il salue en lui
un artiste capable de « séduire l'esprit et le cœur ».

Barnave célèbre l'exaltation, nécessaire à l'art et, en particulier, à la poésie, puisque le poète est « une âme sensible et brûlante ». Diderot et Sterne lui plaisent en tant qu' « êtres sensibles », et, presque à chaque ligne, les mots *sensibilité, sentiment, jouissances du sentiment, passion, tendresse, enthousiasme* reviennent, tandis que, à la tribune, Barnave cache avec un soin jaloux sa sensibilité et son cœur. « La sensibilité est devenue aussi précieuse, affirme-t-il, que l'était autrefois la vertu, et les nerfs ont presque pris la place du cœur [1]. » Rien n'est perdu pour lui de cette éducation sentimentale; dans sa vie d'intrigue et de vanité, il fera souvent un retour « vers ses longues lectures méditatives de la première jeunesse, vers cette allée du jardin paternel où il lisait Werther, pendant que le vent d'automne roulait des feuilles flétries [2]. »

Plus exalté que Barnave, Brissot se complaît aux tristesses de Young et d'Ossian, aux tombeaux et aux ossements, à la poésie macabre des cimetières; et, s'il écrit une dissertation sur Shakespeare, c'est autant par goût que par amitié pour Linguet [3]. Il en résulte parfois chez les révolutionnaires des dispositions que, trente ans plus tard, on qualifiera de *romantiques*, mais qui sont de tous les temps : inquiétudes vagues, paresseux abandon de l'être chez Barbaroux et Buzot, pathétiques angoisses chez Louvet, molle indolence qui précipite Vergniaud de crise en crise, amertume et pessimisme chez Marat, « amant de la mort et de l'anéantissement » [4], mélancolie et tristesse chez Buzot, Vergniaud et Condorcet, chez

1. *Œuvres*, t. IV, p. 1 à 291. Cf. p. 37, 85, 132, 139, 226, 269, 272 à 277.
2. Jaurès, *ouvr. cité*, t. I, p. 752.
3. *Mémoires*, p. 71, 92.
4. Aulard, *ouvr. cité*, t. II, p. 334; mais Marat est-il vraiment le précurseur de Léopardi et de Schopenhauer, comme l'affirme M. Aulard?

Goujon et Saint-Just, chez Larevellière-Lépeaux qui se
complaît aux promenades solitaires, aux sites « romantiques », aux ruines, à la rêverie. « Je pleurais; on
s'obstinait à me demander pourquoi; souvent je n'en
savais rien », et, à soixante-neuf ans, il est aussi sensible
qu'à vingt[1]. Brissot cherche un refuge dans la rêverie,
Danton, Larevellière-Lépeaux, Marat dans la musique[2]. Fabre d'Églantine essaie de définir le mal
de mélancolie qu'il éprouve : « C'est un sentiment
funèbre, terrible, effrayant..., espèce de spleen qui me
terrasse, qui engourdit toute mon imagination, un certain deuil de l'âme qui écrase ma pensée, et je ne sais
ce que j'ai, ni comment, ni pourquoi je suis ainsi[3]. »
Presque tous sont inquiets, tourmentés, désespérés
parfois; quelques-uns portent en eux l'âme d'Obermann
et de René. Un homme, qui ne les aime pas, est attiré
vers eux par cette inquiétude et par ce tourment :
Maurice Barrès avoue qu'il est allé « bien souvent
respirer les premiers souffles arides du romantisme,
en même temps que le simoun des révolutions », dans
les œuvres de Saint-Just, de cet « adolescent féroce,
gracieux de sa personne, chez qui furent si vives les
frénésies et les mélancolies de la jeunesse[4]. »

A vrai dire, le mot *romantique* est dénué de sens pour
Saint-Just, comme pour Brissot, Marat ou Fabre d'Églantine. Ce que ces jeunes hommes éprouvent est en effet
indéfinissable et vague, instinctif et irraisonné. Les

---

1. *Mémoires*, t. I, p. xxix, xxxiii, p. 10-12, 21-26, 176-7. Il est
vrai que l'auteur rédige ses *Mémoires* en 1822, et subit après coup
l'influence romantique.
2. Brissot, *Mémoires*, t. I, p. 43. — Robinet, *Danton...*, p. 60. —
Larevellière-Lépeaux, *ouvr. cité*, t. I, p. 29, 225. — Heywod, *La
maladie de Marat* (*Revue de la Révolution française*, 1884, t. VI, p. 691).
3. *Correspondance amoureuse*, Paris, Richard, 3 vol. in-12, s. d.
(1796), t. I, p. 59.
4. *Introduction* au *Saint-Just* de Marie Lenéru, p. 9.

futurs révolutionnaires ne sentent d'ailleurs pas autrement que leurs contemporains. Ils sont tout proches
du roturier Mopinot de la Chapotte, de cet autre roturier Duveyrier, de cette jeune fille romanesque, Gene-
viève de Malboissière qui, à vingt ans, meurt d'un chagrin d'amour : exemples entre mille [1]. Ces deux anciens
officiers, cette fille mondaine et savante, sont des âmes
sensibles, des amants détachés de la tradition religieuse,
des révolutionnaires avant l'heure, et qui s'ignorent,
car ils ont rompu avec la tradition politique. Pensent-ils
déjà comme Condorcet ou Robespierre ? Il serait hardi
de le prétendre. Toutefois, si l'esprit philosophique les
gagne, il ne les empêche ni de sentir, ni d'aimer.

Sensibilité naturelle, mais renforcée par les influences
familiales et les tendresses féminines, sensibilité instinctive, mais étudiée en soi, analysée dans ses moindres
détours, mieux pénétrée, par conséquent plus redoutable, sensibilité qui reste près de ses sources mysté-
rieuses, mais que la littérature transforme de plus en
plus en une matière d'art, sensibilité robuste parce
qu'elle plonge en pleine nature, mais touchée déjà par
le souffle des inquiétudes et le vent des orages, elle
voudrait ne plus distinguer entre ceux qui pensent et
ceux qui s'abandonnent aux seules impressions, entre
ceux qui agissent et ceux qui rêvent. L'homme qui,
pour la génération révolutionnaire, personnifie le plus
complètement cette sensibilité complexe, n'est-il point à
la fois un dialecticien dont les systèmes rigides relèvent
de la spéculation la plus abstraite, et un poète dont les
émouvantes symphonies traduisent la vie intérieure ?
Les nombreux ouvrages consacrés à l'influence de Rousseau n'insistent guère sur ce double aspect d'un génie

1. Cf. Mornet, *Les Origines intellectuelles de la Révolution française*,
p. 193.

où tant de révolutionnaires se sont reconnus, parce que leur formation intellectuelle et sensible ne leur permet pas de dissocier le *Contrat Social* des *Rêveries du Promeneur Solitaire*, les deux premiers *Discours* de la *Profession de foi du Vicaire Savoyard*. Le cœur dicte la pensée, et l'inspiration générale ne varie pas; aussi les affinités sont-elles nombreuses entre Jean-Jacques et les révolutionnaires, même aux heures où ces derniers semblent dépourvus du sens humain [1]. De son côté Franklin, à qui la génération de 1780 voue un culte sentimental, n'est-il pas un homme d'action? Peu importe qu'il tombe, surtout vers la fin de sa vie, dans une sensiblerie un peu niaise. Cette sensiblerie ne l'a point empêché de réaliser une grande œuvre, dont le rayonnement gagne la France. La cause des États-Unis ébranle d'autant plus la sensiblité française, que la France a aidé les États-Unis à se libérer du joug anglais. A des intérêts communs s'ajoute une communauté d'idéal. Des livres émouvants, comme celui de Crèvecœur, plaisent aux disciples de Jean-Jacques : l'Amérique apparaît une terre d'élection, un paradis où l'homme naturel retrouve la primitive innocence, une école de vertu et de liberté. Mirage à demi trompeur, mais d'une irrésistible séduction! La Fayette et Brissot, puis Condorcet, Buzot, Pétion, Fauchet, Bailly, Danton, Marat, Robespierre, les uns avec un enthousiasme impulsif, les autres avec une foi raisonnée, se rappelleront l'exemple de Franklin. L'émotion des émigrés français en Amérique gagne certains milieux français, pénètre,

1. Cf. A. Monglond, *Vies préromantiques*, Paris, Presses françaises, in-12, 1925, p. 91-121 (il s'agit du Conventionnel Picqué). — R. Korngold, *Robespierre*, p. 20. — La plupart des révolutionnaires exaltent Rousseau; mais Sieyès, Hérault de Séchelles, Chapelier, Barnave, C. Desmoulins, Buzot, Saint-Just... le critiquent, parfois sévèrement.

en dehors des fluctuations politiques, la littérature des deux pays, impose à la vie une conception mystique, puritaine et charitable. Un même élan semble devoir porter les deux nations aux mêmes destins. Il en résultera des conséquences politiques et sociales, où la raison pratique et les nécessités matérielles auront une part prépondérante. En 1794, l'attitude de Robespierre à l'égard des États-Unis sera plus réaliste qu'enthousiaste. Mais, avant 1789, le rapprochement des deux pays est sentimental : « Les États-Unis sont intéressants pour quiconque a une âme », déclare Mme Roland à Brissot [1] ; La Fayette appelle l'Amérique la « patrie de son cœur » [2], et une consciencieuse étude aboutit à cette conclusion que, entre 1775 et 1789, la liaison de la France et des États-Unis est « un mirage », une « histoire d'amour » [3].

La sensibilité n'apparaît donc plus comme une ennemie de l'action; il semble même que, par l'enthousiasme, elle y contribue. Ce n'est pas une vaine formule; dans la seconde moitié du XVIIIe siècle, les philosophes avertis cherchent moins à prouver qu'à émouvoir, moins à démontrer qu'à toucher. Signe des temps, symptôme qu'il faut saisir : le *Traité sur la Tolérance*, les *Écrits pour les habitants du Mont-Jura et du pays de Gex*, que Voltaire publie en 1763 et en 1770, sont, mieux

1. Brissot, *Correspondance et Papiers*, Paris, Picard, 1911, p. 223.
2. *Correspondance inédite de La Fayette*, Paris, Delagrave, s. d., p. 193. Cf. également p. 8, 18, 20 à 30.
3. B. Faÿ, *L'Esprit révolutionnaire en France et aux Etats-Unis à la fin du XVIIIe siècle*, Paris, Champion, in-8°, 1924. — *Franklin bourgeois d'Amérique*, Paris, Calmann-Lévy, 3 vol. in-12, 1931. Ces deux ouvrages ne dispensent pas de recourir aux études fragmentaires de Marmontel (*Mémoires*, III, 158), Brissot, Tocqueville, Aulard, Lucy Gidney, Mornet...

que de beaux livres, des actes efficaces; et Voltaire multiplie ses généreux ouvrages. Des âmes sensibles, ou
qui se croient sensibles, Mercier, Marmontel, Sedaine...,
répandent l'esprit philanthropique, la morale du cœur,
la religion naturelle, le goût de la charité et du sacrifice.
Les journaux contribuent à la diffusion de cette *morale
sensitive* dont rêve Jean-Jacques. La Franc-Maçonnerie
fait passer la bienfaisance du domaine théorique dans
la vie [1].

Ainsi les futurs révolutionnaires ressentent les vertus,
éprouvent les faiblesses d'une sensibilité diffuse, qui
se traduit en paroles et en actes. Dès 1777, l'*Esprit des
Journaux* révèle que la sensibilité fait de la vertu même
une dépendance de l'épicurisme, et que, dans les gazettes,
une rubrique est consacrée aux traits de bienfaisance,
de justice et d'humanité. En 1782, Bachaumont raconte
dans ses *Mémoires* que Elie de Beaumont, archevêque
de Paris, institue une fête des Bonnes Gens, que l'évêque
de Boulogne fonde des prix de sagesse et couronne des
rosières, tandis que l'Académie Française fonde des
prix de vertu. En 1783, la chambre de lecture de Saint-
Gilles-sur-Vic écoute un discours dont voici l'accent :
« O sensibilité délicieuse! attrait chéri de l'union! sentiment doux qui unit les époux, les familles, les concitoyens..., puisses-tu faire de nous autant de philosophes
sensibles!... La philosophie, débarrassée des sophismes
métaphysiques et vains, n'est plus enfin que ce qu'elle
dût toujours être : la sensibilité réglée par la raison [2]. »
La sensibilité réglée par la raison, tel est l'idéal de Brissot
et de Condorcet, de Vergniaud, de Marat et de Robespierre lorsqu'ils ont vingt ans. Ne les imaginons pas

1. Cf. Mornet, *ouvr. cité*, p. 351, 357 à 387.
2. Cf. Mornet, *ouvr. cité*, p. 311; Chérel, *Fénelon au XVIIIe siècle
en France*, Paris, Hachette, in-8°, 1917, p. 459.

toujours émus, toujours en larmes. Ce sont des laborieux qui travaillent, pensent, réfléchissent, s'appliquent aux études sérieuses, aux notions abstraites; mais ce sont aussi des cœurs qui s'ouvrent à la pitié et à la fraternité humaines. « Sentiment, grand mot d'alors, couleur régnante durant la dernière moitié du XVIIIe siècle! », s'écrie Sainte-Beuve à propos de Mme Roland [1]. La lecture des plaidoiries de Robespierre révèle que le jeune avocat d'Arras ne craint pas le sentimentalisme à la mode, ni les appels pathétiques, ni les effets d'une rhétorique théâtrale. Pour lui, l'art de convaincre est d'abord l'art d'émouvoir; c'est un moyen d'agir sur les juges, une mise en pratique de la « morale sensitive » [2]. Saint-Just visitant les chaumières, distribuant des aumônes, défendant les malheureux et les opprimés, leur donnant sa fortune, pratique, lui aussi, les formes humanitaires d'une philosophie que les réalités intéressent d'abord [3].

La Révolution accentuera ces tendances, utilisera ces valeurs affectives. C'est pourquoi la formation sentimentale des révolutionnaires n'est pas négligeable; elle éclaire souvent les mobiles les plus secrets, donc les plus obscurs. Que le jeune Condorcet soit voué aux couleurs de Marie, qu'il renonce à la chasse et refuse de tuer un insecte parce qu'il croit en la bonté originelle de l'homme, simples détails; mais qu'il contracte ainsi une timidité qui le paralyse à la tribune, lui ôte ses moyens oratoires, le prive de tout ascendant sur les Assemblées révolutionnaires, ces détails prennent une valeur de symbole [4]. Que Buzot couvre de larmes les

1. *Portraits de femmes*, Paris, Didier, in-12, 1845, p. 173.
2. *Œuvres Judiciaires*, p. XXXVIII, XLI, 203 à 286, 320 à 340, 396, 454, 504, 618.
3. Cf. Marie Lenéru, *ouvr. cité*, p. 103-104.
4. Cf. L. Cahen, *Condorcet et la Révolution française*, Paris, Alcan, in-8°, 1904, p. 5.

lettres maternelles, il n'importe; mais il importe que l'exaltation sentimentale du jeune homme le jette dans les bras de Mme Roland et fasse de lui, politiquement, son esclave intrépide, maladroit et funeste [1]. Que Vergniaud muse en sortant de la Convention et achète des fleurs, le trait semble mince; mais la physionomie de ce rêveur paresseux y gagne en relief [2]. Que Marat préfère la tendresse de Racine et la sensibilité de Pascal, on ne peut en tirer de graves conséquences; mais les goûts littéraires trahissent les dons du cœur [3]. Que Robespierre élève des petits oiseaux, pleure la mort d'un pigeon, passe des transports de la joie la plus vive aux larmes les plus débonnaires, madrigalise pour les Orphélie d'Arras, chante en vers légers le vin et l'amour au cénacle anacréontique des Rosati, ce sont autant de manifestations puériles [4]; mais elles expliquent peut-être que Robespierre, revenant de voir guillotiner Danton, retourne chez lui « d'un pas vacillant, et comme ayant perdu l'équilibre [5] ». Que Saint-Just célèbre, lui aussi, le vin et l'amour dans son poème *Organt*, cet épicurisme entaché de préciosité ne trahit qu'une mode à son déclin; mais il fait mieux valoir le rigorisme puritain du Conventionnel, soucieux d'effacer ses péchés de jeunesse [6]. Ces brusques échappées sur l'être intime, l'historien les dédaigne, alors que le moraliste s'y attarde. Elles ne sauraient dispenser d'une plus minutieuse

1. Cf. Aulard, *Les Orateurs de la Législative et de la Convention*, t. I, p. 504-508.

2. Cf. Touchard-Lafosse, *Histoire parlementaire et vie intime de Vergniaud*, Paris, 1847, p. 43.

3. Marat, *Correspondance*, p. 25. — Aulard, *ouvr. cité*, t. II, p. 333.

4. Cf. *Mémoires de Charlotte Robespierre*, p. 38 à 43, 59, 81, 121. — *Poésies de Robespierre* (*Revue de la Révolution française*, t. IX, p. 97...). — *Annales Révolutionnaires*, t. X, p. 20.

5. Barras, *Mémoires*, Paris, Hachette, 1895, t. I, p. 162.

6. Saint-Just, *Œuvres complètes*, t. I, p. 1 à 246. — *Revue de la Révolution française*, t. XXXII, p. 100-102.

étude, mais elles aident à comprendre ces hommes complexes, dont nous avons perdu l'esprit et la manière de sentir. La dépendance où ils sont des événements ne permet pas de les juger en eux-mêmes ; ils pensent et ils sentent, comme ils agissent, selon les nécessités de l'heure où ils vivent.

Dans le beau discours que Saint-Just avait préparé pour défendre Robespierre le 8 Thermidor 1794, il criait à ses ennemis : « Quel droit exclusif avez-vous sur l'opinion, vous qui trouvez un crime dans l'art de toucher les âmes? Trouvez-vous mauvais que l'on soit sensible [1]? » Une partie du problème politique réside en effet dans ce problème sentimental : un révolutionnaire a-t-il le droit d'être sensible et d'émouvoir? La pathétique apostrophe de Saint-Just prouve que la question est loin d'être tranchée. Les uns considèrent la sensibilité comme un dissolvant dangereux, une atteinte à l'intégrité de l'esprit révolutionnaire, une trahison envers le peuple. Les autres ne consentent pas à la renier, ni à limiter ses effets; estimant que, elle absente, les pires instincts triomphent et la raison verse dans les excès, ils prennent leur point d'appui sur elle, au risque de compromettre les intérêts qu'ils défendent et de se perdre eux-mêmes. Ainsi, par le jeu de ces deux forces contraires, la Révolution va osciller entre l' « amour », cher à Vergniaud, et la « terreur », jugée nécessaire par la Convention montagnarde. Déjà toute conciliation entre cet amour et cette terreur nous est apparue impossible. Ce sont les événements de 1793 qui résoudront tragiquement le conflit, dont le 9 Thermidor marquera le terme.

1. *Œuvres complètes*, t. II, p. 488.

CHAPITRE III

VICTOIRES DE LA SENSIBILITÉ

Avant que le conflit reçoive une solution, d'ailleurs provisoire, on assiste au développement d'une sensibilité trop bien exercée pour que les événements la déconcertent ou la ruinent. Entre 1789 et 1794, le cœur revendique ses droits, comme il les revendiquait avant 1789. Sans doute rien n'est plus logique ni mieux déduit que la *Déclaration des Droits de l'Homme*, rien n'est plus réfléchi que la réforme législative et administrative, rien n'est mieux articulé que les Constitutions de 1791 et de 1793. Les révolutionnaires n'oublient pas la pensée organisatrice du XVIIIᵉ siècle, ni même la pensée cartésienne : il s'agit moins d'une influence littéraire, dont on abuse, que d'une manière de concevoir clairement les données d'un problème et de le résoudre selon les exigences de l'heure. A cette tâche l'impulsive révolte du peuple ne suffit pas.

Mais le perspicace Marat écrit le 8 juin 1793 : « La Révolution a avorté parce qu'on a voulu la faire avec la seule force de la philosophie... Comme si les passions les plus impérieuses étaient soumises à la voix de la raison[1] ! » Ainsi donc, pour réussir pleinement, il eût fallu que la Révolution, se dégageant des principes d'une philosophie abstraite, fût livrée aux souffles de la

1. *Œuvres*, p. 308.

passion. En réalité, ne l'a-t-elle pas été souvent? N'y eut-il pas en elle la double force de la raison logicienne et de l'enthousiasme irréfléchi?

Enthousiasme nécessaire, que les révolutionnaires exploitent au besoin dans le sens favorable à la Révolution. Parlant des États-Généraux, Larevellière-Lépeaux affirme que « cette masse, au moment de sa réunion, était plutôt dirigée par le sentiment que par les lumières [1]. » Parlant de la Constituante, un historien souligne que les arguments d'ordre sensible ont toujours prise sur « le grand cœur de cette Assemblée philanthrope » [2]. Parlant de la Convention, Barras déclare : « Les passions les plus furieuses l'ont, sans doute, trop animée et transportée au-delà de toutes les convenances sociales et des bornes connues de la politique. Mais tout ce que sa mission lui ordonnait de faire pour assurer l'indépendance de la France pouvait-il se faire sans passions?... Comment, sans passions, substituer la République Française à la monarchie de quatorze siècles? » [3] Lui aussi, Danton, le sent bien, qui déclare : « Il faut de l'exaltation pour fonder les républiques » [4], et l'idéaliste Vergniaud s'écrie avec sa généreuse éloquence. « J'aurais voulu que [la Convention] fût le centre de toutes les affections et de toutes les espérances [5] ». Amour, exaltation, philanthropie, sentiment, passion..., tels sont les mots qui reviennent sans cesse dans ces nobles déclarations de principe.

Or, les témoignages contemporains prouvent que la

---

1. *Mémoires*, t. I, p. 268.
2. Aulard, *Les Orateurs de la Constituante*, p. 318.
3. *Mémoires*, t. I, p. 301. — Cf. J. Bréhat, *Barras ou les jeux corrupteurs de la politique et de l'amour*. Paris, Baudinière, in-12, 1934, p. 217.
4. *Discours*, p. 411.
5. *Œuvres*, p. 216.

réalité répond à ces déclarations et, parfois, les dépasse. Personne ne nie la sérénité joyeuse des élus de 1789, la « vigueur étonnante » de la Constituante, la jeunesse virile de la Convention[1]. Barnave souligne que la Révolution exalte « toutes les facultés de [son] âme, et [le] remplit d'ardeur et d'enthousiasme »[2]. Ardeur partagée, enthousiasme collectif, qui semblent exclure la modération dans les actes et qui expliquent la phrase étrange et profonde de Fabre d'Églantine : « Le modérantisme, c'est-à-dire le Feuillant, c'est-à-dire l'aristocrate moderne ne veut pas que le peuple ait des sensations »[3]. Donc le Feuillant est condamnable, car avoir des sensations c'est vivre, agir, et la Révolution affirme le droit de tous à la vie, à l'action. Les Assemblées révolutionnaires sont dominées souvent par des forces affectives qu'elles ne peuvent ou ne veulent maîtriser, forces bonnes ou mauvaises qui leur viennent d'elles-mêmes ou leur sont imposées du dehors, forces qui participent de l'enthousiasme, quelquefois du délire ou de l'hallucination morale. Elles le sont d'autant plus qu'elles dépendent des événements extérieurs, des impressions de séance, des effets oratoires, du bruit des tribunes publiques, des émeutes populaires qui battent leurs portes et, parfois, les envahissent : vie agitée, tumultueuse, tragique, dont il faudrait reconstituer le mouvement pour bien juger des hommes à qui jamais le calme, la tranquillité d'esprit et le repos ne sont assurés. Presque toujours les Assemblées délibèrent dans la tempête, sous la menace, au son du tocsin et du canon d'alarme.

1. Cf. *Gaultier de Biauzat*, par Mège, Clermont-Ferrand, Bellet, 2 vol. in-8°, 1890, t. II, p. 375. — Cf. Jaurès, *ouvr. cité*, t. I, p. 169, 171.
2. *Œuvres*, t. I, p. 97.
3. Sur les conceptions politiques de Fabre, cf. Aulard, *Les Orateurs de la Législative et de la Convention*, t. II, p. 233.

On comprend mieux alors certaines manifestations de la sensibilité qui, à distance, nous semblent déplacées, théâtrales, ridicules, surtout quand un langage conventionnel leur prête une emphase contraire à la nature. Il arrive que les révolutionnaires, comme les romanciers du siècle, abusent du mot, sans lui donner sa valeur propre. Ainsi, lorsque Lanjuinais est accueilli, le 11 Floréal 1795, à la Convention par une ovation et qu'il dit aux députés : « C'est avec la sensibilité la plus profonde que je reçois un accueil aussi flatteur », ou lorsque Saint-Just, élu à la Convention, marque à l'Assemblée électorale de l'Aisne « toute sa sensibilité » [1], la formule n'est qu'une politesse insistante, comme notre banale formule : « Je suis très sensible à votre accueil... ». Il arrive aussi que tel député, comme Isnard, cherche les scènes à effet et s'attendrit à bon escient; lorsqu'il reçoit, le 6 décembre 1791, un député libéral anglais, il lui dit : « Eh bien! je sens encore un besoin qui presse mon cœur : celui de vous embrasser! » [2] Il arrive que tel autre, comme Barras, Lally-Tollendal, Barère exploitent la sensibilité de leurs collègues à des fins égoïstes. Mais parfois l'Assemblée réagit, repousse des mesures où le cœur lui semble avoir plus de part que la raison. En juin 1793, au moment où la Convention discute sur la guerre, Grégoire propose une « déclaration du droit des gens » : proposition généreuse, qui devait toucher les cœurs sensibles. Or, la Convention l'écarte sur la remarque de Barère qu'elle n'a pas à « s'extravaser en opinions philanthropiques » [3]. La philanthropie reste donc, ce jour-là, dans le domaine théorique.

Le fait est rare; en général, les révolutionnaires sont

1. Cf. Aulard, *Les Orateurs de la Législative et de la Convention*, t. II, p. 103. — Saint-Just, *Œuvres complètes*, t. I, p. 350.
2. Cf. Aulard, *La Société des Jacobins*, t. III, p. 273.
3. Lavisse, *Histoire de France, La Révolution*, II, 140.

d'autant plus prompts à s'émouvoir que l'émotion, dans une assemblée comme dans une foule, est contagieuse, passe aisément de la tribune aux bancs, et des bancs au public. C'est à elle que l'on doit ces grandes journées heureuses, marquées d'un caillou blanc par les historiens enthousiastes. Qu'il s'agisse de la prise de la Bastille ou du « baiser Lamourette », des fêtes de la Fédération ou de la nuit du 4 Août, ces événements ont en effet une valeur de symbole autant qu'une valeur réelle. N'a-t-on pas soutenu, à propos des manifestations fraternelles de 1790, qu' « une tendresse unanime réalise pour un moment l'unité des classes [1] » ? Partout et toujours en effet des cris, des baisers, des embrassades, des larmes, des effusions de tendresse, des serments enivrés. Ses amis pleurent de joie lorsque Pétion est réintégré dans ses fonctions de maire, Talleyrand embrasse Barras avec un visage humide, Hoche embrasse, lui aussi, Barras... Déjà Fabre d'Églantine trouve odieuse, et même immorale, cette affectation de sensibilité, l'accuse de puérilité, de tartuferie, l'attaque vigoureusement, comme un mal qui gagne la politique, après avoir contaminé la littérature [2]. Aujourd'hui, notre scepticisme blasé se tient en garde et sourit avec une pitié méprisante; il nous déplaît que les hommes de 1793 se présentent comme de « pauvres petits moutons », et que les proclamations des fonctionnaires publics soient édulcorées d'un « miel fastidieux [3]. » D'ailleurs la réalité ne répond pas toujours aux effusions sentimentales, dont trop d'historiens, fidèles au conformisme révolutionnaire, sont dupes. C'est ainsi que, à propos de la nuit du 4 Août, Michelet s'écrie : « Jamais le carac-

1. Jaurès, *ouvr. cité*, t. I, p. 552.
2. Préface de *Philinte*, Paris, Prault, in-8°, 1791. — Cf. Aulard, *Les Orateurs de la Législative et de la Convention*, t. II, p. 228.
3. Fabre d'Églantine : Préface de *Philinte*.

tère français n'éclata d'une manière plus touchante, dans sa sensibilité facile, sa vivacité, son entraînement généreux [1]. » Or, cet entraînement est à demi calculé, cet enthousiasme à demi factice : la part du feu était faite d'avance. L'esprit de sacrifice n'entre guère en ligne de compte; il s'agit moins d'un abandon des privilèges qui pèsent sur la terre que d'un rachat pénible et pratiquement impossible, moins d'un geste généreux que d'une manœuvre habile. Nous le constaterons encore : c'est le peuple qui pousse les privilégiés, comme les Assemblées révolutionnaires, à agir, à céder. En brûlant les châteaux, en détruisant les titres justificatifs des droits seigneuriaux, en risquant leur vie dans cette Jacquerie que Mme Roland exalte et encourage [2], les paysans acculent la noblesse à cette « renonciation volontaire ». L'enthousiasme des députés n'éclate qu'après la manœuvre de la noblesse, illuminée par la flamme des incendies [3]. Peut-on dire qu'il soit spontané ? Sans doute les *Procès-Verbaux* de la Constituante soulignent les transports et l'effusion des sentiments dont l'Assemblée offre le tableau le plus vif et le plus animé, tandis que les citoyens crédules s'embrassent dans la rue. Mais le fait même que l'enthousiasme croît lentement, d'heure en heure, ne témoigne pas en faveur d'une spontanéité fébrile; il faut du temps pour que les députés s'échauffent. Comment l'égoïsme humain permettrait-il des nuits fraternelles ? De même, la séance de la Législative, où la droite et la gauche communient dans « le baiser Lamourette », reste sans lendemain et engendre

---

1. *Histoire de la Révolution française*, t. I, p. 257-260. Cf. également : Madelin, *La Révolution*, p. 82.
2. Cf. *Lettres*, Paris, Impr. Nat., 2 vol. in-4°, 1913, *Nouvelle série*, t. II, p. 516 à 530,
3. Cf. A. Mathiez, *La Révolution française*, Paris, Colin, 3 vol. in-12, t. I, p. 62 à 74. — Jaurès, *ouvr. cité*, t. I, p. 282 à 288.

plus de désillusions que de rapprochements sincères. Les beaux mots *liberté, égalité, fraternité* brillent comme des louis d'or jetés tout à coup dans l'escarcelle du pauvre; ils sont trop neufs pour prendre alors leur valeur réelle, et leur éclat trompe autant qu'il éblouit.

Songeons toutefois, en dehors des combinaisons louches et des manœuvres égoïstes, à la surprise heureuse, à la foi de ces hommes qui brisent un séculaire esclavage et entrevoient un avenir de justice. Ce sont des néophytes; ils ont du néophyte l'ardeur et la naïveté, l'enthousiasme crédule et le généreux entraînement. Je ne crois pas que, s'ils sont joués parfois, ils jouent la comédie. Les *Procès-Verbaux* de la Constituante nous livrent des témoignages curieux, dont la sincérité est hors de doute. Mounier, Lally-Tollendal, Gaultier de Biauzat, Bailly..., qui ne sont pas des naïfs, y peignent les grandes journées de 1789 et 1790 sous des couleurs attendrissantes : il n'est question que d'affection, de vives jouissances, d'embrassements réciproques, d' « ivresse du sentiment », de « transports de joie inexprimable », d'enthousiasme croissant, d'idolâtrie, de « silence d'amour » : les visages rayonnent, les orateurs ont la gorge serrée d'émotion [1]. Il est vrai que la Révolution est toute à l'espérance, toute au bonheur, et s'abandonne à des mouvements presque enfantins. Lorsque Bailly, président de la Constituante, félicite une députation de la municipalité de Paris d'être des « hommes sensibles », il leur adresse le plus beau compliment qui soit alors [2]. En 1791 et en 1792, les témoignages de Robespierre, de Vergniaud, de Grégoire, de Chaumette, de Barbaroux... rejoignent les témoignages précédents. Si l'on

1. Cf. *Procès-Verbaux de la Constituante*, t. I et II. — Gaultier de Biauzat, *ouvr. cité*, t. II, p. 213, 227.
2. *Procès-Verbaux de la Constituante*, t. I.

passe condamnation sur les excès de langage et les attitudes forcées, on est obligé de reconnaître qu'un même élan emporte tous ces hommes, si différents et, parfois, si ennemis. Le serment de la Législative à l'Acte Constitutionnel, la Fédération du 14 Janvier et le serment de la Commune le 10 Août 1792, la séance des Jacobins où Barbaroux relate les nouvelles de Marseille, sont empreints d'une grandeur émouvante qui se communique au public [1]. Même lorsque Hébert jette les éclats de sa grosse verve railleuse au milieu de ces pâmoisons collectives, qui ne sont point son fait, il garde un certain respect gouailleur, sans illusion, mais un respect sympathique. Il est curieux de comparer, par exemple, le récit de la transmission des pouvoirs en Septembre 1791, lorsque la Législative prête serment, d'une part chez Robespierre, d'autre part dans le *Père Duchesne*. Robespierre montre le Code « apporté en triomphe par des vieillards, comme un livre sacré; plusieurs le baignèrent de larmes, dit-il, et le couvrirent de baisers [2] ». Hébert ne s'arrête point à ce qu'il juge un acte de superstition ridicule, et il exhorte la nouvelle Assemblée à faire virilement son devoir, à écarter les braillards, les hypocrites, les Tartufe, les traîtres, les commères, les assommeurs. « Tâchons de ne pas ressembler, s'écrie-t-il, à ces hommes frappés de mort politique et perdus pour la patrie par leur ambition criminelle et leur frénésie; mais soyons justes, incorruptibles, inaccessibles aux petites foutues passions qui dévorent l'âme et font tourner la tête, et nous ferons le bien [3]... » Ces petites passions,

1. Cf. Robespierre, *Œuvres choisies*, t. I, p. 316. — Vergniaud, *Œuvres*, p. 20, 53. — *Mémoires de Chaumette sur la Révolution du 10 Août* (*Société de l'histoire de la Révolution française*, Paris, 1893, p. IV, 45 à 62); *Papiers de Chaumette* (*Ibid.*, 1908, p. 33, 91, 137 à 143). — Barbaroux, *Mémoires*, Édit. Perroud, 1923, p. 502.

2. *Ouvr. cité*, t. I, p. 316.

3. *Le Père Duchesne*, t. II, Lettre 184.

ces mauvaises conseillères que démasque le *Père Duchesne*, on est sûr qu'elles sont toujours là, aux aguets dans les Assemblées; elles font pièce aux grandes passions, corrompent, avilissent. Le régime parlementaire a, dès ses origines, des tares et des faiblesses [1]; on n'en apprécie que mieux, par contraste, les sentiments nobles, et parfois naïfs, qui animent la plupart des révolutionnaires. Chaumette a besoin de verser des larmes, de dégonfler son cœur, lorsque la Commune jure de venger les patriotes tombés au Champ de Mars; lorsque la République est proclamée, Grégoire ne peut ni manger ni dormir [2]. De pareils excès valent mieux que la sèche indifférence ou le cynisme brutal des intérêts sans vergogne.

Les révolutionnaires le savent, et, loin de mettre obstacle aux manifestations de la sensibilité, ils les favorisent à leur bénéfice. La Grèce ancienne et le christianisme n'ont-ils pas été les magnifiques ordonnateurs de cérémonies publiques, où des milliers de spectateurs entretenaient, par leur seul contact, la flamme réchauffante d'un sentiment commun? Dans les deux cas, la religion sert de lien. Ce n'est pas un paradoxe de soutenir qu'il en est de même pendant la Révolution. Celle-ci aime les spectacles pompeux, qui rappellent les Jeux Olympiques ou une messe solennelle, et elle leur communique un caractère religieux; elle dirige, exploite l'enthousiasme collectif, organise des fêtes qui lui permettent de grouper les individus autour d'elle, de les tenir en main, de réveiller au besoin leur ardeur : procédé habile, efficace. Le 14 Juillet, les journées de 1790, les Fédérations, les fêtes nationales, sont moins peut-être des réjouissances spontanées que le résultat d'une politique réfléchie.

1. Cf. A. Mathiez, *Etudes Robespierristes*, Paris, Colin, 2 vol. in-12, 1917 (*La corruption parlementaire sous la Terreur*).
2. *Papiers de Chaumette*, p. 137 à 143.

L'enthousiasme politique recouvre un calcul des chefs;
mais l'enthousiasme est réel, et il a pour effet salutaire
de rapprocher les classes sociales. De nombreux témoins
ont décrit cet enthousiasme, et lorsque Gaultier
de Biauzat montre, par exemple, la foule bon enfant,
trempée de pluie, délavée, fripée, mais vive, rayon-
nante de joie au Champ de Mars, le 15 juillet 1790,
on est ému par l'évidente sincérité du peuple [1].
Souvent, au contraire, la joie est ordonnée, soumise à
la règle du cortège officiel, de la messe en plein air
devant l'autel de la patrie, de la pompe grave et rituelle
où participent David, Méhul, M. J. Chénier. Tout est
combiné en vue d'un effet grandiose, tout est à la mesure
d'un peuple entier; témoin l'émouvante ampleur de la
fête auguste où, le 10 Août 1793, la Convention atteste
au monde dressé contre la France sa force, son crédit
révolutionnaire, sa foi en l'avenir. Cette grandiose
célébration de l'Unité et de l'Indivisibilité mêle, sous
l'ordonnance de David, la majesté à l'allégresse; il
semble qu'on assiste à un office. Innombrable cortège,
haltes sous les arcs de triomphe, libations dans la
même coupe à la fontaine de la Régénération, baisers
fraternels, chants qui ressemblent à des cantiques,
inauguration de la statue de la Liberté, hommage à
la figure colossale du Peuple français, prestation du
peuple sur l'autel de la Patrie, hymne à la Nature...,
tout imprime à la cérémonie un caractère religieux.
Les députés de la Convention tiennent des bouquets
d'épis de blé et de fruits, huit d'entre eux portent sur
un brancard une arche qui renferme la Table des *Droits
de l'Homme* et l'*Acte Constitutionnel*, les envoyés des Assemblées Primaires ont à la main une branche d'olivier.
A la 5e Station, le peuple prête serment, reçoit du

1. *Ouvr. cité*, p. 329.

Président le faisceau, symbole d'indivisibilité et de victoire, le porte en triomphe, « et des baisers cent fois
répétés » terminent « cette scène nouvelle et touchante [1] ».
Les fêtes de l'Être Suprême, auxquelles préside Robespierre, n'ont pas un caractère plus dogmatique ni plus
formel. La joie populaire, qui s'exprime librement aux
fêtes des Fédérations, est ici tempérée et utilisée au
service de la cause révolutionnaire[2]. Ainsi, peu à peu,
le peuple fait l'éducation de sa propre sensibilité, l'augmente, l'affine ; Michelet remarque avec raison que son
cœur s'ouvre à la jeune chaleur de la Révolution, bat
plus vite, se passionne[3].

Cœur généreux, certes, mais où revivent les violences
ancestrales. La sensibilité collective n'a pas toujours
ce visage aimable, accueillant. Elle a souvent son visage
de deuil, lorsque la foule accompagne en pleurant le
cercueil de Mirabeau, organise des cérémonies funèbres
en l'honneur des morts du 10 août, pleure Lepelletier de
Saint-Fargeau ou Marat. Elle a son visage des jours
mauvais d'émeute, son visage de haine et de violence,
de vengeance et de crime, lorsque la foule envahit
l'Assemblée, massacre les prisonniers, promène les têtes
coupées au bout des piques. Alors c'est « la rechute dans
l'inférieure sensibilité humaine »[4], le retour à l'instinct.
Nul ne songe à justifier les excès et les crimes commis
dans ces heures de folie collective ; mais des sociologues
et des historiens ont étudié l'âme des foules pour comprendre l'hallucination morale dont elles sont les pre-

1. Cf. Jaurès, *ouvr. cité*, *La Convention*, t. II, p. 1639.
2. Cf. M. Dreyfous, *Les arts et les artistes pendant la période révolutionnaire*, Paris, Paclot, in-8°, s. d., p. 409 à 463.
3. *Ouvr. cité*, I, 273.
4. Jaurès, *ouvr. cité*, *La Convention*, p. 75-76. — « Dès que le *souverain* (il s'agit du peuple) est passionné, il ne commet que des
injustices, des violences et des crimes », dit Rivarol (*Œuvres*, p. 198).

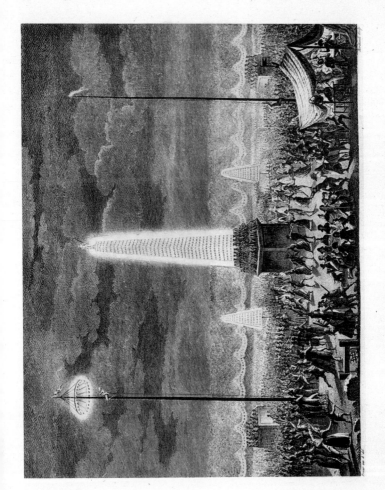

FÊTES ET ILLUMINATIONS AUX CHAMPS ÉLYSÉES
Le 18 Juillet 1790

Pl. I

mières victimes [1]. Toujours et partout la souffrance exaspérée, la misère, les désillusions politiques engendrent cette hallucination morale; et rien ne la dissipe. Impose-t-on à des foules la sagesse ou la lâcheté? Un réfractaire authentique répond : « Elles portent en elles leur volonté sourde, et toutes les harangues du monde n'y font rien! » [2] Ainsi s'expliquent les massacres de Septembre et les événements de 1793, l'année la plus fiévreuse, la plus tragique, celle où la pression du peuple sur la Convention et sur les Clubs s'accentue. Tel compte rendu du *Moniteur Universel* est révélateur dans sa sécheresse. 27 Mai! 31 Mai! Le grondement de l'émeute qui marche sur la Convention, envahit l'Assemblée, menace les députés, le tocsin, le canon d'alarme, les paroles de Vergniaud et de Robespierre dont les tribunes exaspérées interrompent le duel oratoire magnifique et cruel, tout ce bruit à demi sauvage parvient encore à nos oreilles. Mais, brusquement, l'allégresse fait tomber la menace. « Législateurs, s'écrie un citoyen avec enthousiasme, la réunion vient de s'opérer (*On applaudit*). Les citoyens du faubourg Saint-Antoine et des sections de la Butte des Moulins de 1792 et des Gardes-Françaises, que des scélérats voulaient égorger les uns par les autres, ces citoyens viennent de s'embrasser et, dans ce moment, leurs cris de joie et leurs larmes d'attendrissement se confondent. » Les citoyens, vivement applaudis, entrent dans la salle et sont embrassés par plusieurs membres. » Ainsi l'embrassade succède à la haine, la réconciliation à la colère [3]. L'Assemblée demeure étonnée devant les revirements inattendus de

1. Cf. G. Lefebvre, *Foules révolutionnaires* (*Annales historiques de la Révolution française*, janvier-février 1934, p. 1); l'auteur remet au point les assertions du Dr Lebon et de ses disciples.
2. J. Vallès, *L'Insurgé*, p. 156.
3. *Moniteur Universel*, numéros des 1er et 3 juin 1793, p. 659, 660, 667.

la foule; il en résulte, chez elle, des hésitations et des
contradictions, qui s'expliquent par les événements dont
elle subit le choc. Parfois la crainte est la plus forte et la
paralyse : le 2 juin, l'émeute braque les canons sur elle.
En face de la mort, les révolutionnaires se ressaisissent;
condamnés à l'échafaud le 30 octobre, les Girondins
pleurent, chantent, s'exaltent, bravent le néant.

Au contact de la Révolution, la sensibilité humaine
prend donc tous les aspects; elle est forte et grande,
malgré des manifestations puériles, parce que l'âme
des Assemblées est en concordance étroite avec l'âme
populaire. Le peuple agit brutalement sur les Assemblées,
leur dicte ses volontés, les applaudit ou les menace;
les Assemblées s'efforcent de contenter l'émotion populaire par des cérémonies publiques, où la fraternité
trouve son compte, et où la joie fait taire les instincts
mauvais. Cet effort collectif, seul capable de créer,
est trop rare dans l'histoire des nations pour qu'on ne
le souligne pas [1]. Entre 1789 et 1794, la France et ses
représentants ne font qu'un. Tant que les Assemblées
s'appuient sur la force populaire, elles sont actives
et puissantes; lorsque, après le 9 Thermidor, un fossé
se creuse entre le peuple et la Convention déchue,
la République entre en agonie et la démocratie est
menacée. La Révolution, qui a besoin du contact étroit,
permanent, avec le peuple, est à demi brisée.

Ainsi la grande fresque révolutionnaire, éclaboussée
de sang, se teinte, par endroits, de couleurs tendres

1. Ainsi Dubois-Crancé souligne avec sympathie le rôle prépondérant du peuple, dont les brusques colères lui paraissent justifiées
par une trop longue patience de ses maux. (*Analyse de la Révolution
française*, Paris, Charpentier, in-12, 1885, p. 31, 89, 93...).

et presque idylliques. A qui doit-elle ces atténuations et
ces nuances? Son extrême misère, sa colère, ses brusques
sursauts, ses instincts ne permettent point au peuple
de dangereux attendrissements. Mais les députés aux
Assemblées n'ont rien oublié de leur formation sentimentale, et tels ils furent avant 1789, tels nous les retrouvons
pendant les luttes révolutionnaires. Toutefois leur sensibilité, hâtivement mûrie, s'accommode aux événements
avec plus ou moins de bonheur. La plupart nous disent
en des confessions prolixes leurs larmes d'hommes, comme
ils nous ont dit leurs larmes d'enfant. Ils nous oblige-
raient donc à répéter les aveux qui, dans le chapitre
précédent, portèrent le témoignage de leur sensibilité.
Cette répétition aurait, en elle-même, sa valeur; elle
prouverait que ce qui est acquis ne disparaît pas. Les
larmes, larmes de joie chez un Vergniaud ou un Grégoire, larmes de douleur chez un Danton, un Guadet
ou un Pétion, larmes de remords chez un Camille
Desmoulins ou un Chabot, traduisent cette permanence du sentiment, cette fidélité au passé [1]. Les Jacobins pleurent en écoutant Robespierre, et la fièvre républicaine fait pleurer Saint-Just [2]. Il est des larmes
plus banales, et trop faciles, chez un Larevellière-
Lépeaux ou un Louvet [3]. Les épanchements du cœur
confinent à la niaiserie : au son de sa propre voix Lally-
Tollendal, « le plus gras des hommes sensibles »[4], s'atten-

1. Vergniaud, *Œuvres*, Paris, Cournol, in-12, s. d., p. 71. — *Revue de la Révolution française*, t. XLVII, p. 370-372. — Barras, *Mémoires*, t. I, p. 162. — *Mémoires de Pétion*, Paris, Plon, 1866, p. 105, 112. — C. Desmoulins, *Œuvres*, Paris, Charpentier, 2 vol. in-12, 1874, t. I, p. 24, 299.
2. *Œuvres de Robespierre*, t. I, p. 136. — *Œuvres complètes de Saint-Just*, t. I, p. xii.
3. *Mémoires de Larevellière-Lépeaux*, Paris, Plon, 3 vol. in-8°, 1895, t. I, p. 11. — *Mémoires de Louvet*, Paris, Jouaust, 2 vol. in-12, s. d., t. I, p. 7; II, 5, 39, 65, 177.
4. Rivarol, *Œuvres*, p. 224.

drit, et la Constituante avec lui. On prétend qu'il traverse la vie « un mouchoir à la main [1] ». Symbole ridicule, si l'on oublie que traverser la vie, c'est alors traverser la Terreur. Faut-il traiter d'hypocrites Chabot pleurant sur les lieux des massacres de Septembre, Barère s'efforçant de paraître sensible afin d'être à l'unisson, Fouquier-Tinville, dont les durs réquisitoires font sans cesse appel au cœur et à l'humanité, à la pitié et à la conscience, Merlin de Thionville déclarant qu' « un sans-culotte... consulte plus son cœur que l'étiquette », Basire passant d'une sensibilité furieuse à une sensibilité clémente, Couthon invoquant une bonté native qui se cache sous une sensibilité nerveuse [2] ? Faut-il traiter de cyniques Carrier lorsqu'il se déclare incapable de voir couler le sang d'un poulet, ou Marat lorsqu'il écrit en 1789 : « Mon cœur se fend de douleur, des larmes de sang coulent de mes yeux », et en 1790 : « M'accusera-t-on d'être cruel, moi qui ne puis pas voir souffrir un insecte [3] ? » Ou bien ne discernera-t-on chez ces hommes que le perpétuel balancement entre l'instinct animal et les formes supérieures de la sensibilité ? C'est un fait, aujourd'hui reconnu par ceux qui étudient les mobiles de l'âme et par les criminalistes notoires, qu'on peut « tuer un homme au profit d'une rose » [4], épargner une chenille et massacrer ses concitoyens. Nous décou-

---

1. Cf. Aulard, *Les Orateurs de la Révolution. L'Assemblée Constituante*, Paris, Cornély, in-8º, 1905, p. 360.

2. Cf. Aulard, *Les Orateurs de la Législative*, t. II, p. 295, 300, 306, 428-429. — *Les Orateurs de la Constituante*, p. 452-455. — *Réquisitoires de Fouquier-Tinville*, Paris, Fasquelle, 1911, p. XXVII, 192, 211, 215, 228, 269, 281, 295; Barras, *Mémoires*, p. 3 et 174. — *Vie et Correspondance de Merlin de Thionville*, Paris, Furne, 1860, p. 32, 44; *Correspondance*, p. 26, 57, 68, 77, 240.

3. Marat, *Œuvres*, p. 98; *Correspondance*, p. 8, 13. — *Revue de la Révolution française*, t. XXVIII, p. 421.

4. Sully Prudhomme. *Œuvres*, Paris, Lemerre, 6 vol. in-16, t. III, p. 243.

vrirons bientôt les raisons, non plus morales, mais politiques, de cette apparente contradiction.

Peut-être, dans l'ordre moral, tiennent-elles d'abord
à cette exaltation nécessaire, dont les plus raisonnables
ne se garantissent pas toujours. Beaucoup, tel La Fayette,
« homme de sentiment..., impulsif qui fuit sous son
rêve... » [1], n'agissent en effet que par impulsion. Buzot
prolonge sa jeunesse « presque sauvage » et porte à
la tribune la violence de ses passions bornées à un seul
objet; Louvet ne veut que « tendresse immortelle »
et multiplie les scènes pathétiques; Chaumette s'échauffe
en parlant au point de faire pleurer les tribunes; Barbaroux est tout émotion; Vergniaud s'effémine paresseu-
sement, avec délices; Camille Desmoulins n'est que
faiblesse ardente et courage défaillant : n'écrit-il point
à son « cher » Robespierre que l'amour est plus fort et
plus durable que la crainte [2] ? » Quant à Billaud-Varenne,
il se plaît à exciter le feu de son âme « naturellement
ignée [3] ». Jeu dangereux. Il arrive que la sensibilité
s'exaspère nerveusement chez un infirme, comme Couthon, un ivrogne, comme Collot-d'Herbois, un malade
que guette le délire de la persécution, comme Marat [4].
La médecine intervient alors, essaie, par un procédé
commode, de tout ramener à la pathologie; l'explication
demeure superficielle, et elle excuse parfois des actes

1. *Correspondance inédite de La Fayette*, Paris, Delagrave, in-8°,
s. d., p. 8, 10, 256, 260.

2. Buzot, *Mémoires*, Paris, Béchet, in-12, 1823, p. 4, 21, 23, 133.
— Louvet, *Mémoires*, t. I, p. 232. — *Papiers de Chaumette*, Paris, 1908,
p. 33, 91. — Barbaroux, *Mémoires*, Paris, 1923, p. 514. — C. Desmoulins, *Œuvres*, t. I, p. 25, 49, 121, 228; II, 189.

3. *Mémoires inédits et Correspondance*, Paris, Nouvelle Revue, 1893,
p. 5, 11, 29-32, 69-71, 87-89, 107-113, 142, 296, 310, 320, 383,
416; *Revue de la Révolution française*, t. XIV, p. 936, 1033.

4. Cf. Aulard, *Les Orateurs de la Législative*, t. II, p. 328-331,
427-428, 501; *Revue de la Révolution française*, t. IV, p. 691-699;
t. XXI, p. 174-188.

inexcusables. Les injures traditionnelles que l'on prodigue à ces hommes ne valent pas mieux. Ni Marat,
ni Collot d'Herbois, ni Couthon ne sont constamment
cruels ni fous; et s'il entre, dans leur cas, une part de
folie, est-ce excès ou manque de sensibilité? On peut
soutenir l'une ou l'autre thèse; on peut, mettant la
sensibilité hors de cause, n'en soutenir aucune, car la
folie est d'abord abdication de la raison, anéantissement
de la volonté et de son contrôle.

Ce contrôle s'exerce au contraire chez tous ceux qui
sentent le péril où les expose une sensibilité déréglée.
Même un Vergniaud, tendre, fraternel, humain, même
un Barnave, subtil analyste de la passion, même un
Condorcet, « volcan sous la neige », même un Brissot,
qui s'abandonne à l'émotion vive..., ne se laissent dominer
par le cœur [1]. On assiste chez eux à la recherche d'un
compromis entre la sensibilité et la raison. Ce compromis,
les grands chefs responsables le repoussent, ou ne veulent
pas qu'on puisse le leur reprocher. Ils s'efforcent alors
de paraître insensibles : Danton n'y réussit qu'à moitié [2],
mais Robespierre et Saint-Just se composent un visage
impassible, où rien ne transparaît des luttes intérieures
qu'ils soutiennent. Encore, par moments, l'armure
fléchit-elle. Est-ce à Robespierre, à ce Robespierre qui,
selon Dubois-Crancé, « ne prend jamais conseil que de
son cœur », ou à Lebas que Saint-Just crie : « Calme-toi
donc, l'empire est au flegmatique [3] » ? Peu importe;
le mot est révélateur. L'affectation de raideur physique,

1. Vergniaud, *Œuvres*, p. 42, 48, 50, 62, 71, 119, 154, 166. —
Barnave, *Œuvres*, t. I, p. 97; II, 345. — Sainte-Beuve, *Causeries du
Lundi*, t. II, p. 25-26. — Michelet, *Histoire de la Révolution française*,
t. II, p. 286. — Brissot, *Mémoires*, t. I, p. 6, 18, 24, 190.
2. Cf. *Revue de la Révolution française*, 1882, p. 212. — Aulard,
Les Orateurs de la Législative, t. II, p. 202.
3. Aulard, *ouvr. cité*, t. II, p. 475. — Robespierre, *Correspondance*,
Paris, Alcan, 1926, p. 149.

la froideur voulue dans le ton et les manières ne peuvent
maîtriser certaines saillies, certains élans. Refuser à ces
hommes toute sensibilité est donc une erreur doublée
d'une injustice [1]. Mais il est vrai que l'erreur a des
excuses. Un Robespierre, un Saint-Just ne se reconnaissent pas le droit d'afficher une sensibilité qui les
gênerait dans leur action [2]. Ils savent qu'on ne fait
pas plus de politique avec son cœur qu'avec ses nerfs,
et que la première vertu d'un homme d'État est la maî-
trise de soi. Aussi faut-il éviter de voir en eux, comme
certains biographes trop zélés, le parfait « homme
sensible », au goût du public et de l'époque. Analysant,
après Edouard Fleury et Ernest Hamel, l'âme décon-
certante de Saint-Just, Marie Lenéru écrit avec raison :
« Nous nous garderons, en tournant les aspérités, les
acerbités révolutionnaires, de n'approuver plus qu'un
jeune homme au cœur sensible, intéressant comme un
poitrinaire par sa mort prématurée » [3]. De cette enfan-
tine approbation le silencieux et autoritaire Saint-Just
n'eût point voulu en effet.

*
* *

Toutefois, on prouve sans peine que, dans les déclarations de principe, les révolutionnaires se rencontrent.
Le même Saint-Just proclame : « Honorez l'esprit,
mais appuyez-vous sur le cœur [4] ». Ni Mirabeau, ni
Louvet, ni Billaud-Varenne ne pensent autrement.
« La véritable beauté de l'homme est sa sensibilité »,
affirme le premier. — « Ce ne sont pas les hommes froids

1. Cf. le jugement erroné de Daunou (Sainte-Beuve, *Portraits
contemporains*, t. III, p. 33, note).
2. De même Lénine, qui ne veut pas qu'un révolutionnaire
« pleurniche ». (*Lénine tel qu'il fut*, p. 22-23.)
3. *Saint-Just*, p. 27.
4. *Œuvres complètes*, t. II, p. 374.

qui font les grandes choses », dit le second ; et le troisième
soutient que « les impulsions innées et sentimentales
de l'âme ne rendent pas coupable lorsqu'on se livre à
elles [1]. » Les déclarations se multiplient, innombrables
et concordantes, où la sensibilité apparaît comme le
guide souverain et infaillible des hommes ; elles se
répètent à l'infini dans les *Mémoires* et les *Correspondances*, prolongeant l'écho familier de Diderot et de
Jean-Jacques. Le culte de la sensibilité va si loin que,
bientôt, tout se ramène à elle. « La sensibilité est devenue
aussi précieuse que l'était autrefois la vertu, déclare
Barnave, et les nerfs ont presque pris la place du cœur [2]. »
Ainsi la sensibilité serait, non pas la faculté d'émotion,
mais la nervosité à fleur de peau ; si l'on admet cette
définition inattendue, Robespierre et Saint-Just ont
raison de se méfier. Mais, pour la plupart des révolutionnaires, la sensibilité est davantage et mieux : Camille
Desmoulins l'assimile à l'intelligence, à l'imagination,
à la bonté, à la chaleur d'âme, au talent, au patriotisme,
à l'humanité [3]. Elle devient le principe même de vie,
et l'on pourrait dire qu'elle finit par n'être rien en soi,
puisqu'elle est tout. Sorte de Dieu Pan, elle reçoit sur
ses autels, vieux comme le monde, l'universel hommage.

Elle est en effet la raison, et elle est la vertu. Les
révolutionnaires reprennent l'apparent paradoxe du
siècle, et, lorsqu'ils cherchent à concilier en eux la
sensibilité, la raison et la vertu, ils sont d'accord avec
Rousseau et avec ses disciples [4]. Pour Saint-Just, un
cœur droit et pur assure le règne de la raison [5] ; pour

1. Mirabeau, *Lettres d'amour*, p. 185. — Louvet, *Mémoires*, t. I,
p. 116. — Billaud-Varenne, *Mémoires et Correspondance*, p. 325.
2. *Œuvres*, t. IV, p. 226.
3. *Œuvres*, t. II, p. 368.
4. Cf. *Journal d'un étudiant pendant la Révolution*, Paris, Plon, in-8°,
1910, p. IV, VI.
5. *Œuvres complètes*, t. II, p. 176.

Condorcet, si la morale se fonde sur la sensibilité, les hautes vertus et les actions sublimes ne peuvent s'exercer que par la raison et l'enthousiasme unis [1]. L'ardent Mirabeau proclame inséparables la sensibilité et la vertu [2]; celle-ci n'est-elle pas, selon l'expression de Buzot, « le plus sublime élan du cœur [3] »? Aussi, dans l'ordre moral, dont ils ont grand souci, les révolutionnaires insistent sur cette union, primordiale à leurs yeux. La sensibilité crée toutes les vertus, car la vertu consiste en un cœur sensible et honnête; la sensibilité procure le bonheur à l'homme, car, seule, la vertu, qui émane de Dieu, rend heureux; si les passions ressemblent à la vertu et si elles y conduisent, c'est parce qu'elles sont sincères... : telles sont les maximes par où un Robespierre, un Saint-Just, un Mirabeau, un Billaud-Varenne, un Chabot... concilient la vertu selon Plutarque et la passion de la *Nouvelle Héloïse*.

Or, cette vertu, que les révolutionnaires assimilent à la sensibilité, est pour eux une règle de vie et un moyen de gouvernement. C'est elle qui confère sa noblesse à la vie d'un Vergniaud et d'un Condorcet; elle qui vaut à Robespierre le titre envié d'*incorruptible*; elle pour qui Saint-Just rachète une faute de jeunesse et devient un exemple de probité rigide. « J'adore les vertus », proclame Marat [4]. « Je ne me compterais plus du monde, écrit Vincent à sa femme, si je ne savais pas nourrir ta vie et ton cœur de toutes les voluptés de la vertu [5]... » En politique, cette vertu leur paraît le fondement de

1. *Esquisse d'un tableau historique des progrès de l'esprit humain.* (*Œuvres complètes*, Paris, Didot, 1847, t. VI, p. 517.)
2. *Lettres d'amour*, p. 74, 141. — Cf. Billaud-Varenne, *Mémoires*, p. 751-752. — *Testament de Chabot* (*Revue de la Révolution française*, t. XLIV, p. 464).
3. *Mémoires*, p. 227.
4. *Œuvres*, p. 61.
5. *Annales révolutionnaires*, t. VI, p. 253.

LA SENSIBILITÉ RÉVOLUTIONNAIRE.   5

toute société, le ressort de la République et son principe même. Pour Louvet, elle est l' « inséparable compagne » de la liberté [1]. Devant le Comité de Salut Public, Merlin de Thionville évoque les « vertus compagnes des républicains [2]. » Robespierre et Saint-Just ne cessent de prononcer ce mot magique, *vertu :* vertu, « c'est-à-dire une âme élevée et un caractère ferme dirigé par des lumières suffisantes [3] », vertu innée, pensent-ils, chez le peuple, nécessaire, en tout cas, à ses représentants. Par là ils entendent l'exaltation de l'âme en même temps que la nécessité du sacrifice, la simplicité, la frugalité, le courage, la conscience, la probité, une chasteté puritaine. « Les cabanes et les vertus sont les grandeurs du monde », proclame Saint-Just, qui ne peut « épouser le mal », et pose ces deux règles, dont lui-même ne s'écarte pas : « La République n'est point un sénat, elle est la vertu..... Un gouvernement républicain a la vertu pour principe, sinon la terreur. »—« Il faut, dans toute Révolution, un dictateur pour sauver l'État par la force, ou des censeurs pour le sauver par la vertu [4]. » De son côté, Robespierre s'écrie le 7 mai 1794 que « la vertu est l'essence de la République »; le 26 mai, il déclare, avec une fierté romaine : « Nous avons commandé la vertu au nom de la République », et, le 26 juillet, il développe cette phrase avec une chaleur émouvante : « Que dis-je ? *vertu !* C'est une passion naturelle, sans doute, mais comment la connaîtraient-elles, ces âmes vénales qui ne s'ouvrirent jamais qu'à des passions lâches et féroces; ces misérables intrigants qui ne lièrent jamais

1. *Mémoires*, t. II, p. 94.
2. *Vie et Correspondance de Merlin de Thionville, Correspondance*, p. 118. — Cf. Vergniaud, *Œuvres*, p. 231.
3. Robespierre, *Œuvres choisies*, t. III, p. 149-150, 177, 645, 702.
4. *Œuvres complètes*, t. II, p. 234, 377, 486, 506, 530. Cf. également p. 230, 237, 479, 484. — Cf. Marie Lenéru, *ouvr. cité*, p. 108.

le patriotisme à aucune idée morale, qui marchèrent dans
la révolution à la suite de quelque personnage important
et ambitieux, de je ne sais quel prince méprisé, comme
jadis nos laquais sur le pas de leurs maîtres? Mais elle
existe, je vous l'atteste, âmes sensibles et pures, elle
existe, cette passion tendre, impérieuse, irrésistible,
tourment et délices des cœurs magnanimes! cette horreur profonde de la tyrannie, ce zèle compatissant pour
les opprimés, cet amour sacré de la patrie, cet amour
plus sublime et plus saint de l'humanité, sans lequel
une grande révolution n'est qu'un crime éclatant qui
détruit un autre crime; elle existe, cette ambition généreuse de fonder sur la terre la première république du
monde [1]. » De tels accents éveillent un écho profond
dans la foule. La théorie de Robespierre et de Saint-
Just est héritée de l'*Esprit des Lois*, de l'article de Jean-
Jacques sur l'*Economie Politique* et du *Contrat Social* [2].
Qu'importe à la foule! Elle s'empare du mot *vertu*, lui
donne une valeur mystique, en fait le symbole de toutes
ses aspirations avec d'autant plus d'empressement que
ce mot prestigieux couvre les excès et autorise les défaillances, puisqu'il s'associe au mot *sensibilité*. Robespierre,
Pétion, Saint-Just, Danton, C. Desmoulins... sont aimés
parce qu'on les croit vertueux et qu'ils s'efforcent en
effet de l'être. Nul ne peut aspirer aux faveurs populaires, s'il n'est vertueux. Quant au peuple, il accède,
lui aussi, à la vertu par la sensibilité. « Je pense, déclare
Vergniaud à la Convention, le 8 mai 1793, que vous
voulez profiter de sa sensibilité pour le porter aux
vertus qui font la force des Républiques [3] ». Ainsi Répu-

1. *Œuvres choisies*, t. III, p. 645, 683, 702.
2. Cf. *Esprit des Lois*, l. III, ch. III; *Contrat Social*, l. III, ch. IV.
L'article *De l'Economie Politique* a paru dans l'*Encyclopédie*.
3. *Œuvres*, p. 231.

blique, vertu et sensibilité forment une trilogie, dont la
raison et le cœur se déclarent satisfaits[1].

***

Première victoire, victoire puritaine de la sensibilité.
Il en est une seconde, c'est l'exercice efficace de la philanthropie, autre héritage du xviiie siècle. L'aumône
pratiquée dans leur enfance par Marat et Saint-Just
n'est plus qu'un palliatif dérisoire. Il s'agit d'organiser
la philanthropie selon les besoins d'une société nouvelle,
en la dirigeant contre toutes les formes du despotisme.
Or, on se contente d'abord de déclarations de principe
et de phrases déclamatoires. Une fois de plus, on lance
un appel au cœur, et on lui associe les intérêts de la
raison. Lorsque Billaud-Varenne évoque « les philanthropiques étreintes de la sensibilité[2] », il n'emploie pas,
pour ses concitoyens, une formule creuse; l'étreinte
fraternelle est alors une mode, presque une obligation.
Il est curieux de voir tel révolutionnaire, comme Louvet,
passer du scepticisme ironique à la sensibilité humanitaire, de retrouver, dans la correspondance de Condorcet,
les accents de *Paul et Virginie* : la tendre jeune fille, le
forçat innocent font couler les larmes[3]. Le thème littéraire devient, peu à peu, un thème social; partout les
mots d'humanité, de justice, de fraternité retentissent;
on parle d' « embrasser tout le genre humain dans ses
affections », d'être « un Alexandre en philanthropie »,
d'affranchir à la fois « tous les peuples et toutes les castes »[4].
Le programme est immense et vague, souvent plus près

1. Cf. L. Madelin, *Le règne de la vertu* (*Revue des Deux Mondes*,
15 février 1911). — *La Révolution*, p. 358.
2. *Mémoires inédits...*, p. 434.
3. Louvet, *Mémoires*, t. II, p. 103-104; *Revue des Deux Mondes*,
1er janvier 1912, p. 71.
4. C. Desmoulins, *Œuvres*, t. I, p. 277.

de la chimère que de la réalité; il permet de généreux
développements à Mirabeau et à La Fayette, à Barbaroux et à Brissot, à Camille Desmoulins et à Buzot,
dont les apostrophes et les prosopopées s'accompagnent
de larmes [1]. Il inspire l'évangélique tendresse de Fauchet,
la bonté proverbiale de Condorcet, l'affectueuse fraternité de Vergniaud [2]. « Ne soyons jamais coupables
envers le malheureux, conseille Danton; donnons-lui
l'exemple de la vertu et de la raison, et le malheureux,
qui a plus d'âme que le riche, ne se rendra jamais coupable [3]. »
Je souligne l'allusion calculée à « l'âme » du pauvre,
parce que, pour les révolutionnaires, la supériorité
morale du pauvre doit s'inscrire dans les faits. La Révolution n'est-elle pas d'abord la lutte du pauvre contre
le riche, la libération du premier qui, selon Babeuf, ne
doit plus être subordonné au second ?

C'est pourquoi, peu à peu, les déclamations humanitaires font place à des projets d'ordre pratique : Marat
parle de subsistance assurée, d'allocations, d'assistance
aux vieillards et aux malades; il légitime les colères du
pauvre par l'embourgeoisement de la Révolution,
il défend l'orphelin, la femme, la prostituée [4]. La Fayette
prend en main la cause des protestants, Brissot celle des
noirs. Billaud-Varenne veut relever les filles séduites,
Larevellière-Lépeaux prêche au club d'Angers l'humanité et la justice [5]. Robespierre jeune « contente son

1. Cf. *Correspondance inédite de La Fayette*, p. 190. — Barbaroux,
Mémoires, p. 438, 502, 514. — Brissot, *Mémoires*, t. II, p. 18, 249,
296, 366; *Correspondance*, p. 30. — Buzot, *Mémoires*, p. 148.
2. Cf. Aulard, *Les Orateurs de la Législative*, t. II, p. 107-130;
271. — Cahen, *Condorcet et la Révolution française*, p. 17, 237. —
Vergniaud, *Œuvres*, p. 42, 127.
3. *Discours*, p. 280. — Cf. Billaud-Varenne, *ouvr. cité*, p. 322.
4. *Œuvres*, p. 5, 33 à 39. — *Correspondance*, p. 154-156.
5. Cf. Billaud-Varenne, *Mémoires*, p. 353. — Larevellière-
Lépeaux, *Mémoires*, p. 89.

cœur » en « soulageant les malheureux [1]. » Maximilien
Robespierre, après avoir célébré en vers naïvement
idylliques le bonheur des indigents, acquiert vite une
notion plus exacte de la réalité, met, bien avant 1789,
sa « parole vengeresse » au service de ceux qui souffrent,
défend les malheureux, les hommes de couleur, les Juifs,
plaide pour les pauvres et les humbles, s'écrie avec indignation : « Nul homme n'a le droit d'entasser des mon-
ceaux de blé à côté de son semblable qui meurt de faim.
Le premier des droits est celui d'exister [2]. » Les mêmes
sentiments animent Saint-Just, qui proclame à plusieurs
reprises : « Les malheureux sont les puissances de la
terre; ils ont le droit de parler en maîtres aux gouvernements qui les négligent... Il ne faut ni riches ni pauvres [3]. » Le devoir du révolutionnaire est donc de défendre
les opprimés, d'instituer la justice; la Révolution abolira
les privilèges, ou elle manquera son but, qui est le bonheur
commun.

Ces théories entachées de sentimentalisme ne suffisent
point à résoudre le problème social; elles paraissent
même platoniques en face de la crise agricole, indus-
trielle et financière, de la cherté croissante de la vie,
de l'insuffisance des salaires, du chômage ouvrier. Ce
ne sont pas elles qui, malgré les apparences, liquident
le régime domanial, abolissent les droits seigneuriaux,
libèrent le travail et le commerce, instituent un nouveau
régime foncier, président à une nouvelle répartition des
biens. Les lois d'assistance, les « ateliers de charité »
leur doivent davantage peut-être. Mais, en réalité,
les graves problèmes de la propriété, de la terre, de la

1. Cf. *Annales révolutionnaires*, t. VII, p. 330.
2. Cf. *Poésies de Robespierre*, p. 396; *Œuvres Judiciaires*, p. XXXVIII,
224 à 265; *Œuvres Complètes*, Paris, Leroux, 1910, p. 16, 47; *Correspondance*, p. 31, 82 ; *Annales révolutionnaires*, t. VI, p. 551 à 563.
3. *Œuvres complètes*, t. I, p. XI, 290-291; II, 175, 238, 514.

répartition des produits, du partage des biens, de la communauté des ressources et des instruments de travail sont des problèmes dont l'économie politique s'empare de plus en plus; l'argument sentimental y est à peu près sans valeur, quand il ne constitue pas un danger. Les Assemblées révolutionnaires se rappellent les économistes et les physiocrates du siècle, car la connivence de l'économique et de la politique n'est pas une découverte moderne [1]. Plusieurs de ses membres éminents sont eux-mêmes des émules de Baudeau et de Dupont de Nemours, de Quesnay et de Turgot. Condorcet s'est occupé, dès 1776, du commerce des blés, puis de l'esclavage des nègres, non pas en déclamateur philanthrope, mais en avocat, en législateur, en économiste pratique, qui examine les faits, leurs causes et leurs conséquences : la réalité est le domaine où s'exerce sa raison révoltée [2]. Tous ses écrits politiques portent la même empreinte; l'indignation perce, mais elle s'efface devant les besoins de la logique constructive. Au fur et à mesure que la Révolution se déroule, l'argument sentimental cède la place aux solutions techniques : la Montagne est plus dégagée du sentimentalisme social que la Gironde; Babeuf serre de plus près la question économique de la terre et de la propriété. Les mêmes problèmes ne requerront désormais ni apitoiement, ni philanthropie verbale. Chez Babeuf, le théoricien l'emporte déjà sur « l'homme sensible ». Un Proudhon, un Karl Marx, un Lénine larmoyants paraîtraient ridicules et désarmés. Lorsque Karl Marx montre comment la capitalisme gaspille la vie et la santé des tra-

1. Cf. G. Weulersse, *Le mouvement physiocratique en France* (1756-1770), Paris, Alcan, in-8°, 1919. — Il ne faut pas oublier que, malgré ses éléments démocratiques, « le système physiocratique est un système capitaliste » (p. 684).
2. Cf. *Œuvres*, Paris, Didot, 1847, t. VII, p. 69.

vailleurs pour réaliser une économie sur la marchandise,
il ne s'indigne ni ne se révolte; il discute en technicien
soucieux du seul but à atteindre, et son matérialisme
dialectique, qui répudie toute hypothèse idéaliste ou
spiritualiste, a semblé neuf [1]. Il l'était en effet, puisqu'il
se fondait sur la notion scientifique moderne de la matière
et sur la logique élargie employée par Hegel au début
du XIXe siècle et nommée par lui dialectique. Or, Condorcet, aussi éloigné soit-il de ce matérialisme, a, quand
il le faut, un langage aussi net, un style aussi dépourvu
du « romantisme » sociologique que Karl Marx et Lénine
répudient avec la dernière énergie.

Toutefois la pitié et l'émotion qui naît de la pitié
fraternelle suscitent chez les révolutionnaires français
une sympathie d'où la passion n'est jamais absente.
Là même où le problème requiert une tête froide
le cœur ne perd pas ses droits. Les physiocrates eux-
mêmes n'étaient pas de froids théoriciens. « Leur enthousiasme, quelquefois si ridicule, mais qui convient
si bien à une science naissante, est une des manifestations de la sensibilité du temps; ils sont les dignes contemporains de l'Encyclopédie, de Rousseau, de Buffon [2]. »
Le sentimentalisme des révolutionnaires, hérité de
cet enthousiasme, prouve que la misère humaine est
devenue pour eux une réalité tangible. S'émouvoir,
c'est, déjà, s'intéresser; laisser, d'abord, parler le cœur,
c'est prendre conscience d'un problème plein d'angoisses
et redoutable en soi. Que, à l'origine du problème social,
on relève des éléments d'une valeur purement affective,
n'est pas indifférent. On a beaucoup écrit sur les tendances socialisantes de certains révolutionnaires, sur la
lente formation du socialisme, puis du communisme

1. *Le Capital*, Paris, Giard et Brière, 3 vol. in-8º, 1901, t. III,
p. 69-75.
2. Weulersse, *ouvr. cité*, p. 719.

chez Babeuf et les Montagnards babouvistes. Peut-être n'a-t-on pas suffisamment souligné la part de la spontanéité et de l'instinct dans la constitution de ces doctrines, peut-être n'est-on pas descendu aux sources profondes de la souffrance humaine. Les théories et les systèmes font oublier en effet, et permettent de négliger ensuite, les causes sentimentales, dont naît le bien ou le mal. Ce n'est pas une raison pour taire cette victoire de la sensibilité, même si elle nous paraît fragile, incertaine, et sans lendemain.

CHAPITRE IV

DÉFAITE DE LA SENSIBILITÉ

Il faut lui attacher d'autant plus de prix qu'elle est menacée et, sans cesse, remise en question. La sensibilité ne porte-t-elle pas sa défaite en elle-même, n'est-elle point obligée de se renier au bénéfice de principes intangibles? Ceux qu'elle anime, ceux qui, par nature et par éducation, se réclament d'elle avec orgueil, ces hommes amoureux de leurs propres larmes, ces hommes charitables, ces hommes philanthropes, pourquoi ont-ils recours à la violence, pourquoi massacrent-ils leurs ennemis, pourquoi se massacrent-ils les uns les autres? Pourquoi la guillotine en permanence, et ces milliers de victimes? Il semble qu'il y ait antinomie entre les principes dont se réclament les révolutionnaires et leur conduite.

La plupart des historiens et des moralistes ont résolu le problème de la façon la plus simple, en le niant. Les révolutionnaires, disent-ils, ne sont pas des êtres sensibles, mais des êtres primitifs, barbares; ils méritent pleinement les flétrissures traditionnelles dont on les marque à l'épaule, comme d'un fer rouge, depuis un siècle et demi, et dont les moindres sont le reproche d'anthropophagie, le cannibalisme : celui-ci est un « boucher », cet autre une « hyène », ce troisième un tigre; tous ne songent qu'à s'abreuver de sang. La

France, couverte de « tumeurs » et « d'abcès », est un
ouvrier enivré « par la mauvaise eau-de-vie du *Contrat
Social* et vingt autres boissons frelatées ou brûlantes »;
après le délire joyeux, voici le délire sombre : l'ouvrier
est un fou qui se livre à une besogne d'abattoir [1]. Dans
ces conditions le problème n'existe pas, et l'on se refuse
même à accorder audience aux témoignages qui risquent
de contrarier une opinion aussi nette et aussi commode.

Or, le problème existe par le fait même que les témoignages sont contradictoires. Ni les historiens, ni les
moralistes ne sont d'accord sur Marat, sur Robespierre,
sur Saint-Just, sur Vergniaud, sur Camille Desmoulins...
On assiste, au cours du xixe siècle et au début
du xxe siècle, à une bataille entre eux, les uns protestant,
au nom de la morale traditionnelle, contre l'usage
de la violence, les autres expliquant ou justifiant cet
usage. Aulard et Lacombe s'en prennent avec force
au dogmatisme étroit de Taine, que A. Cochin et P. Lasserre défendent avec une conviction anti-jacobine [2].
La sympathique intelligence de Louis Blanc, tout en
réprouvant la Terreur, s'élève contre la condamnation surprenante dont Edgar Quinet la frappe [3]. Sur

1. Cf. Taine, *Les Origines de la France contemporaine, La Révolution*,
I, 371 à 460. Pamphlétaires et historiens abusent du même vocabu-
laire méprisant, dont Mallet du Pan a donné le modèle (*Considérations sur la nature de la Révolution française*, p. 9, 21, 25, 29, 37, 46,
48, 74). Cf. par exemple Sainte-Beuve, *Causeries du Lundi*, II, 117,
122; Barrès, *Introduction* au *Saint-Just* de Marie Lenéru, p. 9, etc.,
etc...

2. Aulard, *Taine historien de la Révolution Française*, Paris, Colin,
in-12, 1907. — Lacombe, *La psychologie des individus et des sociétés chez
Taine historien des littératures*, Paris, Alcan, in-8°, 1906; *Taine historien et sociologue*, Paris, Giard et Brière, in-8°, 1909. — A. Cochin,
La crise de l'histoire révolutionnaire, Taine et M. Aulard. Paris, Champion, in-8°, 1909. — P. Lasserre, *Portraits et Discussions*, Paris,
Mercure de France, in-12, s. d., p. 360.

3. L. Blanc, *Histoire de la Révolution française*, t. I, p. xvi à xxxiii;
t. X, p. 1.

cette Terreur, pierre angulaire de la Révolution, Benjamin Constant, irréductible individualiste, avait écrit des pages d'analyse aiguë; contre elle, Mortimer-Ternaux avait dressé un long réquisitoire aveugle, tandis que Wallon essayait d'en écrire l'histoire [1]. Presque toujours le même langage, hérité des pamphlétaires antirévolutionnaires et de Taine, avait caché les mêmes insuffisances d'information et de jugement; presque toujours on avait prononcé sur la Révolution un verdict, au lieu de pénétrer l'esprit révolutionnaire. Or, l'indignation, en histoire, est mauvaise conseillère, et elle n'explique rien.

Nous n'en sommes point encore débarrassés aujourd'hui. Malgré une connaissance plus approchée et plus sereine, le désaccord s'aggrave entre les historiens. Les uns invoquent avec persistance les nécessités historiques, les autres, avec non moins de persistance, les lois de la morale. Comment seraient-ils d'accord, puisque les contemporains ne l'étaient pas, puisque, souvent, les révolutionnaires n'étaient pas d'accord avec eux-mêmes? Ceux-ci ont beau proclamer que la Révolution, état transitoire qui prélude à un ordre nouveau, est au-dessus de la loi périmée, de la justice séculaire et de la morale reçue, ils n'en souffrent pas moins d'une contradiction interne, qui, par instants, se révèle tragique. On a voulu faire d'eux — et c'est une manière d'excuser leurs excès — les produits mécaniques d'un travail collectif, expliquer un Marat ou un Carrier par l'automatisme de la machine sociale [2]. Peut-être a-t-on oublié qu'ils sont des hommes comme les autres, que leurs faiblesses

1. B. Constant, *Œuvres politiques*, Paris, Charpentier, in-12, 1874 : *De la Terreur*. — Mortimer-Ternaux, *Histoire de la Terreur, 1792-1794*. Paris, Lévy, 6 vol. in-8°, 1868, t. I, p. 1 à 7. — Wallon, *La Terreur*, Paris, Hachette, 2 vol. in-16, 1873.

2. Cf. A. Cochin, *ouvr. cité*, p. 100.

et leur grandeur sont humaines. La crise révolutionnaire tient à l'esprit même de la révolution [1]. Cette crise et cet esprit sont liés; l'une commande l'autre. Saurons-nous jamais si Robespierre fut un meurtrier « légal », ou simplement un être isolé, tendu, antipathique, que son rêve pousse aux extrêmes, ou un cœur pitoyable, rempli de fraternelle tendresse? Mais nous savons déjà qu'il porte en lui plusieurs âmes, dont une âme « douce et humaine » [2], et une âme, quand il le faut, inexorable, que, par conséquent, il n'est pas d'un bloc, comme on l'affirme, ni tout bon, ni tout mauvais. A la lumière des événements, il apparaîtra moins étrange que le chef du gouvernement révolutionnaire ait pleuré sur la mort d'un oiseau.

La lumière des événements est indispensable en effet, si l'on veut résoudre cette apparente contradiction, où les sociologues et les psychiatres s'égarent inutilement, à la suite des historiens et des moralistes [3]. On constate d'abord que le problème ne se pose même pas pour les États-Généraux ni pour la Constituante, parce que, en 1789, nul ne songe à la violence comme moyen de gouvernement. Lorsqu'on parcourt ce « testament authentique de l'ancienne société française [4] », les *Cahiers de Doléances*, on est frappé par la modération

1. Cf. Ed. Champion, *L'Esprit de la Révolution française*, Paris, Reinwald, in-12, 1887.
2. A. Mathiez, *Robespierre terroriste*, Paris, Renaissance du Livre, in-12, s. d., p. 5, 56 à 78, 169 à 188. — Cf. Aulard, *Les Orateurs de la Législative*, II, 419; Jaurès, *ouvr. cité*, I, 375.
3. Cf. L. Madelin, *ouvr. cité*, p. 287.
4. Lavisse, *Histoire de France, La Révolution*, I, 387. Sur l'insuffisance de la publication de ces *Cahiers*, cf. *Annales historiques de la Révolution française*, janvier 1934, p. 80.

du ton et par l'esprit conciliateur qui anime les trois
ordres, le Tiers-État surtout : aucune menace, respect
absolu de la monarchie, orthodoxie religieuse, dévotion
même, rien qui ne ménage le passé... Plaintes et griefs
prennent la forme respectueuse et anodine de prières.
On supplie, on se livre à des effusions d'enthousiasme et
d'amour, on répand des larmes à la moindre atten-
tion de Sa Majesté pour le peuple, on croit avec une
sincérité naïve à la régénération du monde qui s'opé-
rera « sans coûter aux âmes sensibles d'autres larmes
que des larmes de joie et de tendresse [1]. » D'ailleurs, dans
ces *Cahiers*, « pas une phrase vaine, pas une déclama-
tion, pas un élan d'inutile sensibilité » : Jaurès y retrouve « à la fois la manière mesurée, nuancée et aiguë
de Montesquieu, et la manière sobre, amère et forte du
Jean-Jacques du *Contrat Social* [2]. » La Constituante reflète
cette mentalité, et l'on a pu parler du grand cœur de
cette Assemblée, où Duport, s'élevant avec force contre
la peine capitale, s'écrie : « Rendons l'homme respectable à l'homme ! » [3] Aussi l'on respecte le roi, l'allégresse règne, les scènes de fraternité se multiplient.

Mais cette union entre les classes n'est qu'une apparence. Dès 1789, la lutte est ouverte entre les privilégiés
et le peuple, et la révolution soi-disant pacifique est
remplacée par une révolution violente, dont les premiers
actes sont les incendies dans les villes et dans les campagnes, la prise de la Bastille, le massacre de Foulon
et de Bertier, le pillage et la destruction des châteaux
par les paysans, l'organisation des Jacqueries, c'est-à-
dire par des actes populaires instituant la lutte des classes.
Les Russes ne s'y sont pas trompés. « Le terrorisme de la

1. Cf. E. Champion, *La France d'après les cahiers de 1789*, Paris,
Colin, in-12, 1897, p. 243.
2. *Ouvr. cité*, t. I, p. 155.
3. Aulard, *Les Orateurs de la Constituante*, p. 459-462.

grande Révolution française commença le 14 Juillet
1789 par la prise de la Bastille », écrit Plékhanov dans
le numéro 48 de l'*Iskra*, en 1904. Sa force fut celle d'un
mouvement révolutionnaire du peuple... Ce terrorisme
naquit, non de la perte de la foi en le mouvement des
masses, mais au contraire d'une foi inébranlable en la
force des masses. » Lénine, étudiant l'accord stratégique
en vue de l'insurrection, approuve [1]. Car l'insurrection
vient toujours du peuple, en 1789 comme en 1917.
Elle s'établit en permanence à partir de 1790, lorsque
l'attitude du roi, de certains prêtres et des émigrés fait
surgir le danger de la contre-révolution aux yeux des
révolutionnaires les plus modérés et les plus pacifiques,
lorsque le peuple, qui perce en 1793, est repoussé [2].
Alors le ton change. Dubois-Crancé souligne que l'homme
juste s'aigrit par les contradictions et les préventions :
« Plus la cause qu'il défend est sacrée pour lui, plus il
s'envenime contre ses adversaires; il s'aveugle à un
tel point qu'il peut devenir assassin [3]. » Les plus récentes
études de psychologie pathologique confirment cette
théorie. Ainsi les révolutionnaires, humains et fraternels,
se raidissent brusquement, se mettent en garde contre
ce qu'ils appellent une « fausse sensibilité », c'est-à-dire
une faiblesse coupable envers les ennemis de l'extérieur
et de l'intérieur, s'appliquent à faire taire leurs sentiments généreux. En agissant avec cette rigueur, peut-
être contre leur gré, ils obéissent à l'instinct populaire.
« Pour comprendre, écrit Michelet, comment le plus
civilisé des peuples, le lendemain de la Fédération,
lorsque les cœurs semblaient devoir être pleins d'émotions fraternelles, put entrer si brusquement dans les
voies de la violence, il faudrait pouvoir sonder un Océan

1. Lénine, *Œuvres Complètes*, t. VII, p. 149.
2. Cf. Guéhenno, *Conversion à l'Humain*, p. 140.
3. *Analyse de la Révolution française*, p. 103.

inconnu, celui des souffrances du peuple [1]. » Or, cet « Océan » nous est mieux connu qu'il ne l'était à Michelet; ces souffrances populaires, aggravées par les dangers, par les désillusions, nous les connaissons bien. Nous savons aujourd'hui que l'ouvrier des villes, à demi sacrifié par la Révolution, n'a pas été le moindre élément de trouble et de révolte. On a satisfait le bourgeois, le paysan, mais on n'a pas poussé la révolution sociale en profondeur. Les faubourgs de Paris imposent alors la Commune, la dictature montagnarde, le gouvernement révolutionnaire, la Terreur : d'un côté la misère, de l'autre la nécessité de défendre les libertés acquises expliquent le revirement des Assemblées. La thèse de Carlyle garde sa valeur : c'est le sans-culottisme qui fait la révolution, c'est sa destructive colère qui agit; l'action parlementaire est impuissante, et toute puissance est transférée à l'action populaire [2]. Il faut vaincre ou disparaître; la loi morale s'efface devant cette nécessité historique. « Si Brutus ne tue point les autres, déclare Saint-Just, il se tuera lui-même [3]. » Mais, comme le remarque Lénine, « l'idée de la nécessité historique ne diminue en rien le rôle de la personnalité dans l'histoire : toute l'histoire est composée précisément d'actes de personnalités, qui sont sans contredit des hommes d'action [4]. » Par les Brutus, par les Saint-Just, le peuple anonyme agit et réagit.

1. *Histoire de la Révolution française*, t. II, p. 138.
2. *Histoire de la Révolution française*, t. I, p. 270-279. Entre beaucoup d'autres, A. Cochin déplore cette souveraineté du peuple, ressort de la Révolution; du peuple il fait un idéal abstrait, une entité métaphysique, et de la liberté une conception théorique absolue (*Ouvr. cité*, p. 3). C'est méconnaître la réalité. En revanche, il a raison de soutenir que la force révolutionnaire, en 1789 comme en 1793, est dans l'être collectif (p. 8).
3. *Œuvres Complètes*, t. I, p. 349.
4. *Du Matérialisme historique*, Paris, Bureau d'Éditions, in-16, 1935, p. 43.

C'est alors que le drame moral commence en même temps que le drame politique, car l'homme est subordonné aux événements. Ni les députés de la Législative, ni ceux de la Convention n'abdiquent volontiers une sensibilité dont ils usent aux fins mêmes de la Révolution, et dont ils abusent dans leur intérêt propre. C'est au moment où ils en perçoivent le danger qu'ils s'y attachent avec une sorte de désespoir, c'est au moment où ils vont être obligés de verser le sang qu'ils proclament avec le plus de force leur horreur du sang. Oui, d'abord et toujours chez eux, l'horreur instinctive du sang et du meurtre, l'appel à un « Comité de Clémence » que chacun désire à sa manière et que nul ne réalise. Les multiples aveux de Brissot et de Vergniaud, de Barbaroux et de Billaud-Varenne, de Merlin de Thionville et de Danton..., ne laissent aucun doute à cet égard [1]. « J'aime mieux être guillotiné que guillotineur », affirme C. Desmoulins [2]. « Personne plus que moi n'abhorre l'effusion de sang », déclare Marat [3]. Robespierre estime que « l'échafaud est un moyen terrible et toujours funeste [4]. » On a démontré, à la lumière des faits et d'irréfutables documents, que, loin de préconiser la violence, Robespierre s'efforce, avant 1793, d'atténuer les rigueurs révolutionnaires par des mesures d'indulgence et de clémence; le régime d'exception lui pèse, il en prépare graduellement la suppression, et il ne marche à la Terreur que peu à peu, à son corps défendant, sous la menace des dangers où la patrie va som-

---

1. Cf. Brissot, *Correspondance*, p. 145, 376. — Touchard-Lafosse, *ouvr. cité*, p. 307. — Barbaroux, |*Mémoires*, p. 438. — Billaud-Varenne, *Mémoires*, p. 360, 396. — Merlin de Thionville, *Vie et Correspondance*, p. 36, 44, 91, 103, 197.
2. *Œuvres*, t. II, p. 138, 373.
3. *Œuvres*, p. 218.
4. *Mémoires de Charlotte Robespierre*, p. 115.

brer [1]. Fouquier-Tinville, dans ses *Réquisitoires*, se vante
d'avoir toujours eu « des mœurs, de la probité et de l'humanité[2]. » De même qu'il proteste contre la loi du 22 Prairial,
de même Saint-Just reproche à Rousseau d'avoir justifié
le droit de mort, réprouve le meurtre de Foulon et de
Bertier, accuse la faiblesse du peuple, « éternel enfant »,
d'engendrer la cruauté, considère la terreur « comme
une arme à deux tranchants », traite de « déplorables »
les « tableaux » de septembre, et arrêterait, semble-t-il,
volontiers la Révolution sur une pente trop raide, au
risque d'apparaître à certain biographe comme un
conservateur social, soucieux d'ordre et de légalité [3].
Humanité donc, douceur au sein de l'implacable
justice! Michelet s'étonne de ce « phénomène moral »,
y découvre une maladie, « la furie de la pitié » meur-
trière, souhaite une « pathologie » de la Terreur [4]. Les
disciples de Taine rejettent les déclarations des révolutionnaires, les traitent d'hypocrites, ne comprennent
ni n'acceptent qu'on puisse frapper au nom de la « sensibilité », de la « clémence [5] ». Faut-il douter en effet que
ces hommes sont sincères? Faut-il récuser le témoignage
des esprits sous le prétexte que ce témoignage partial
s'efforce de voiler le secret des âmes? L'histoire anecdotique s'est appliquée surtout à tirer de faits particuliers
des conclusions générales : méthode trop facile pour
conduire à la vérité. Mieux vaudrait peut-être s'en

1. A. Mathiez, *Robespierre terroriste*, Paris, Renaissance du Livre,
in-12, s. d., p. 5 à 19, 171. — *Études Robespierristes*, Paris, Colin,
2 vol. in-18, 1917.

2. *Ouvr. cité*, p. 215, 230-231, 281.

3. Saint-Just, *Œuvres Complètes*, I, 256 à 258, 315; II, 11, 239. —
Cf. M. Lenéru, *ouvr. cité*, p. 110, 179.

4. *Ouvr. cité*, t. V, p. xxi à xxxvii.

5. Cf. P. Lanfrey, *Essai sur la Révolution française*, p. 250 à 307;
H. Welschinger, *Le théâtre de la Révolution*, Paris, Charavay, in-12,
1880, p. 359, etc...

référer aux intuitions psychologiques, si elles ne comportaient, elles aussi, leur danger. A l'hypocrisie que les uns croient découvrir chez les révolutionnaires d'autres opposent un acte de foi dans leur sincérité [1]. Or, dans une foule aussi multiple et hétérogène, il est des hommes qui, fatalement, portent un masque, tel Barère, et ne sont pas ce qu'ils paraissent. Les historiens les plus sympathiques à la Révolution, comme A. Mathiez et Jaurès, le leur reprochent avec une juste et salutaire intransigeance. Toutefois, la lecture attentive des *Correspondances* et des *Mémoires* prouve que les révolutionnaires, dans leur grande majorité, sont sincères jusqu'à la brutalité envers les autres et envers eux-mêmes. On l'accorde, mais on réplique : leurs déclarations, qui émanent d'une sensibilité vive, sont démenties par les faits, et il en résulte une contradiction choquante. Comment, encore une fois, ces hommes deviennent-ils des exécuteurs farouches ? Poser la question c'est ignorer la mentalité révolutionnaire, c'est rester dans le domaine théorique du moraliste. Le révolutionnaire n'est pas, ne peut pas être un rêveur ni un théoricien : il est un homme d'action et de combat, qui doit agir sans répit et sauver, coûte que coûte, son œuvre. Or, l'action implique un sacrifice, parfois même une renonciation à un principe cher. « Nous pourrons être humains quand nous serons assurés d'être vainqueurs », écrit Hérault à Carrier [2]. Billaud-Varenne explique pathétiquement ce douloureux conflit entre l'humanité et le devoir révolutionnaire. « Le malheur des révolutions, écrit-il, c'est qu'il faut agir trop vite; vous n'avez pas le temps d'examiner; vous n'agissez qu'en pleine et

---

1. M. L. Madelin ne conteste pas cette sincérité chez Robespierre, ni même chez Carrier (*ouvr. cité*, p. 334, 340).
2. Cf. Madelin, *ouvr. cité*, p. 333.

brûlante fièvre, sous l'effroi de ne pas agir; sous l'effroi, je m'entends, de voir avorter vos idées. » Il ajoute : « Les décisions que l'on nous reproche tant, nous ne les voulions pas le plus souvent deux jours, un jour, quelques heures avant de les prendre; la crise seule les suscitait... Nous ne voulions pas tuer pour tuer, c'est trop stupide; nous voulions vaincre à tout prix, être les maîtres pour donner l'empire à nos principes... Au Comité..., nous tous, le jour et la nuit, nous reprenions du même cœur et les mains fatiguées la tâche immense de la conduction des masses... Nous avions les regards portés trop haut pour voir que nous marchions sur un sol couvert de sang [1]. »

Telle est l'explication que donne un révolutionnaire « sensible », et c'est la seule qui ait une valeur morale. Donc, il faut bannir la sensibilité, car, en temps de révolution, elle précipite l'âme dans la veulerie; bannir la pitié, car elle énerve le courage; bannir la philanthropie, car elle entrave l'action [2]. C'est avec de bons sentiments que l'on fait souvent de mauvaise politique. Déjà Barnave avait réagi contre l'étalage théâtral de la sensibilité, et Vergniaud avait déclaré : « Il importe de ne pas prendre des passions pour des principes ou les mouvements de son âme pour des mesures d'ordre général [3]. » Cette déclaration inspire les chefs responsables, surtout à partir de 1793; d'autres, plus brutales, l'accompagnent, la renforcent. Barère répond à Grégoire, qui propose d'instituer le « droit des gens », que l'Assemblée n'a pas à « s'extravaser en opinions philanthropiques » [4]. Fouché affirme que « la pitié et la sensibilité sont des crimes de

1. *Mémoires inédits*, p. 236-240.
2. Cf. en effet l'exemple du Conventionnel Picqué (Monglond, *Vies Préromantiques*, p. 116).
3. Barnave, *Œuvres*, t. I, p. 108; Vergniaud, *Œuvres*, p. 166.
4. Cf. Lavisse, *Histoire de France Contemporaine*, t. II, p. 139.

lèse-liberté » [1], tandis que Saint-Just s'en prend, lui
aussi, à la philanthropie, coupable de servir « de masque
aux attentats », coupable surtout d'avoir « enterré
100.000 Français et douze cent millions en Belgique. »
« C'est un signe éclatant de trahison, s'écrie-t-il le 26 avril
1794, que la pitié que l'on fait paraître pour le crime,
dans une République qui ne peut être assise que sur
l'inflexibilité..... La justice n'est pas clémence, elle est
sévérité... Vous n'avez pas le droit ni d'être cléments
ni d'être sensibles pour les trahisons... Bronzez la liberté! »
Le 11 Germinal 1794, développant le même thème aux
Jacobins, il s'écrie « Soyez donc inflexibles; c'est l'indulgence qui est féroce, puisqu'elle menace la patrie [2] ».
Robespierre, qui pleurait jadis sur la mort d'un innocent
et demandait, le 30 mai 1791, à la Constituante l'aboli-
tion de la peine capitale, déclare maintenant que « la
sensibilité qui gémit presque exclusivement pour les
ennemis de la liberté » lui est suspecte[3]. Dans le second
Discours qu'il prononce sur le jugement de Louis XVI,
il définit son attitude, dévoile le conflit dont il souffre
entre la pitié humaine et la nécessaire justice. « J'ai
senti chanceler dans mon cœur la vertu républicaine
en présence du coupable humilié devant la puissance
souveraine... Mais, citoyens, la dernière preuve de
dévouement que les représentants doivent à la patrie,
c'est d'immoler ces premiers mouvements de la sensibilité naturelle au salut d'un grand peuple et de l'humanité opprimée. Citoyens, la sensibilité qui sacrifie l'innocence au crime est une sensibilité cruelle; la clémence
qui compose avec la tyrannie est barbare [4]. » Pourtant

1. Cf. Touchard-Lafosse, *Histoire parlementaire et vie intime de
Vergniaud*, p. 234.
2. *Œuvres Complètes*, t. II, p. 95, 97, 228 à 241, 232, 330.
3. *Moniteur Universel*, t. VIII, p. 545. — Louvet, *Mémoires*, t. II, p. 83.
4. *Œuvres choisies*, Ed. Laponneraye, t. III, p. 127. — Pétion

Robespierre, au moment même où il se fait un cœur inexorable pour frapper les ennemis de la patrie, les « défaitistes » et les traîtres, nous offre le meilleur exemple du débat intérieur où les révolutionnaires cherchent en vain une issue. Il blâme les excès des terroristes, prend des mesures contre ceux qui abusent du régime d'exception, cherche à corriger l'inévitable violence par la vertu et par la pitié, représente « dans la Terreur la mesure, l'indulgence, l'honnêteté ». Réservant ses rigueurs à ceux qui assassinent la patrie, organisant le despotisme de la liberté pour anéantir le despotisme des rois, il ne verse le sang ni par goût ni par ambition. Reubell l'accuse d'être « trop doux », les terroristes d'être trop modéré. En 1793, tous, révolutionnaires et contre-révolutionnaires sont en effet partisans de la violence, d'une violence farouche, dont André Chénier lui-même donne l'exemple [1].

C'est pourquoi Marat pousse cette violence plus loin que Robespierre, rejette toute « fausse humanité », toute pitié, toute clémence, tout pardon, car il faut sauver la liberté menacée par le roi, les nobles, les prêtres, les semeurs de panique, les traîtres, la guerre étrangère. Il refuse de s'attendrir, multiplie les objurgations. Dès 1789 et 1790, il pose le problème de la fausse sensibilité, dont il souligne les dangers. On s'indigne quand le peuple excédé massacre un scélérat, et l'on se tait quand « les satellites du prince égorgent militairement des milliers de sujets » : « Les cœurs sensibles! ils ne voient que l'infortune de quelques individus, victimes d'une émeute passagère; ils ne compatissent qu'au supplice mérité de quelques scélérats!... Nous prostituons la sensibilité et nous mécon-

juge également que le pardon est « fausse générosité ». (*Mémoires*, Paris, Plon, in-8°, 1866, p. LI.)

1. Cf. Mathiez, *Robespierre terroriste*, p. 19 à 37. — R. Korngold, *Robespierre*, p. 263.

naissons le sentiment; nous ne savons pas aimer, et nous sommes idolâtres [1]. » Mais le jacobinisme, cet « œil de la Révolution », surveille les représentants du peuple, ne permet aucune défaillance coupable, aucune trahison mortelle. Il ne veut ni compromissions, ni conciliations, ni marchandages politiques, il place au-dessus des intérêts particuliers le salut commun, la liberté, la patrie, l'humanité. Ce sectarisme a l'excuse, aux yeux des Jacobins, de travailler pour la collectivité. Donc le meurtre peut être un suprême recours, un moyen nécessaire, *dura lex*. « Tout ce qui est nécessaire à la révolution, tout ce qui lui est utile, est juste, avait déclaré Chamfort; c'est là le grand principe [2]. » Marat justifie ce principe en affirmant que la défense du plus grand nombre exige le sacrifice de quelques-uns : tuer un homme pour en sauver cent mille, c'est faire acte d'humanité. Marat se considère en état de légitime défense. Car si les révolutionnaires ne se défendent point, la Terreur blanche remplacera la Terreur rouge; ne la remplace-t-elle pas déjà en Vendée, où les Chouans se livrent aux pires excès? C'est une question de force, de vie ou de mort. Donc, égorger en un jour 260.000 hommes est un calcul humain, tuer les royalistes, les Feuillants, les émigrés est un acte d'humanité, un holocauste offert à la Nation. Marat essaie de le persuader à Barbaroux, qui regimbe; il demande 500 têtes pour en épargner 500.000. « 500 à 600 têtes abattues vous auraient assuré la liberté, le repos, le bonheur. Une fausse humanité a retenu vos bras... ». — « Peut-être faudra-t-il en abattre

1. *Œuvres*, p. 54, 79, 90. — Ainsi l'intransigeance de Lénine s'élève contre le sentimentalisme petit-bourgeois. « Plus le révolutionnaire a besoin de l'appui de la théorie pour l'action, plus il est intransigeant à le sauvegarder ». (Trotsky, *Vie de Lénine*, p. 259, 276).

2. Marmontel, *Mémoires*, t. III, p. 192. — Cf. *Journal d'un étudiant pendant la Révolution*, p. III et IV.

5 à 6.000, mais fallût-il en abattre 20.000, il n'y a pas
à balancer un instant... », et il ajoute : « Un seul acte
de rigueur déployé dès le premier pas nous aurait
dispensé d'y recourir jamais. Périssent tous les rois de
la terre plutôt qu'un innocent! » D'ailleurs les révolutionnaires ne donnent pas l'exemple de la violence, ils
le suivent. On n'accorda point de larmes « au sang
qu'avait versé la Cour », dit Saint-Just le 8 juillet 1793,
et, dans son *Rapport* du 26 février 1794, il déclare :
« Ce qui constitue une République, c'est la destruction
totale de ce qui lui est opposé. On se plaint des
mesures révolutionnaires! Mais nous sommes des modérés en comparaison de tous les autres gouvernements [1]. » Dès le 10 novembre 1789, Marat repoussait
la loi martiale en ces termes : « Que sont quelques
gouttes de sang que la populace a fait couler, dans la
révolution actuelle, pour recouvrer sa liberté, auprès
des torrents qu'en ont versé un Tibère, un Néron, un
Caligula..., Charles IX..., auprès des torrents qu'en a
fait répandre la coupable ambition de Louis XVI? » [2]
Par surcroît, le révolutionnaire qui travaille pour la
collectivité a le mépris de l'individu, comme la nature
qui subordonne tout à ses fins [3]. Marat insiste sur cette
idée que les massacres de septembre sont des « actes
de justice » et qu'il abat des criminels pour sauver des
innocents : « C'est être juste et humain que de verser
quelques gouttes de sang impur pour éviter de répandre
le sang pur à grands flots [4]. » Au moins les révolution-

1. *Œuvres Complètes*, t. II, p. 11 et 231.
2. Marat, *Œuvres Complètes*, p. 77, 124, 130, 132, 136, 155, 207,
210, 218, 228. — Dans *Les Dieux ont soif*, A. France fait tenir à
Gamelin le langage de Marat (Éd. Calmann-Lévy, p. 306, 326).
3. Cf. Renan, *Dialogues Philosophiques*. Paris, Calmann-Lévy,
in-8°, s. d., p. 72 et 128.
4. *Correspondance*, p. 164. — Cf. Jaurès, *ouvr. cité*, *La Convention*,
p. 75-6.

Fusillades de Lyon commandées par Collot-d'Herbois
le 14 Décembre 1793.

Pl. II

naires ont-ils le souci constant d'instituer des tribunaux réguliers [1], et l'horrible guillotine du bon docteur Guillotin marque un progrès sur la maladresse, plus horrible encore, des bourreaux. Que le raisonnement de Marat se retourne contre Marat, c'est le jeu tragique de l'époque : lorsque Charlotte Corday le poignarde, l'acte qu'elle s'impose est « un acte de pitié »; elle frappe pour épargner le sang [2]. Les Thermidoriens enverront Robespierre à l'échafaud pour se sauver eux-mêmes et sauver les futures victimes de la Terreur.

Ainsi la sensibilité et la violence se trouvent d'accord, ou, du moins, les révolutionnaires essaient de les accorder. Michelet n'évoque pas en vain la sensibilité de Marat, méconnue « de ceux qui ignorent que la sensibilité exaltée peut devenir furieuse. Les femmes, dit-il, ont des moments de sensibilité cruelle. Marat, pour le tempérament, était femme et plus que femme, très nerveux et très sanguin [3]. » Ainsi Collot-d'Herbois proteste parce qu'on le nomme barbare, se vante d'avoir toujours été sensible, d'avoir sans cesse ouvert sa maison à l'homme souffrant. « L'échafaud? Grand Dieu! a-t-il jamais servi à épurer les mœurs [4]? » Mais l'échafaud demeure l'argument décisif, la violence l'emporte. Le même Collot-d'Herbois fait achever les fusillés lyonnais à coups de pelles [5]. Marat menace le roi, les chefs militaires, veut arracher le cœur à « l'infernal Motier », pousse le peuple

1. Cf. Lefebvre, *Foules révolutionnaires*. (*Annales historiques de la Révolution française*, Février 1934, p. 19).

2. Cf. Michelet, *Les femmes de la Révolution*, Paris, Delahaye, in-12, 1854, p. 163.

3. *Histoire de la Révolution*, t. II, p. 88 à 93, 113 à 137. — Cf. *Marat d'après un livre récent* (*Marat inconnu*, du Dr Cabanès) par Robinet (*Revue la Révolution française*, 1891, t. XXI, p. 174 à 188). Les avis des contemporains sont naturellement contradictoires.

4. Cf. *Mémoires de Billaud-Varenne*, p. 87-89, 360.

5. *Ibid.*, p. 29 à 32.

au massacre des conspirateurs, veut supplicier les traîtres, propose de couper les oreilles et les pouces aux contre-révolutionnaires [1]. Le peuple, d'ailleurs, l'a devancé, et il a des excuses. « Je comprends que le peuple se fasse justice, écrit Babeuf le 25 juillet 1789 devant les têtes coupées de Foulon et de Bertier de Sauvigny, j'approuve cette justice lorsqu'elle est satisfaite par l'anéantissement des coupables; mais pourrait-elle aujourd'hui n'être pas cruelle? Les supplices de tous genres, l'écartèlement, la torture, la roue, les bûchers, le fouet, les gibets, les bourreaux multipliés partout, nous ont fait de si mauvaises mœurs! Les maîtres, au lieu de nous policer, nous ont rendus barbares, parce qu'ils le sont eux-mêmes. Ils récoltent et récolteront ce qu'ils ont semé, car tout cela, ma pauvre femme, aura, à ce qu'il parait, des suites terribles : nous ne sommes qu'au début [2]. » Cette prédiction se réalise, et la violence, peu à peu, s'exaspère. C. Desmoulins, si versatile et si faible, prêche, comme Marat, cette violence, accuse les contre-révolutionnaires de vouloir rendre odieuse la Révolution en essayant de faire sauter les prisons avec des barils de poudre : donc, sus aux agents provocateurs, aux mouchards, aux espions, à cette lèpre qui ronge la liberté! Le roi même doit payer pour tous [3]. Danton, si hésitant par moments, reconnaît la nécessité de la rigueur pour sauver le peuple [4]. Saint-Just, plus intraitable, veut faire « avec colère » la guerre de la liberté, repousse toute indulgence, oppose le glaive au glaive. « Les vertus farouches, déclare-t-il, font les mœurs atroces ». Or, il est farouchement vertueux [5]. Carrier

1. *Œuvres*, p. 170, 176-8, 200, 317.
2. *Pages choisies de Babeuf*, Paris, Colin, in-12, 1935, p. 73-76.
3. *Œuvres*, t. I, p. 141 à 150, 228, 330, 350; II, 81, 95, 225.
4. *Discours*, p. 375.
5. *Œuvres Complètes*, t. I, p. 301; t. II, p. 233, 376, 432.

préconise et applique à Nantes d'inflexibles mesures de terreur [1]. Collot-d'Herbois, qui veut détruire Lyon par patriotisme, oppose aux hommes qui « affectent une fausse et barbare sensibilité » sa propre sensibilité, qui « est toute pour la patrie ». Il se défend aux Jacobins d'être un « homme de sang », un « anthropophage » : faire foudroyer d'un coup 200 conspirateurs n'est pas, à ses yeux, « un crime », mais « une marque de sensibilité » [2]. Barras et Fréron, dans le Midi, multiplient, au nom du même principe, les actes cruels [3]. Devant les tribunaux, l'un invoque, pour arracher des condamnations à mort, « l'état de la nature », l'autre déclare que « la sensibilité individuelle doit cesser...; elle doit s'étendre à la République. » « N'aie de l'humanité que pour ta patrie, écrit Payan à Roman-Fourosa...... *Oublie que la Nature te fit homme et sensible* [4]. » C'est au nom de ce principe que les révolutionnaires massacrent leurs ennemis et se déciment entre eux. Le mot de Balzac, qui termine *Un Episode sous la Terreur :* « Le couteau d'acier a eu du cœur, quand toute la France en manquait », n'est point seulement un mot heureux de romancier; il éclaire une terrible histoire, où l'intransigeance est pureté.

* * *

Le principe de la terreur n'est pas neuf, et le recours à la violence fut de tous les siècles, de tous les pays. On le retrouve dans l'antiquité comme dans les temps

1. Cf. *Revue de la Révolution française*, t. XXVIII, p. 425.
2. *Mémoires de Billaud-Varenne*, p. 27-32.
3. *Lettres de Barras et de Fréron en mission dans le Midi*, Draguignan, Latil, 1910, p. 47 à 58, 71, 92 à 99 ,101 à 118, 199-200.
4. Barras, *Mémoires*, Paris, Hachette, 4 vol. in-8°, 1895, t. I, p. 182-183. — E.-B. Courtois, *Rapport fait au nom de la commission...* p. 397.

modernes, défendu par ceux qui usent de la terreur
rouge ou de la terreur blanche pour défendre le régime
de leur choix; et les excès commis au nom de ce principe
sont toujours les mêmes, aboutissent toujours aux mêmes
répressions sanglantes. Serait-ce une loi des révolutions?
Jules Vallès rapporte ce propos d'un fédéré de la Commune, qui rejoint les propos des hommes de 1793 :
« Ah! vingt dieux! ne pas comprendre que casser la
tête d'un Judas, c'est sauver la tête de mille des siens!... »,
et lui-même, qui prit ses responsabilités pendant l'émeute,
affirme : « Je sais que les fureurs des foules sont crimes
d'honnêtes gens, et je ne suis plus inquiet pour ma mémoire, enfumée et encaillotée de sang [1]. » La révolution
russe se réclame du même principe et l'applique avec
tant de rigueur qu'on a pu établir un parallèle entre
septembre 1918 et septembre 1793. « La Révolution
n'avait d'autre alternative que de tuer ou d'être tuée,
déclare un historien russe. Pour vaincre les ennemis
de l'extérieur, il fallait vaincre ceux de l'intérieur »;
et il ajoute : « Organiser la Terreur, c'était la limiter [2]. »
Marat, Saint-Just, Robespierre méditant la loi du
22 Prairial, ne pensaient pas autrement. Les mêmes
menaces, les mêmes dangers provoquent les mêmes
réactions. Alexandre Oulianov ne croit qu'en une
« terreur systématique », et il le paie de sa vie [3]. Son
frère, Lénine, après avoir fait des réserves, en 1901 et
en 1905, sur le terrorisme individuel [4], se rallie à la
terreur en 1918. « Croit-on faire une révolution sans
fusillade? » demande-t-il; et, préconisant une impi-

---

1. *L'Insurgé*, p. 326, 372. — Cf. le même langage révolutionnaire
chez un personnage de Jules Romains (*Les Hommes de bonne volonté*,
t. IV, p. 102).
2. V. Serge, *L'An I de la Révolution russe*, p. 351.
3. Trotsky, *Vie de Lénine*, I, 102.
4. *Œuvres complètes*, t. IV, p. 115, 479, 567; VII, 39.

toyable et nécessaire dureté, il ajoute : « En Révolution, une énergie supérieure équivaut à une humanité supérieure [1]. » C'est exactement la théorie des révolutionnaires de 1793. Trotsky l'expose, en 1920, et l'applique à la mentalité slave [2]. Lénine, à maintes reprises, justifie le recours à la Terreur en période révolutionnaire aiguë, et rappelle le mot de Karl Marx : « Le terrorisme français n'était que la manière plébéienne d'en finir avec les ennemis de la bourgeoisie, l'absolutisme, la féodalité et le philistianisme. » Pour lui les grandes questions historiques ne se résolvent en fin de compte que par la force ; mais il ne croit pas qu'il soit jamais bon de dépasser les bornes, de recourir aux mesures extrêmes [3]. En lui, comme chez les révolutionnaires de 1793, un conflit met aux prises la sensibilité et la violence. Un soir, l'*Appassionata* de Beethoven lui donne envie de caresser la tête des gens. « Or, s'écrie-t-il avec douleur, aujourd'hui, impossible de caresser la tête de personne — ils vous trancheraient la main d'un coup de dent — il faut taper sur les têtes, taper sans pitié, bien qu'au point de vue idéal nous soyons contre toute violence sur les hommes. Hum ! hum ! fonctions difficiles en diable ! » [4] Si, dans la pratique, la terreur bolchevik fut moins cruelle et moins sanguinaire que la terreur jacobine, il n'importe. La concordance théorique entre les révolutionnaires russes et les révolutionnaires français est un sujet de méditations pour l'historien et pour le moraliste. Plus encore, cette justification commune et cet effort commun, qui tend à transformer l'arrêt cruel en un acte humain, sont significatifs.

1. V. Serge, *ouvr. cité*, p. 380-381. — M. Vichniac, *Lénine*, Paris, Colin, in-12, 1932, p. 216.
2. Dans *Terrorisme et Communisme*, Paris, Librairie de l'*Humanité*, 1916.
3. *Œuvres Complètes*, t. VII, p. 314, 382, 423 ; X, 71.
4. *Lénine tel qu'il fut...*, p. 249.

Les Français y mettent plus d'insistance que les Russes, et une sorte du point d'honneur. Chez eux la tentative est curieuse de sauvegarder, malgré tout, les exigences de la sensibilité naturelle au moment où ils s'en écartent, où ils imposent, au nom du salut public, son abdication. Dramatique paradoxe, qui s'inscrit dans l'histoire! Ces fils du xviiie siècle ont appris la tolérance, l'humanité, la philanthropie, toutes les vertus affectives et tendres; ils en ont fait l'apprentissage avec Voltaire, avec Jean-Jacques, avec Diderot, avec les nobles esprits et les cœurs généreux qui s'efforçaient de libérer la conscience; ils ont mis dans la pratique quotidienne de ces vertus une affectation sincère. Brusquement ils retombent dans le fanatisme sectaire, qu'ils avaient renié, dans cette inférieure sensibilité humaine, dont Jaurès s'étonne à propos de Marat[1]. Eux-mêmes éprouvent parfois une horreur secrète devant cette chute, et beaucoup hésitent à ensanglanter leur mémoire pour sauver un idéal. Des protestations s'élèvent, des repentirs s'esquissent. Barras relève sur le visage de Fouquier-Tinville une « teinte d'humanité »; il constate que « les hommes les plus cruels, un moment dépouillés de leur manteau théâtral, et qui ne sont plus en présence des exigences de leurs ministères..., semblent n'être point inaccessibles aux sentiments de la nature[2]. » Juste remarque : ce sont les « exigences de leurs ministères » qui rendent les révolutionnaires inhumains. Mais ceux-ci n'en conviennent pas, ou plutôt, selon le mot de Lénine, ils tournent cette inhumanité en « humanité supérieure », et ils répondent aux indécis, aux timides, que la raison d'Etat, si souvent invoquée par la monar-

---

1. *Histoire Socialiste*, t. III, *La Convention*, p. 75-76.
2. *Mémoires de Barras*, t. I, p. 174, 182. — Il n'est pas exact que Fouquier-Tinville, « barbote dans le sang avec une sorte d'agrément », comme le dit M. Madelin (*ouvr. cité*, p. 328).

chie absolue, exige l'inflexibilité, commande la violence.
« Il y a quelque chose de terrible dans l'amour sacré
de la patrie, proclame Saint-Just; il est tellement exclusif
qu'il immole tout, sans pitié, sans frayeur, sans respect
humain, à l'intérêt public..... Ce qui produit le bien
général est toujours terrible... »[1] Ainsi le mot *terrible*
s'associe avec insistance au mot *bien*. C'est pourquoi
Saint-Just, s'opposant à la justice distributive, refuse
d'envisager les intérêts particuliers et considère le seul
intérêt général. Délibérément cruel, il exalte la cruauté
avec une éloquence émue. Lorsque Lejeune essaie
de l'attendrir par des rêves champêtres, il répond :
« Autres temps, autres discours. Quand il faut se modeler
sur l'ennemi des Tarquins, on ne lit plus les *Idylles*
de Gessner. » Alors, non seulement la condamnation
des suspects est nécessaire, mais elle est justifiée. Le
XVIIIe siècle avait audacieusement assimilé la sensibilité
à la vertu. Saint-Just va plus loin et déclare que « rien
ne ressemble à la vertu comme un grand crime. » Cette
affirmation, teintée de romantisme, ravira Stendhal,
et séduira cet ennemi des révolutionnaires, Maurice
Barrès. « C'est vrai, dit-il, que dans le crime une âme
avide de force peut trouver une certaine excellence.
Saint-Just porte parmi ses tares le signe de la grandeur[2]. »
La phrase ne s'applique-t-elle pas à la Révolution tout
entière?

  Ainsi 1793 semble contredire 1789 en consacrant le
meurtre légal; ainsi s'expliquent, en partie, les massacres
de septembre, le mécanisme du gouvernement révolutionnaire, la farouche énergie de la Convention mon-

  1. *Œuvres Complètes*, t. II, p. 305. — Cf. Guéhenno, *Jeunesse de
la France* (*Europe*, 15 février 1936, p. 185). — En 1791, Saint-Just
répudiait la violence (*Œuvres*, t. I, p. 314-316); 1793 le fait changer
d'avis. Lénine suivra la même courbe.
  2. Cf. M. Léneru, *Saint-Just*, p. 8, 31, 174.

tagnarde, les actes du Comité de Salut Public et du
Comité de Sûreté générale, la Terreur, la loi du 22 Prairial an II, toutes mesures qui suspendent les libertés,
mais que la France révolutionnaire accepte, parce que
la victoire est au prix de ce sacrifice. Or, en réalité,
1793 est la suite logique de 1789, la conséquence révolutionnaire des premiers efforts du peuple pour s'affranchir et prendre le pouvoir. Les historiens ont coutume de
flétrir 1793 et d'exalter 1789, en s'appuyant sur des
arguments moraux qui ne sont pas sans valeur. Mais la
discrimination est factice, car les événements se déroulent selon les lois du matérialisme historique, et non pas
selon les règles de la morale. Ni l'éloge ni le blâme n'y
peuvent rien. Un romancier russe est dans la vérité
de l'histoire lorsqu'il écrit : « La Révolution a été quoi ?...
Quoi exactement ? La *cruauté* même. Et pourquoi est-elle
devenue ainsi ? Elle était *généreuse* aussi, n'est-il pas vrai ?
Elle était bonne, et dans tout le cercle du cadran, n'est-il
pas vrai ? Il s'agit donc de ne pas s'offusquer, en petit,
dans l'intervalle de deux divisions, mais de considérer
le cercle entier du cadran... Alors *on ne voit plus d'écart
entre la cruauté et la grandeur d'âme* [1]. »

C'est la conception rigoureuse de Saint-Just. Toute
protestation est inutile, qu'elle vienne de Louvet ou de
Vergniaud, de Meillan ou de Camille Desmoulins.
chez qui, d'ailleurs, les contradictions se heurtent [2],
La Terreur doit servir à la dépossession des aristocrates,
dont les biens seraient distribués aux pauvres, et à
l'établissement des institutions civiles. Elle n'est pas un

1. Iouri Olechia, *L'Envie*, Paris, Plon, in-12, s. d., p. 179. —
Cf. également F. Gladkov, *Le Ciment*, Paris, Éditions Sociales internationales, in-8°, 1928, p. 64.
2. Cf. Louvet, *Mémoires*, t. II, p. 78. — Vergniaud, *Œuvres*
p. 216, 319. — Meillan, *Mémoires*, p. 22, 28, 86, 115, 118. — C. Desmoulins, *Œuvres*, t. II, p. 183, 186, 373.

but, elle est un moyen. Quiconque s'y oppose trahit
la Révolution. La théorie tolstoïenne de la non-violence
n'est pas, ne peut pas être révolutionnaire, parce que le
peuple, en 1793 comme en 1918, approuve les actes de
violence et, au besoin, les exige : c'est pourquoi Lénine
s'oppose à Tolstoï, comme Robespierre aux modérés [1].
« La Révolution a été violente, dit M. Aulard, et elle
n'a pas proclamé la théorie de la violence [2]. » Affirmation
inexacte, car si la Révolution, considérée comme une
entité, ne proclame pas en effet cette théorie, les révolutionnaires la proclament sans réticence : Jacques
Roux, Leclerc, Chalier, C. Desmoulins, Marat, Hébert,
Couthon, Saint-Just, Robespierre, Barras, Fréron, Collot-
d'Herbois..., tous les hommes d'action, tous les journalistes qui, chaque jour, combattent par la plume, non
seulement s'y rallient, mais l'exercent avec rigueur.
« Appliqués à un pareil temps, les arguments de la sensiblerie courante me semblent tout à fait hors de saison,
un peu niais même..., écrit l'éditeur des *Mémoires* de
Barras. Cessons de reprocher à ces gens-là le peu de cas
qu'ils faisaient de la vie des autres. La plupart d'entre
eux ne faisaient pas beaucoup plus de cas de la leur [3]. »
Devant la guillotine, la plupart s'entraînent en effet
au mépris de la mort, et le peuple même considère le
spectacle des exécutions capitales comme une épreuve
où la sensibilité s'efface devant le stoïcisme [4]. A distance, beaucoup d'esprits généreux regrettent que la
Commune, les comités et les tribunaux révolution-

---

1. Sur l'influence du tolstoïsme en Russie, Cf. Trotsky, *Vie de
Lénine*, t. I, p. 86.
2. *Études et leçons sur la Révolution française*, Paris, Alcan, 9 vol.
in-12, 1893-1924, t. IX, p. 4.
3. G. Duruy, *Mémoires de Barras*, t. I, p. XLIX.
4. Cf. Cabanès (Dr) et L. Naas, *La Névrose révolutionnaire*, Paris,
A. Michel, in-12, s. d.

naires aient causé un tort moral à la Révolution : si
le gouvernement révolutionnaire de 1793 n'est pas la
dictature du prolétariat, il recourt en effet aux procédés
de violence, que les événements lui imposent. Robespierre le sent; il ne veut pas de la terreur comme système
gouvernemental, parce qu'elle est contraire au principe
même de la République, et il refuse l'insurrection qui
le sauverait le 9 Thermidor : d'avoir parlé de clémence,
trop tard sans doute, il le paie de sa vie, donnant ainsi
raison à Marat, à Collot-d'Herbois. Mais tout s'use;
un régime exceptionnel cesse avec les circonstances
exceptionnelles qui le commandent : « L'exercice de
la Terreur a blasé le crime, comme les liqueurs fortes
blasent le palais », déclare Saint-Just dans ses *Institutions
Républicaines*[1]. Tel est le cercle infernal où tournent
douloureusement ces hommes; ils acquièrent ainsi,
dans l'horreur même d'une situation où ils se débattent,
une sorte de grandeur tragique. Par eux l'âme française
est tendue à l'extrême vers l'unité nationale; après
avoir connu l'enthousiasme de 1789, elle connaît les
douleurs où l'héroïsme et la bassesse ont leur part.

Plus l'épreuve est rude, plus le sacrifice commun est
nécessaire, mieux il est accepté. Du chef révolutionnaire
à l'humble citoyen, chacun s'efforce de réaliser un idéal
de justice; cet idéal, tous le défendent par des moyens
d'énergie et de force, de violence et de cruauté, au besoin
par une dictature sanglante. Leur mysticisme ardent,
leur énergie, leur abnégation créent et font durer la
République sur les ruines de la monarchie et de l'esclavage : « vocation sublime », qu'exalte C. Desmoulins [2].
Mais ils se heurtent à dix siècles d'hérédité, à l'ordre
social établi, à la nature humaine, à l'égoïsme humain,

1. *Œuvres complètes*, t. II, p. 508.
2. *Œuvres*, t. I, p. 304.

et ils finissent par succomber l'un après l'autre, « exemple mémorable des limites de la volonté humaine aux prises avec la résistance des choses [1]. » Cet exemple porte en soi un enseignement, dont la révolution russe de 1917, moins sanglante et plus profonde, semble avoir profité; il porte également en soi son danger et sa gloire, puisque, selon l'admirable formule de Saint-Just, « une révolution est une entreprise héroïque dont les acteurs marchent entre les périls et l'immortalité. » [2] Or, dans cette entreprise, où les risques sont immenses, la sensibilité doit être refoulée momentanément, et elle l'est. Sa défaite nécessaire, plus apparente que réelle aux yeux des révolutionnaires qui travaillent pour le bien de l'humanité, sa défaite est une des conditions mêmes de la victoire.

1. A. Mathiez, *La Révolution française*, Paris, Colin, 3 vol. in-12, 1927, t. III, p. 223.
2. *Œuvres Complètes*, t. II, p. 307.

CHAPITRE V

INDIVIDUALISME ET RÉVOLUTION

Un conflit aussi grave oppose l'égoïsme individuel à l'idéal collectiviste de la Révolution. Celle-ci exige un sacrifice total : le corps, l'esprit, l'âme de l'homme lui appartiennent. Pour le bien général l'intérêt particulier doit fléchir : après Rousseau, Robespierre et Saint-Just le proclament, après eux, Lénine et Dzerjinski. Parlant du problème financier, qu'il connaît mal, Danton déclare à la Convention, le 31 juillet 1793 : « Soyez comme la nature : elle voit la conservation de l'espèce ; ne regardez pas les individus », et les Conventionnels applaudissent [1]. L'individu n'est rien en effet par lui-même, et il n'a droit au bonheur que s'il s'incorpore à la collectivité, qui le protège. Les révolutionnaires donnent l'exemple, méprisent l'homme en eux, vivent souvent à la spartiate, et sacrifient, sans une plainte, cette vie de probité nue. Un ascétisme presque fanatique les anime ; quelques-uns font songer au prêtre, à l'apôtre, au saint : « Je suis isolé ici comme un saint, et vie de saint est triste vie », écrit Saint-Just à Beuvin [2]. La comparaison ne semble pas déplacée à propos de ces hommes pour qui l'idéal révolutionnaire est, nous le verrons, un idéal religieux ; sur l'autel de la Patrie, où brille la

1. *Discours,* p. 509-510.
2. *Lettres inédites,* p. 6.

flamme de l'incorruptible vertu, le citoyen et le patriote abdiquent leurs exigences personnelles [1]. S'ils se plaignent, on leur montre les chefs écrasés de labeur, vêtus de probité, on leur montre Robespierre, Marat, Saint-Just, Fouquier-Tinville, on leur montre Lénine, Trostky, Dzerjinski, Zinoviev... L'effort, chez tous, semble dépasser les forces humaines. Mirabeau s'acharne à la tâche comme un forcené, Fouquier-Tinville travaille vingt heures, Marat vingt et une heures par jour, Vergniaud, Robespierre, Saint-Just, Couthon... ne connaissent pas de répit [2] : « Le genre de travail auquel je me consacrais continuellement était peut-être le moins aperçu, écrit Collot-d'Herbois; il était nécessaire et fastidieux, il me tenait attaché quinze heures par jour, et j'y ai suffi sans relâche[3]. »

Activité qui tient du « miracle », déclare Joseph de Maistre [4]; il en résulte un surmenage et une tension nerveuse que la volonté seule est capable de dominer, car toute relâche serait mortelle. La vie d'un obscur représentant du peuple est aussi pleine que la vie des chefs. Siéger le matin, le soir et la nuit aux Assemblées, entre temps fréquenter les clubs, prendre part aux travaux des comités et des tribunaux révolutionnaires, préparer discours et rapports, rédiger les journaux, répondre aux exigences des électeurs, aller en mission, faire face aux tâches les plus diverses et les plus lourdes, tenir tête à l'opposition, ne rien céder, ne rien compromettre, se garder de ses amis et de ses ennemis, braver tous les périls et jouer son destin à chaque instant, telle

1. Cf. le témoignage d'A. Robespierre sur Marat (*Correspondance de Robespierre*, p. 175).
2. Cf. Barthou, *Mirabeau*, Paris, Hachette, in-8°, 1913, p. 29. — *Réquisitoires de Fouquier-Tinville*, p. x. — *Revue de la Révolution française*, t. VI, p. 694.
3. Billaud-Varenne, *Mémoires*, p. 285.
4. Cf. L. Madelin, *La Révolution*, p. 317.

est son extraordinaire activité. Les séances sont inter-
minables, car l'ordre du jour est toujours très chargé;
celle du 21 juin 1791 dure vingt-et-une heures, est suspendue pour permettre aux députés « de prendre quelques
aliments et de dormir pendant quelques heures sur les
bancs », recommence, est suspendue à nouveau, dure,
au total, quarante heures [1]. Une pareille activité s'aggrave de l'incommodité des salles où siègent les Assemblées et les Clubs : atmosphère irrespirable, installation
sommaire, fièvre continuelle entretenue par les événements, les alertes, les excitations du dehors, le tocsin, le
canon..., tout favoriserait l'abstention, la mollesse, le
découragement, et tout, au contraire, exalte la volonté.
Quiconque est paresseux, timide, lâche, s'élimine de lui-
même. Ceux qui restent accomplissent dans un apparent
désarroi et une fatigue renouvelée leur œuvre constructive de législateurs et d'administrateurs, de juges et de
soldats. La Révolution exige les plus forts, dira Maxime
Gorki[2]. On le savait en 1789, et que la Révolution exige
tout. En 1936, un industriel français reconnaît que, dans
les Républiques soviétiques, la morale du parti communiste, issue de la Révolution, est une morale de dévouement et de renoncement [3]; et telle œuvre récente, comme
Le Ciment de Fédor Gladkov, pose le problème capital
de l'individu pris dans la tourmente révolutionnaire.
L'individu doit-il se laisser mutiler, broyer au besoin,
doit-il dire adieu au foyer, à la tendresse, à la pitié,
à l'amour ? Sous le prétexte d'abolir le vieil homme,
doit-il renoncer à la vie sentimentale, consentir à l'abné-

1. Cf. F. Mège, *Gaultier de Biauzat*, Clermont-Ferrand, Bellet,
2 vol. in-8°, 1890, t. II, p. 369-371.
2. *Notes et Souvenirs*, Paris, Calmann-Lévy, in-12, 1927, p. 153.
3. Cf. L. Vallon, *Les réflexions d'un grand industriel sur l'état actuel
et le rôle international de l'U. R. S. S.* (*Tribune des Fonctionnaires*, 8 février
1936).

gation cruelle, à la méconnaissance de ses droits? Presque
tous répondent avec fierté : oui, et sacrifient en effet
leur vie intime à la révolution ascendante [1]. Mais
beaucoup regrettent un pareil sacrifice, beaucoup ne
consentent pas à cette mutilation volontaire [2]. La révolution n'a-t-elle pas pour but de libérer l'homme, de
lui permettre, dans une société nouvelle, le jeu plus
souple de ses facultés, l'accession à un idéal supérieur
de vie? Ne pose-t-elle pas le problème difficile des
nouveaux rapports qui doivent s'établir entre cette
société reconstruite et cet homme évolué? Ne doit-elle
pas défendre l'homme, au risque de se perdre elle-même?
Dramatique alternative : ou bien l'individu disparaîtra
et la Révolution triomphera; ou bien l'individu se
défendra et la Révolution n'édifiera pas son œuvre.
Par surcroît, un compromis risque de nuire à la Révolution et à l'individu, sans satisfaire personne.

C'est pourquoi, en période révolutionnaire, tous les
chefs, aussi sensibles soient-ils, affirment la nécessité
absolue du sacrifice individuel; après la tourmente,
mais après elle seulement, le sacrifice provisoire connaîtra des atténuations nécessaires. Tel est le sens des
déclarations d'un Robespierre et d'un Saint-Just;
ces déclarations correspondent moins peut-être à leurs
sentiments intimes qu'à la crise exceptionnelle où ils
jouent le destin d'un peuple. C'est la force du révolutionnaire d'oublier qu'il est homme, c'est son orgueil
secret. Toutefois même le plus dur, le plus fermé au

1. Ainsi Lénine renonce à revoir une maison chère pour ne pas
faire attendre cinq minutes les camarades d'une réunion ouvrière
(Magdeleine Marx : *C'est la lutte finale...* Paris, Flammarion, in-12,
s. d., p. 185-187).
2. Cf. Iouri Olechia, *L'Envie*, p. 43-45. Le romancier souligne
l'antagonisme entre l'organisation révolutionnaire des Républiques
soviétiques et l'individu, qui revendique « le droit de disposer de
soi ».

sentiment, ne peut oublier la réalité vivante, sous peine
de faire fausse route. Il ne peut oublier que l'homme
évolue dans cette réalité, qu'il obéit aux lois de la nature,
qu'il a une mère, une femme ou une maîtresse, des
enfants, des amis, que les spectacles les plus divers le
sollicitent, que, pour lui, les livres et les fleurs, la nature
et l'art existent, que son rôle même est de lui en donner une conscience plus directe et plus pleine. D'ailleurs
l'individu, borné à l'horizon restreint de sa vie, résiste
d'instinct « à l'intérêt supérieur de la collectivité quand
celui-ci commande des sacrifices [1] »; et l'exemple de
Rosa Luxembourg « rappelle qu'on n'est pas révolutionnaire sans être profondément humain [2]. »

   Aussi des résistances s'organisent dès la période révolutionnaire; elles sont d'autant plus fortes que la
révolution exige tout de l'individu avant même de
lui payer ce sacrifice par les avantages promis. Lorsque
Rousseau établit les règles du *Contrat Social*, il n'oublie pas que la collectivité doit garantir à l'homme, en
échange de la subordination où elle le place, la sécurité
de sa personne et de ses biens, des conditions de vie
normale, une aisance relative, égale pour tous. « On
gagne l'équivalent de tout ce qu'on perd, et plus de
force pour conserver ce qu'on a [3] », dit-il. Or, en 1793,
la société n'est pas encore assez solidement organisée
pour garantir à l'homme la contre-partie de son sacrifice. La génération révolutionnaire est vouée au sacrifice total; ce sont les générations suivantes qui recueille-
ront les fruits du sacrifice. Mais la génération révolutionnaire réalise rarement elle-même le sacrifice total.
Il ne faut donc pas s'étonner que Barras dise dès 1790 :

   1. V. Serge, *L'An I de la Révolution russe*, p. 450-451.
   2. Rosa Luxembourg, *Lettres de la prison*, Éd. de la Bibliothèque
du Travail, in-12, s. d., p. 6.
   3. *Du Contrat Social*, l. I, ch. VI.

« Les perturbations politiques semblent nous faire sentir davantage le besoin de nos affections particulières [1]. » La phrase du Conventionnel Meynard, envoyé en mission sur les bords du Rhin : « J'aime le repos, et je suis presque toujours en mouvement [2] », souligne la contradiction dont souffrent ces hommes. Brissot rêve d'une petite maison rustique, Robespierre d'une calme vie d'étude en province [3]... Chimère sans doute ! Les événements les poussent, les bousculent, et il leur arrive de s'en plaindre avec mélancolie ou avec véhémence ; car les Conventionnels, durs pour la patrie et la République, sont capables d'émotions douces, de tendres affections, d'amitié et d'amour. Le conflit est ouvert entre l'homme et la Révolution ; il ne connaîtra pas de solution satisfaisante, et il devra se contenter d'un compromis, fait de souffrances, de désillusions et d'espoirs.

Il semble d'abord qu'à la société nouvelle qui s'ébauche en 1789 doive correspondre un homme nouveau, prêt à rompre avec le passé, à faire litière de la sentimentalité traditionnelle. L'exemple du jeune Mirabeau, en butte aux persécutions paternelles, souligne avec vigueur l'opposition irréductible des deux générations, l'une féodale encore, tournée vers les siècles d'oppression, attachée à ses préjugés et à ses privilèges, l'autre libérale, généreuse, tournée vers un avenir meilleur et pressée de le réaliser. Dans la *Lettre justificative* qu'il adresse à son père en 1778, Mirabeau proteste contre l' « effroyable mutilation » de son existence, revendique les droits sacrés de la personne humaine, inscrit à côté du mot *homme* le mot *citoyen*, qui sonne alors clair et

1. *Mémoires*, t. I, p. 70.
2. *Revue de la Révolution française*, t. XXXIX, p. 38.
3. Cf. Brissot, *Mémoires*, t. I, p. 63 ; *Correspondance*, p. 205, 252, 390. — Robespierre, *Correspondance*, p. 111.

neuf, ose proclamer qu'il est « né libre »[1]. La rupture
est complète, le langage et le ton changent. Le droit
d'aînesse divise les familles, provoque des drames sanglants, la piété conformiste des parents se heurte à
l'incrédulité des jeunes : Billaud-Varenne ne va-t-il
pas jusqu'à traiter de « criminelle » la violence des
parents qui contraignent leurs enfants au cloître?
L'enthousiasme philosophique de Brissot n'est-il pas
un scandale pour sa mère dévote, sa sœur bigote, son
frère prêtre? Barnave n'est-il pas obligé de se justifier
auprès des siens [2]? Le conflit des générations s'aggrave
avec les événements, atteint les sources vives de la sensibilité, car le conflit est un conflit d'âmes plus que de
doctrines et peut aller jusqu'au bouleversement de
l'être. Un romancier contemporain a posé le problème
dans son acuité douloureuse. « Toute une série de sentiments humains semble devoir être supprimée...,
proclame un de ses héros... L'homme nouveau apprend
à mépriser les anciens sentiments sanctifiés par les
poètes et par la Muse de l'histoire... » C'en est donc fini
de la pitié, de la tendresse, de l'orgueil, de la jalousie,
de la vanité, de l'amour? Mais des protestations s'élèvent, qui viennent du fond des âges. « Que peux-tu
nous offrir à la place de notre pouvoir d'aimer, de haïr,
d'espérer, de pleurer, d'avoir pitié et de pardonner? »[3]
Car les institutions changent, et les régimes politiques,
et les lois, et, plus lentement les mœurs. Mais l'âme
humaine, comme elle est rebelle au changement! Un

---

1. Cf. Mirabeau, *Œuvres*, Paris, Brissot-Thivars, 8 vol. in-8°,
1825, t. III, p. 225 et suiv...., 320 à 323... — *Lettres d'amour de Mirabeau*, p. 116-117. — Sainte-Beuve, *Causeries du Lundi*, t. IV, p. 3 à 7.

2. Cf. *Revue de la Révolution française*, t. XIV, p. 931 à 948. —
Aulard, *Les Orateurs de la Législative*, t. I, p. 231. — Barnave, *Œuvres*,
t. IV, p. 313-318. — Même conflit en Russie à la fin du xixe siècle
(Cf. Trotsky, *Vie de Lénine*, I, 159).

3. I. Olechia, *L'Envie*, p. 152-153, 200-206.

Lénine, toutefois, ne se tient pas pour battu, essaie de tuer chez les autres les sentiments qui paraissent s'opposer à son idéal, proclame la pudeur, la compassion, la dévotion « inventions et préjugés bourgeois, condamnés à une impitoyable destruction [1].' »

Rien de tel chez les révolutionnaires français : entre 1789 et 1793, l'ordre nouveau n'impose point aux jeunes une conception nouvelle de la vie. Si la famille est divisée, elle subsiste, et nul ne songe à la renier ou à la détruire; elle reste pour les révolutionnaires le symbole de la morale et de la vertu, la cellule organisée et vivante indispensable à la société. Les théories les plus audacieuses ne l'ébranlent ni ne la menacent. Si beaucoup de révolutionnaires, loin de mener une vie patriarcale, tournent le dos à la morale qu'ils préconisent, à la vertu qu'ils proclament, l'argument ne vaut pas contre la solidité des vieux principes. La loi du divorce, le relâchement des mœurs ne ruinent ni le mariage ni le foyer. On cite l'exemple de Fabre d'Églantine, qui abandonne sa femme et son enfant pour une actrice, de Collot-d'Herbois, qui bat sa femme quand il est ivre, de tant d'autres, qui confondent la licence et la liberté..., et l'on en fait grief à la Révolution [2]. Épisodes simplement humains, de tous les temps, de tous les pays, de tous les régimes !

Ce que proclament, au contraire, les révolutionnaires, c'est leur persistant attachement à la famille, à l'amitié,

1. M. Vichniac, *Lénine*, p. 233.
2. Cf. Fabre d'Églantine, *Correspondance amoureuse*, en particulier les *Lettres à Caroline Rémy*. — Aulard, *ouvr. cité*, t. II, p. 226. — Billaud-Varenne, *Mémoires inédits et Correspondance*, Paris, Nouvelle Revue, in-8°, 1893, p. 262.

à l'amour ; sous leur plume, l'éloge de la « bonne morale »[1],
c'est-à-dire de la morale inculquée par la famille, l'éloge
de la famille même, de l'honneur domestique, du foyer
protecteur revient sans cesse [2]. Le respect de la vieillesse
s'unit chez eux au culte de l'enfant, les âges se rapprochent :
« Nos révolutionnaires les plus atroces, ces tigres qui
s'enivraient du sang français, avoue Chateaubriand,
adoraient les petits enfants ; on n'a jamais vu de meilleurs
pères : *aussi comme ils aimaient la patrie* [3] ! » Les expressions
bons parents, bon père, tendres époux, la banale épitaphe
de nos cimetières, *bon époux et bon père,* font partie de leur
langage sentimental et traduisent une réalité [4]. Les
chroniqueurs, qui s'attachent à la seule anecdote, ont
beau jeu d'évoquer, à travers les *Mémoires* des révolutionnaires, des scènes de famille touchantes, des tableaux
bourgeois à la Diderot, des épisodes à la Jean-Jacques,
selon la *Nouvelle-Héloïse,* et ces évocations remuent les
âmes sensibles. Partout la tendresse, partout les larmes,
partout la nostalgie de la vie familiale quand on en est
éloigné, partout le déchirement des adieux [5]. Il est
inutile d'insister, car rien n'appelle, dans ce domaine,
une démonstration ou une réfutation. L'attachement
des révolutionnaires français à la famille est acquis ;
il l'est dans l'ordre pratique comme dans l'ordre sentimental : Marat auprès de Simone Evrard, Robespierre
chez les Duplay, Collot-d'Herbois invoquant sa vie

1. Barbaroux, *Correspondance*, p. 20.
2. Cf. Barnave, *Œuvres*, t. I, p. xiii ; II, 339.
3. *Essai sur les Révolutions*, 2ᵉ partie, ch. xlix. C'est Chateaubriand qui souligne, pour marquer le rapport entre l'amour paternel
et le civisme.
4. Ce sont surtout les Girondins qui abusent de ce langage ;
mais un sans-culotte comme Chabot (*Annales révolutionnaires*, t. VI,
p. 541) n'y répugne pas.
5. Cf. C. Desmoulins, *Correspondance*, t. II, p. 353-356. — Larevellière-Lépeaux, *Mémoires*, t. II, p. 460 à 498.

familiale pour sauver sa tête, Fouquier-Tinville discernant dans l'amour paternel une loi de la nature, un « oracle du cœur », tous s'efforcent de donner le spectacle d'un « ménage vraiment républicain », c'est-à-dire d'un ménage uni, fidèle, conforme aux traditions reçues [1]. Les dernières lettres que les Girondins, emprisonnés ou proscrits, écrivent à leur femme et à leurs enfants ne sont pas seulement d'émouvants témoignages humains, ils sont la marque d'un effort suprême pour concilier le courage révolutionnaire et la tendresse naturelle, le stoïcisme et l'émotion [2].

Évolués au point de vue politique, les révolutionnaires restent donc soumis, consciemment ou non, à l'ensemble des traditions bourgeoises sur le plan familial. Craignent-ils que les mœurs devancent la loi ? Modifient-ils d'abord la loi, dans l'espoir que la loi modifiera les mœurs ? En attendant, ils souffrent presque tous d'un dualisme parfois choquant, d'un déséquilibre qui est une cause permanente de conflits. Artificiellement, ils partagent leur existence en vie publique et en vie privée, chacune d'elles étant régie par des conceptions contradictoires : politiquement, ils agissent en révolutionnaires; dans la vie privée, ils agissent et pensent en bourgeois [3]. Certains jugent que cette distinction est justifiée, que, tout au

1. Cf. G. Lenôtre, *La Révolution par ceux qui l'ont vue*, Paris, Grasset, in-12, s. d., p. 87. — *Mémoires de Charlotte Robespierre*, p. 38 à 43, 73 à 81. — Hamel, *Histoire de Robespierre*, t. III, p. 212-215. — Jaurès, *La Convention*, t. II, p. 1448-1449. — Billaud-Varenne, *Mémoires inédits*, p. 285-286; *Réquisitoires de Fouquier-Tinville*, p. 316-317.

2. Cf. Brissot, *Correspondance et Papiers*, p. 389-394. — *Mémoires* de Pétion, Buzot et Barbaroux (éd. Dauban, 1866), p. L, 506-507. — Barbaroux, *Correspondance et Mémoires*, p. 414, 514. — Buzot, *Mémoires*, p. 256-258. — Même effort, pendant la Commune, chez Blanqui, « accusé de félonie par les classiques de la Révolution » (J. Vallès, *L'Insurgé*, p. 200).

3. Cf. P. de la Gorce, *Histoire religieuse de la Révolution française*, Paris, Plon, 3 vol. in-8°, 1909, t. III, p. 272.

moins, la vie privée du révolutionnaire doit échapper au regard du peuple et de ses camarades [1]. Mais le doctrinaire intransigeant ne peut l'admettre, et il éprouve devant ceux qui ne sont pas assez forts pour rompre avec la tradition bourgeoise la surprise indignée de Jules Vallès devant son ami Renoul, installé dans ses meubles bien cirés, faisant la cuisine chez lui, mettant le pot-au-feu le dimanche. « Ces révélations jettent d'abord une ombre et comme un discrédit sur la réputation révolutionnaire de Renoul. Un béret rouge dans la rue, chez lui une douillette ! Que signifie ce double masque ? » [2] L'argument, d'ailleurs, se retourne, et l'on admire ceux qui, ayant de beaux meubles et une moelleuse robe de chambre, ne craignent pas de se lancer dans la mêlée sociale, au risque de tout perdre.

La Révolution ne brise pas plus l'amitié que la famille ; elle n'en change même pas la conception séculaire. Tout au plus peut-on dire que, pour les révolutionnaires, l'amitié cesse d'être un souvenir antique, une froide réminiscence de Plutarque, de Virgile ou de Montaigne, un exercice littéraire de collège ; elle cesse même d'être un sentiment du second degré, une ombre endeuillée de l'amour. Elle est un acte nécessaire, une réalité consolante, elle protège, relève, s'intègre à la vie, devient publique, se soumet à l'épreuve et au sacrifice quotidiens. On la célèbre alors en termes parfois surannés et déclamatoires, parfois déjà romantiques et forcés, presque toujours nobles [3]. Que seraient devenus les Girondins sans elle ? Leurs fautes, leurs erreurs les eûssent

1. Cf. V. Serge, *Vie des Révolutionnaires*, p. 29.
2. *Le Bachelier*, p. 93-94.
3. *Lettres de Sophie de Monnier à Mirabeau*, p. 179. — Barnave, *Œuvres*, t. I, p. 342 ; III, 202 ; IV, 323. — *Revue de la Révolution française*, t. XXXIX, p. 40. — Billaud-Varenne, *Mémoires*, p. 308, 946 ; *Revue Bleue*, t. II, p. 747. — Larevellière-Lépeaux, *Mémoires*, t. I, p. 168. — La Fayette, *Correspondance inédite*, p. 221, 364.

laissés sans consolation. Buzot a raison de dire que le
malheur est la pierre de touche de l'amitié [1]. Lui-même,
les Roland, Guadet, Pétion, Louvet, Barbaroux... en
font l'expérience : dans la catastrophe qui les entraîne,
ils se tiennent par la main, tout en éprouvant le remords
d'être les artisans de cette catastrophe [2]. Mais jouant,
avec une incontestable noblesse, les Oreste et les Pylade,
les Nisus et les Euryale, tels Ducos et Boyer-Fonfrède,
qui s'adjoignent Vergniaud, tels Merlin de Thionville,
Meunier et Merlin de Douai, ils n'admettent pas que
le danger révolutionnaire fasse fléchir l'amitié, ils exigent, même des hôtes de passage, un dévouement
capable d'affronter la mort. Généreuse amitié, lorsque
les fuyards ou les condamnés s'entr'aident, se réconfortent ;
imprudente amitié, lorsque Buzot réclame vengeance
pour ses amis contre leurs « barbares oppresseurs »,
lorsqu'il invoque les « ombres chéries » dont le souvenir
ne s'éteindra jamais ; imprudente, lorsque Louvet parle
des fautes « vertueuses » de ceux qui fondèrent la liberté
républicaine [3]. L'amitié se dresse alors, au nom des
sentiments fraternels, contre la cause révolutionnaire,
et la Révolution passera outre. Elle cherche à entraîner
telle femme intrépide, tel courageux citoyen, leur demande de prendre fait et cause pour les proscrits,
éclate en cris de joie lorsqu'on secourt son infortune, en
malédictions lorsque les portes se ferment à sa détresse [4].
Car l'amitié a son revers ; en 1793, cacher un proscrit,
c'est risquer sa tête. Les héros à la Plutarque sont rares,
les défaillances nombreuses, les trahisons fréquentes,

1. *Mémoires*, p. 185.
2. Cf. Aulard, *Les Orateurs de la Législative*, t. I, p. 492. — C. Desmoulins, *Œuvres*, t. I, p. 299.
3. Buzot, *Mémoires*, p. 128-131. — Louvet, *Mémoires*, t. I, p. 37.
4. Cf. Meillan, *Mémoires*, p. 144-145. — Louvet, *Mémoires*, t. I,
p. 166, 167, 187, 211 ; II, 5, 53, 155.

la peur et l'instinct de conservation les plus forts : Louvet,
Condorcet l'éprouvent; on les juge importuns, compro-
mettants, dangereux. « Quels amis! s'écrie le premier.
Comme ils m'ont appris à me défier de ce nom [1]! »
Ainsi la Révolution discrimine les amis véritables et les
lâches. La Montagne, comme la Gironde, mais d'une
manière plus discrète, moins expansive, fait sa part
à l'amitié. Marat donne à C. Desmoulins le beau
nom de « frères d'armes » [2]. Frères d'armes, malgré les divergences de vue et les luttes sans merci, Danton, Robespierre, Saint-Just. Ils proclament peu, mais ils sentent
le nécessaire attachement qu'ils ont l'un pour l'autre [3].
Saint-Just regrette que son cœur soit caché au fond de
sa poitrine et voudrait qu'on vît ce qu'il éprouve pour
les autres, pour un Gateau, pour un Thuillier, pour les
plus humbles et pour les plus grands [4].

Existe-t-il donc une amitié spécifiquement révolutionnaire? Oui, car le danger commun donne à cette
amitié un caractère original. Si les révolutionnaires
l'exaltent, c'est parce qu'ils ont besoin d'elle dans l'ordre
politique comme dans l'ordre humain, et ils ne craignent
pas de lui réserver un domaine supra-terrestre. Louvet
la qualifie de *sainte*, Vincent célèbre « les puissances
naturelles et pures de la divine amitié », C. Desmoulins
lui voue un culte *idolâtre*, Billaud-Varenne la traite de
sentiment céleste [5]. Sainte, divine, céleste, l'amitié vient en

1. Louvet, *Mémoires*, t. II, p. 51. — *Lettres d'un philosophe et d'une
femme sensible* (*Revue des Deux Mondes*, 1ᵉʳ janvier 1912, p. 79-80).
    2. *Correspondance*, p. 9-10, 201.
    3. Cf. C. Desmoulins, *Œuvres*, t. I, p. 286; II, 201-202. — Robes-
pierre, *Correspondance*, p. 14, 130, 147, 152, 160; *Mémoires de Charlotte Robespierre*, p. 118-122.
    4. *Œuvres complètes*, t. I, p. XIII; *Lettres inédites*, p. 5.
    5. Cf. Louvet, *Mémoires*, t. I, p. 167; II, 155. — *Annales révolution-
naires*, t. VI, p. 253. — C. Desmoulins, *Œuvres*, t. I, p. 286; II, 201-
202. — Billaud-Varenne, *Mémoires inédits et Correspondance*, p. 348.

effet de Dieu, et, si l'on accorde aux mots toute leur
valeur, il faut reconnaître que les révolutionnaires
donnent à l'amitié un caractère religieux. Ainsi l'amitié
confine au mysticisme, autorise les transports les plus
sublimes et les plus équivoques. Le langage que Chaumette tient à son ami Doin embarrasse les historiens,
qui hésitent sur la nature d'un sentiment trouble.
Erreur de la nature dévoyée, mysticisme halluciné?
En tout cas, voici Dieu mêlé à de frénétiques désirs,
à des appels étranges. « O triomphe de l'amour divin
et de l'amitié! », s'écrie Chaumette. — « Ton ami,
j'allais mettre ton amant... », ainsi s'exprime Doin [1].
Le langage enflammé de l'époque, qui relève à la fois
de Plutarque et de la *Nouvelle Héloïse*, ne réussit pas à
donner le change. Dans une lettre anonyme, adressée
à Robespierre, la menace prend un tel tour qu'on
doute un instant si l'auteur est un homme ou une femme.
C'est un homme, puisqu'il se compare à Brutus et à
Scævola, puisqu'il écrit : « Que t'avons-nous fait?
Ne sommes-nous pas tes frères, tes collègues, tes amis? »
Mais il ajoute : « Je t'ai aimé autrefois, parce que je t'ai
cru républicain; je t'aime encore comme malgré moi-
même; mais crains un amour jaloux, un amour en
fureur qui ne te pardonnera pas si tu oses porter tes
pas plus loin [2]. » Hermione et Roxane tenaient le même
langage. Sans doute, l'excès n'est ici que dans les mots;
il n'en révèle pas moins une des formes les plus inatten-
dues, les plus morbides de la sensibilité, il éclaire une
époque où tout est à l'échelle des événements et des
hommes.

Les mêmes constatations s'imposent au regard de

1. Cf. à ce sujet la controverse entre A. Mathiez (*Annales révolutionnaires*, t. I, p. 525-535) et Braesch (*Revue de la Révolution française*, t. LVI, p. 498-500).
2. Cf. Courtois, *Rapport...*, p. 221-222.

l'amour. Loin de le contrecarrer, la période révolutionnaire l'exalte, car elle est favorable au développement des passions, elle oblige l'homme à jouir vite d'une
volupté éphémère. La Révolution française ne bouleverse
pas, comme la Révolution russe de 1917, les rapports des
sexes, ne libère pas totalement la femme, ne lui accorde
pas des droits égaux à ceux de l'homme [1]. Une nouvelle
morale ne supplante pas la morale traditionnelle.
L'amour garde ses nombreux visages, nobles ou dégradés;
il défend ses privilèges séculaires, il reste le suprême
refuge de l'individu contre les exigences draconiennes
de la Révolution, la forme intangible de la sensibilité.
Faut-il donc découvrir ces amours mal connus, ignorés
ou secrets? Entreprise téméraire, décevante, et, peut-
être, sans issue. Serait-ce en effet pour montrer que les
révolutionnaires sont des hommes sujets aux mêmes
passions, aux mêmes faiblesses qu'autrui? Nous le
savons déjà. Serait-ce pour prouver que les pires catas-
trophes n'empêchent pas l'amour? Nous le savons déjà.
Serait-ce pour souligner que les femmes préfèrent aux
mièvreries et aux fadaises la force et la violence, le risque
et le danger, qu'elles s'attachent aux audacieux, à
ceux qui agissent et souffrent pour de nobles causes,
et qu'ainsi s'explique en partie le prestige d'un Mirabeau
et d'un Robespierre? Nous nous en doutions. Au reste
les amours des révolutionnaires sont innombrables et
diverses; il est difficile de les dégager des documents
suspects, des autobiographies partiales, des légendes,
des mensonges et des calomnies. Les amants ont-ils
toujours dit la vérité? L'a-t-on dite sur eux?

Toutefois il est utile de montrer l'influence que ces
amours exercent sur la politique, et réciproquement,
de mettre en relief le parallélisme qui existe entre les

1. Cf., par exemple, la libération totale de Dacha dans *Le Ciment*
de F. Gladkov.

luttes révolutionnaires et les drames intimes dont les âmes sont déchirées : belle matière d'étude, que Michelet a, sinon traitée, du moins indiquée à maintes reprises. L'amour, en tant qu'amour, ne nous intéresse donc point. Ainsi, le plus bel exemple d'amour est, à cette époque, celui de Mirabeau, de Mirabeau dont la laideur même est une séduction, de Mirabeau à la force prodigieuse, au tempérament fougueux, à la sensualité grossière, à la frénésie délirante, de Mirabeau sentimental, inconstant, léger, sans cesse consumé par sa flamme et sans cesse renaissant de ses cendres, de Mirabeau qui est tout cri, tout élan, tout feu, toute douleur, être tragique et comique à la fois, capable de palinodies et de lyrisme, simple comme un enfant, complexe comme un héros racinien, bourgeois et romanesque, doué d'un irrésistible penchant pour les extrêmes. Mais la vie politique de Mirabeau ne subit pas le contre-coup de ses ardentes amours, qui sont antérieures à la Révolution : Mirabeau connaît Sophie de Monnier en 1776, et Sophie se tue en 1789; la liaison avec Henriette-Amélie de Nehra date de 1784, et s'achève en 1787.

Au contraire, si Mme de Staël, « qui dépense avec les hommes politiques le feu de son esprit, et avec les hommes d'épée le feu de son tempérament »[1], veut faire jouer un rôle public à son amant Narbonne, qu'elle s'efforce de transformer en héros; si Térésia Cabarrus, maîtresse volage de Tallien, dégoûte son amant de la République, le pousse à la renverser, à renier son passé, à faire le procès de la Révolution; si Mme Roland dicte à Buzot des interventions oratoires dont la folle imprudence contribue à perdre la Gironde; si Pétion et Barnave, ramenant de Varennes le roi et Marie-Antoinette, s'imaginent naïvement que la reine tombe amoureuse d'eux,

1. Jaurès, *ouvr. cité*, t. II, p. 874. — Michelet, *ouvr. cité*, III, 102.

et si Barnave engage des pourparlers avec celle-ci, au risque de se compromettre; si Barnave, épousant Mlle de Lameth, devient royaliste à cause des sentiments de sa nouvelle famille; si Basire s'éprend d'une espionne hollandaise, Aëlders..., on saisit l'importance que l'amour, réagissant sur la politique, peut avoir dans la vie publique de ces hommes [1]. Importance relative aux yeux de l'historien; il serait absurde en effet de subordonner à l'amour une évolution politique dont les causes tiennent à la structure même de la société. Mais le moraliste n'a pas le droit de négliger les éléments d'ordre purement humain; et il constate d'abord que l'amour participe aux orages du temps, qu'il engendre autant de dévouement et d'héroïsme que de lâchetés et d'erreurs, que les « tendres épouses » y ont une part égale à celle des maîtresses, des courtisanes, des aventurières, les unes aussi fidèles, parfois aussi sublimes que les autres.

Il constate ensuite que la Révolution, en exaltant l'amour, lui donne un caractère nouveau. Les êtres qu'on accuse de dureté, de cruauté, de barbarie (Sainte-Beuve adresse le reproche à C. Desmoulins lui-même [2]), ces êtres, qui semblent devoir repousser toute tendresse, attirent au contraire l'amour et le retiennent. Plus l'homme est un révolutionnaire inflexible, plus il exerce sur la femme un ensorcellement, dont les témoignages ne manquent pas. Robespierre « fascine les femmes », surtout lorsque, du haut de la tribune, il les regarde derrière ses doubles lunettes, et il a ses « dévotes » [3]. L'accusateur public du Tribunal criminel extraordinaire, l'exécuteur de la loi, Fouquier-Tinville, qui, selon son

1. Cf. Aulard, *Les Orateurs de la Législative*, t. II, p. 541-543; *Mémoires de Pétion...*, p. 181-182. — J.-J. Chevallier, *Barnave*, p. 263.
2. *Causeries du Lundi*, t. III, p. 98.
3. Cf. Louvet, *Mémoires*, t. II, p. 127-128. — Hamel, *ouvr. cité*, t. I, p. 402. — Michelet, *ouvr. cité*, t. II, p. 383-384.

propre aveu, ne trouverait « dans aucun pays un pouce de terre pour y poser [sa] tête », Fouquier-Tinville calomnié, attristé, las de son rôle ingrat, rencontre une femme qui l'aime et se dévoue, corps et âme, à lui [1]. L'existence tourmentée et douloureuse de Marat trouve son rayon de lumière dans la petite ouvrière de Tournus, Simone Evrard, qui gagne à son contact un héroïsme spartiate [2]. Ainsi de beaucoup d'autres, fidèles à l'homme, fidèles à son souvenir... L'amour ne redoute ni la violence ni le sang.

Le moraliste constate enfin que cet amour, bourgeois par certains côtés, est poussé hors des voies régulières et s'évade d'autant plus volontiers qu'il est moins sûr du lendemain. « Le vent des montagnes » dont parle Billaud-Varenne, qui revit à Cayenne l'idylle de Paul et de Virginie [3], ce vent annonciateur des orages de René, emporte les vies confondues, les couples inséparables dont l'histoire tragique se prolonge dans la mémoire des hommes. Buzot et Mme Roland, Brissot et Félicité Dupont, Condorcet et Sophie de Grouchy, Vincent et sa « Nanette », Meynard et la « sensible » Caroline, surtout Camille Desmoulins et Lucile Laridon-Duplessis, Louvet et Marguerite Denuelle, parée du surnom de Lodoïska, témoignent de cet amour exalté, qui se rappelle Jean-Jacques et Bernardin de Saint-Pierre, emprunte son langage à la *Nouvelle-Héloïse*, traite la passion d'*immortelle* et de *sainte*, lui restitue un pathétique, non pas verbal, mais actif [4]. Si le mot romantique correspondait, en 1793, à une réalité, on pourrait

1. *Réquisitoires de Fouquier-Tinville*, p. V-VII, XIV, 193.
2. Cf. Lenôtre, *ouvr. cité*, p. 87-94.
3. *Mémoires inédits*, p. 89 à 247.
4. Cf. Louvet, *Mémoires*, t. I, p. 232; II, 38, 71; l'hymen est un « saint contrat ». — *Revue de la Révolution française*, t. XLVIII, p. 303-321; LX, 216 à 236; 300 à 318; 397 à 418. — Mornet, *Les Origines intellectuelles de la Révolution française*, p. 410-412.

dire que cet amour pénétré de rêverie, d'inquiétude, de mélancolie, mêlé à la nature, subissant l'influence d'une littérature romanesque et troublante, est déjà romantique. Mais il est plus juste de dire qu'il offre à la fois un intérêt éternel et suranné, un intérêt poétique et un intérêt historique, car il a des attaches avec un passé tout proche et, nous le verrons, des accointances avec l'idéal révolutionnaire.

* *
*

L'homme se défend donc contre l'emprise totale de la Révolution, et la sensibilité marque des avantages appréciables. Mais elle les marque en composant elle-même, en pliant les sentiments de famille, d'amitié et d'amour au civisme révolutionnaire. Pour survivre, il lui faut abdiquer à demi, ou plutôt s'adapter aux exigences de l'heure. Le drame, qui partageait l'âme des révolutionnaires entre l'humanité et la violence, prend une autre forme, non moins aiguë; il se joue maintenant entre les éternelles valeurs affectives et les nécessités de l'ordre politique, économique et social.

On assiste en effet, chez les révolutionnaires, à un curieux effort pour concilier leur vie intime et leur vie publique. Sans rien abdiquer, par exemple, de leurs sentiments familiaux, ils veulent que ceux-ci n'entravent pas leur civisme. Si, dans un mouvement naturel, Brissot déclare : « Un sourire de mon Anacharsis me fait oublier toutes les Républiques », ce n'est que fléchissement passager [1], et Guadet apaise les plus intraitables en affirmant que « celui qui fut toujours bon père, bon époux, bon ami, sera toujours, à coup sûr, bon citoyen [2]. » L'amitié ne gêne pas plus leur action que

1. *Correspondance*, p. 273.
2. Vergniaud, *Œuvres*, p. 301.

l'esprit de famille; elle les soutient même dans cette
action périlleuse. Mais si la famille et l'amitié prétendent
s'interposer entre eux et la Révolution, alors elles subissent de rudes atteintes, elles sont obligées, coûte que
coûte, de céder. Les révolutionnaires, si attachés aux
leurs, rudoient les leurs quand le salut de la Nation
l'exige, et, s'inspirant de Brutus, les traitent selon la loi
commune. Barnave ne craint pas de faire arrêter ses
parents; il dénonce au Comité de Surveillance un de
ses oncles qui défend la cause des rebelles, et il invoque
contre lui la raison d'État [1]. Sans doute Robespierre
écrit, en 1792, au *Courrier des 83 Départements* : « Com-
battons-nous comme des hommes libres, avec franchise,
avec énergie même, s'il le faut, mais avec égards, avec
amitié [2]. » Hélas! lui-même, la mort dans l'âme, envoie
à la guillotine ses amis d'hier, coupables, à ses yeux,
de trahison; car il n'y a plus d'ami pour un révolutionnaire sans peur et sans reproche. « J'ai été l'ami de
Pétion, déclare-t-il; dès qu'il s'est démasqué, je l'ai
abandonné. J'ai eu aussi des liaisons avec Roland; il
a trahi et je l'ai dénoncé. Danton veut prendre leur place,
et il n'est plus à mes yeux qu'un ennemi de la patrie.
C'est ici sans doute qu'il nous faut quelque courage
et quelque grandeur d'âme [3]. » Aussi Robespierre fait-il
un effort douloureux sur lui-même pour imposer à ses
amitiés un silence héroïque, et accomplir jusqu'au
bout, sans faiblesse, une tâche cruelle. On l'accuse
souvent d'hypocrisie [4]. Robespierre est sincère quand
il aime, sincère quand il frappe.

1. *Lettres de Barras et de Fréron*, p. 58. — De même Lénine : « Là
où il était question des idées de la Révolution, Vladimir ne connais-
sait ni amitié, ni parenté, et d'autant moins le respect de l'âge. »
(Trotsky, *Vie de Lénine*, I, 299.)
2. *Correspondance*, p. 136.
3. *Œuvres choisies*, éd. Laponneraye, t. III, p. 596.
4. Ainsi Taine, *ouvr. cité*, t. III, p. 212.

Tous ne s'élèvent point à un pareil stoïcisme, qui s'inspire des exemples romains et de Plutarque. Pétion exhale sa douleur en voyant aux Jacobins des amis fervents se déchirer parfois sans raison. « On s'accuse respectivement d'être des traîtres, écrit-il à Robespierre. Je n'ai pas reposé de la nuit, et moi, qui ai le sommeil paisible, je n'ai rêvé que malheurs. Une grâce, mon ami, allez au-devant de la scission qui se prépare [1]. » Vaine prière! Un patriotisme étroit et jaloux, la peur du complot, la hantise de la dénonciation, la mystique de l'épuration viennent à bout des sentiments les plus généreux et les plus fraternels. Qu'importe au révolutionnaire conscient de ses devoirs et de sa tâche! Il doit être inflexible, tout en restant sensible. Vergniaud accepte l'échafaud pour n'être pas un obstacle à une politique plus hardie qu'il réprouve, mais qui sauvera la Révolution. Fauchet déclare : « Je sacrifierais tous les amis comme je me sacrifierais moi-même à la patrie [2]. »

Or, la patrie est menacée par les factions. Les factions! C'est donc contre elles que tous se dressent avec une sorte de rage effrayée. Pour les combattre, elles qui sont « le poison le plus terrible de l'ordre social », Saint-Just fait précisément appel à l'amitié, seule capable, selon lui, de ruiner les forces mauvaises. « Quoi! l'amitié s'est-elle envolée de la terre? s'écrie-t-il. La jalousie présidera-t-elle aux mouvements du corps social? et, par le prestige de la calomnie, perdra-t-on ses frères, parce qu'ils sont plus sages et plus magnanimes que nous?... » [3] L'amitié devient ainsi une arme révolutionnaire, une arme à double tranchant. Aussi ne faut-il pas s'étonner si l'esprit méthodique et prévoyant de

1. Cf. Robespierre, *Correspondance*, p. 147.
2. Cf. *Revue de la Révolution française*, juin 1909, p. 545.
3. *Œuvres complètes*, t. II, p. 484.

LUCILE DESMOULINS
Née Duplessis

Pl. III

Saint-Just cherche à la régler, à la codifier, à en faire un article de loi. Dans le sixième Fragment des *Institutions Civiles et Morales*, restées inachevées, sous la deuxième Rubrique intitulée : *Des Affections*, on lit cette page curieuse : « Tout homme âgé de vingt et un ans est tenu de déclarer dans le temple quels sont ses amis. Cette déclaration doit être renouvelée, tous les ans, pendant le mois de Ventôse. — Si un homme quitte un ami, il est tenu d'en expliquer les motifs devant le peuple dans les temples, sur l'appel d'un citoyen ou du plus vieux; s'il le refuse, il est banni. — Les amis ne peuvent écrire leurs engagements; ils ne peuvent plaider entre eux. — Les amis sont placés les uns près des autres dans les combats. — Ceux qui sont restés unis toute leur vie sont renfermés dans le même tombeau. — Les amis porteront le deuil l'un de l'autre. — Le peuple élira les tuteurs des enfants parmi les amis de leur père. — Si un homme commet un crime, ses amis sont bannis. — Les amis creusent la tombe, préparent les obsèques l'un de l'autre; ils sèment les fleurs avec les enfants sur la sépulture. — Celui qui dit qu'il ne croit pas à l'amitié, ou qui n'a point d'amis, est banni. — Un homme convaincu d'ingratitude est banni [1]. »

Ces prescriptions, qui nous font sourire aujourd'hui, sont restées lettre morte. Saint-Just commet la généreuse erreur de vouloir plier un sentiment à des règles fixes, de lui imposer une sorte de droit commun; mais cette erreur s'explique par la mentalité révolutionnaire et par les nécessités de la politique. C'est pourquoi il ne faut retenir de ces ordonnances naïves que l'idée qui les anime : en 1793, une sombre grandeur commande de tout mettre au service de la patrie, tout, même les sentiments les plus naturels et les plus égoïstes. En agissant

1. *Œuvres complètes*, t. II, p. 519.

ainsi, les révolutionnaires se comportent en patriotes, en républicains [1], et ils ne croient pas faire preuve de barbarie, ni même de dureté. Un combat se livre en eux entre les exigences de la Révolution et les lois de la nature. Il semble qu'on ne puisse ni les blâmer, ni les envier; peut-être doit-on les plaindre. Encore repousseraient-ils la pitié, car ils ont conscience de s'élever par la souffrance vers un cher idéal. « J'en suis venu, écrit Robespierre à Pétion en 1792, j'en suis venu au point de soupçonner que les véritables héros ne sont pas ceux qui triomphent, mais ceux qui souffrent [2]. »

La souffrance est plus vive lorsque l'amour est en conflit avec le devoir civique. Mais cette souffrance même devient une jouissance rare, surtout chez les femmes; plus l'avenir est incertain, l'horizon lourd d'orages, plus les amants ont hâte de courir les mêmes chances, de « jouer la vie sur une même carte, un même dé. » N'est-ce point là, demande Michelet, le « généreux instinct des femmes? » [3] Sans doute, mais cet instinct est aussi capable de perdre l'homme que de le sauver. Buzot, politiquement, est victime de l'amour qu'il porte à Mme Roland; Louvet, au contraire, est efficacement servi par Lodoïska. Celle-ci, habile et courageuse, partage les émotions de l'homme public et ne craint pas, pour lui, d'afficher son civisme. Un jour, elle lui fait avec ses rubans une cocarde tricolore, et Louvet tombe à ses genoux, arrose de larmes une main qu'il porte à son cœur. Mieux encore : la tendresse prévenante de sa femme rend Louvet sensible à la justice et à la pitié,

----

1. « Un républicain est toujours plus attaché à sa patrie qu'un sujet à la sienne, par la raison qu'on aime mieux son bien que celui de son maître. » (Voltaire, *Pensées sur l'Administration publique. Œuvres complètes*, 1785, t. XXXIV, p. 29.)

2. *Correspondance*, p. 13.

3. *Histoire de la Révolution française*, t. II, p. 91.

communique à son éloquence un accent ému. Vient la
suprême épreuve, la persécution, la fuite, l'exil, la menace
de mort : tous deux goûtent l'amour et le bonheur dans
la souffrance et l'angoisse. Cheveux prématurément
blanchis, phtisie mortelle, tentative d'empoisonnement,
dernières années solitaires plus cruelles que les années
de luttes communes, rien qui ne soit une épreuve pour
la vaillance de Lodoïska [1]. Lucile Duplessis la dépasse
peut-être dans l'héroïsme civique. Si l'on en croit Michelet, elle veut la pauvreté, les périls, la vie et la mort de
Camille Desmoulins, et elle arrache, riant et pleurant,
le consentement paternel [2]. L'exagération coutumière
à Michelet ne fausse pas trop ici la réalité. Lucile est
brave, d'abord, et elle veut, semble-t-il, que Camille
suive, coûte que coûte, son dangereux destin. Mais ses
craintes, mais la peur qu'elle éprouve, le 10 août 1792,
chez Danton, comment ne pas les juger naturelles,
humaines, surtout dans les pages émouvantes où elle
avoue son fléchissement passager? L'héroïsme n'est
chez elle ni quotidien, ni soutenu. Lucile a raison de
trembler; elle sait le danger que le *Vieux Cordelier*, dont
elle lit chaque matin les feuilles ardentes, fait courir
à son mari; et c'est elle pourtant qui, malgré les prières
des Girondins, le pousse à continuer la rédaction du
journal. De loin, elle prévoit le dénouement et l'accepte.
Camille arrêté, sa dernière prière à Robespierre, qui
lui servit de témoin le jour de son mariage, reste vaine.
Camille est guillotiné le 5 avril 1794, Lucile huit jours
plus tard. Leur destin commun est accompli : l'épicurisme facile de Camille, les hommages qu'un Dillon

1. Louvet, *Mémoires*, t. I, p. 51, 59, 94, 172; II, 32, 71. — Cf.
Revue de la Révolution française, t. LX, p. 216, 300, 397. ; t. XLVIII,
p. 303.
2. *Les Femmes de la Révolution*, p. 224.

et un Fréron prodiguèrent à Lucile, ne l'ont point entravé
ni terni [1].

Voilà donc l'amour intimement uni au drame révolutionnaire, l'amour militant et souffrant, qui a ses
dévots, ses martyrs et ses saintes. Lorsque Michelet
affirme que « la femme et l'amour physique sont les
rois de 1793 », il commet plus qu'une exagération, une
erreur. Lorsqu'il ajoute : « Au moment où les affaires
politiques sont pour [les hommes] une question de vie
ou de mort, ils les laissent pour se réfugier au foyer, à
l'amour », il redouble son erreur. Car ce qu'il dit de
1791 vaut pour 1793 : « Partout les femmes, partout la
passion individuelle dans la passion publique, le drame
privé, le drame social vont se mêlant, s'enchevêtrant [2]... »
Telle est, semble-t-il, la note juste. Le dévouement des
femmes des Girondins proscrits, leurs angoisses et leurs
larmes, le suicide des citoyennes Clavière et Rabaut-
Saint-Etienne, la mort de la femme, de la fille, de la mère,
de la sœur de Meillan... sont commandés par les événements politiques. Des gestes pieux consolent ceux
qui vont marcher à l'échafaud. L'union persiste jusqu'à
la minute suprême, et la guillotine est impuissante à en
trancher le fil. Les dernières lettres que les condamnés
adressent à leur femme tempèrent les adieux par la certitude de revivre ensemble au séjour des « âmes vertueuses et
aimantes » [3]. Le stoïcisme antique ou la sagesse chrétienne
fait accepter le sacrifice qu'impose la Révolution et
console les amants par la promesse de l'immortalité.

1. Cf. C. Desmoulins, Œuvres, t. II, p. 355, 375 à 391. — Hamel,
Histoire de Robespierre, t. III, p. 190-191. — Revue de la Révolution française, t. VI, p. 826 à 836. — Lenôtre, ouvr. cité, p. 64 à 71.

2. Les Femmes de la Révolution, p. 203, 206; Histoire de la Révolution
française, t. II, p. 281-282.

3. Cf. Lettres de Philippeaux (Annales révolutionnaires, t. VI,
p. 250-254), Vincent, Momoro... — Wallon, Histoire du Tribunal
révolutionnaire, t. II, p. 322-324; III, 514-517.

Sacrifice apparent d'ailleurs, puisque l'amour, épris d'action et de force, ne craint pas de se confondre avec la cause révolutionnaire même. Ce que l'on a dit de la mère de Lénine : « La fonction maternelle devenait une fonction révolutionnaire [1] », s'applique alors à tous les sentiments humains. Souvent, en effet, les hommes de 1793 assimilent l'amour qu'ils portent à une femme au culte de la Patrie. Les témoignages significatifs ne manquent pas sur cette assimilation inattendue. Le biographe de Vergniaud écrit : « Il aimait une femme comme la Patrie, par bonds convulsifs, et sommeillait ensuite, avec la même apathie, sur le sein de l'une et de l'autre [2]. » Vincent écrit à sa femme : « Mon amie, mon amie, je suis pur et je t'aime comme j'aime ma patrie », et le général Hoche : « Après mon pays, mon amie, c'est toi. » [3] L'exemple le plus caractéristique est celui de Chabot, pour qui l'amour des femmes et l'amour de la République se confondent : « Je fus accusé d'aimer les femmes, déclare-t-il à ses concitoyens. Oui, oui, je les aime, et je fais plus, je dis : « Malheur à celui qui ne les aime pas! Il résiste au penchant le plus saint, le plus doux et le plus sacré de la Nature, *il ne sera jamais bon républicain*. » Chabot se marie donc par civisme, ou, plus exactement, Junius Frey lui déclare, au moment où il demande sa sœur en mariage pour un autre : « Je te la donne avec 200.000 livres pour te récompenser de ton civisme. » Le contrat est signé le soir même, car la jeune fille déclare à Chabot : « Après Robespierre, vous êtes le plus grand des Français; je vous veux, et j'espère que vous m'aimerez. » Elle ajoute que, si le mariage fait manquer une seule fois à Chabot la Convention et

1. Trotsky, *Vie de Lénine*, t. I, p. 139.
2. Touchard-Lafosse, *ouvr. cité*, p. 44.
3. Cf. *Annales révolutionnaires*, t. VI, p. 254. — *Revue des Deux Mondes*, 1ᵉʳ décembre 1927 : *Le mariage de Hoche*, p. 512.

les Jacobins, elle cessera de l'aimer [1]. D'autres, au contraire, repoussent le mariage par civisme, craignant
que l'amour fasse tort à la Nation : tel Robespierre qui,
selon sa sœur Charlotte, refuserait d'épouser Eléonore
Duplay qu'il aime, parce que son cœur est « rempli tout
entier de l'amour de la patrie [2]. » Cause véritable ou
prétexte héroïque? La vie sentimentale de Maximilien
nous échappe encore. D'autres, plus souples et prudents,
se contentent du mariage à la Jean-Jacques, face à la
Nature et au soleil, et ils usent du divorce au gré de
leurs passions.

Mais ce qui a son prix, c'est que l'amour rejette souvent son habituel égoïsme pour servir la cause de la
liberté humaine et de la fraternité universelle. La dernière
lettre de Momoro à sa femme est digne de Plutarque :
« Républicaine, conserve ton caractère, ton courage;
tu connais la pureté de mon patriotisme, je conserverai
jusqu'à la mort le même caractère [3]. » D'une admiratrice
passionnée de Robespierre, Mme de Chalabre, on a pu
dire : « C'est une Spartiate dont l'amour de la liberté
et de l'égalité a embrasé le cœur [4]. » Nous assistons
donc à l'élargissement d'un sentiment qui, d'ordinaire,
se replie sur lui-même. Aimer une femme, c'est aimer
la Nation et l'Humanité. Car la femme soutient l'homme
dans le dur, l'inévitable combat; elle participe, étant
elle-même un culte, au culte révolutionnaire; elle se
confond par instant avec l'image grandiose et sanglante
de la Patrie. Michelet l'a souligné en termes magni-

1. Cf. *Annales révolutionnaires*, 1914, t. VII, p. 248-254. — Aulard,
La Société des Jacobins, t. V, p. 447.

2. *Mémoires de Charlotte Robespierre*, p. 78. — Est-ce aussi par civisme
que Saint-Just sauve M. de Thorin, dont il aime la femme? L'histoire reste obscure. (Cf. *Revue de la Révolution française*, 1897, t. XXXII,
p. 348-363. — Saint-Just, *Œuvres complètes*, t. II, p. 62-63.)

3. *Annales révolutionnaires*, 1913, t. VI, p. 414.

4. Hamel, *ouvr. cité*, t. I, p. 402.

fiques : « Noble époque! et qu'elles furent dignes d'être aimées, ces femmes, dignes d'être confondues par l'homme avec l'idéal même, la patrie et la vertu!... Ainsi elles ont glorieusement consacré le mariage et l'amour [1]... » Michelet s'exalte, développe avec trop d'ampleur un thème qui lui est cher; mais son exaltation est naturelle, car elle traduit une émouvante réalité. Puisque la Révolution prodigue les symboles et les emblèmes, on pourrait dire que l'amour, en 1793, coiffe le bonnet phrygien et remplace ses flèches par une pique. Il s'ennoblit d'autant plus qu'il se confond, ou prétend se confondre, avec la vertu la plus rigide. Tous croient à cette confusion, en bons disciples de Rousseau, et ce qui paraît un sophisme ne les effraie pas. Ils restent ainsi dans la logique du sentiment, puisque, pour eux, quiconque aime est vertueux par le fait même qu'il aime; et ils n'oublient, en l'occurrence, ni les exemples stylisés du *De Viris*, ni les modèles artificiels de Plutarque. La vertu est pour eux un bien héréditaire, aussi indispensable aux amants qu'aux Républiques; ils le disent, et, l'expliquant, ils se contredisent parfois. Billaud-Varenne déclare que l'amour tient de très près à la vertu; Louvet se décerne un brevet de vertu parce qu'il mérita d'être aimé; Robespierre attire les hommages féminins parce que, dans sa rhétorique sentimentale, il mêle à la sensibilité de son cœur la douce, « la sainte intimité » et « les charmes de la vertu »; Momoro lègue à sa femme sa mémoire et ses vertus [2]... Mirabeau ose écrire à Sophie : « Je suis plus amoureux de tes vertus que de tes charmes »; mais il ajoute, trois pages plus loin : « Nous

1. *Histoire de la Révolution française*, t. II, p. 279 à 287.
2. Cf. *Mémoires inédits de Billaud-Varenne*, p. 312. — Louvet, *Mémoires*, t. II, p. 76. — Michelet, *Les femmes de la Révolution*, p. 212. — *Annales révolutionnaires*, 1913, t. VI, p. 414. — Cf. également Hoche, *article cité*, p. 504, 528.

aimions tant notre lit! » Il n'existe pour lui aucune
contradiction entre ces deux phrases, puisqu'il affirme
que la vertu n'est pas continence, et qu'elle consiste
en un cœur droit, incapable de lâcheté, sincère. « Une
femme peut être très chaste et très voluptueuse », dit-il;
et il insiste sur cette idée primordiale à ses yeux [1].

Cette alliance de la chasteté et de la volupté plaît
aux révolutionnaires; car, citoyens d'une République
qu'ils rêvent spartiate, ceux-ci n'oublient jamais la
fin naturelle de l'amour. Pour que la République soit
forte et triomphe, il lui faut des défenseurs nombreux.
Tout citoyen est donc tenu d'avoir des enfants. « Aimer
les femmes, c'est suivre la loi de la reproduction des
êtres », déclare le sans-culotte Chabot, et il ajoute :
« C'est une des premières immortalités à laquelle nous
sommes tous appelés par la Nature [2]. » Billaud-Varenne
proclame que l'amour, dont les manifestations sont
divines, est un devoir, parce qu'il est « nécessaire à la pro-
pagation de l'espèce. » [3] D'autres vont plus loin : Lakanal
qui, à 80 ans, se remarie avec une femme de 36 ans, demande que tout mari séparé de sa femme, tout célibataire
de 30 ans, toute fille de 25 ans soit frappé d'une taxe [4].
Saint-Just, après avoir codifié l'amitié, n'est pas hostile à
une réglementation de l'amour : « L'homme et la femme
qui s'aiment sont époux », déclare-t-il, et il ajoute : « Les
époux qui n'ont point eu d'enfants pendant les sept premières années de leur union, et qui n'en ont point adopté,
sont séparés par la loi et doivent se quitter [5]. » Je choisis
ces quatre exemples entre cent : beaucoup de révolutionnaires, préoccupés de l'avenir immédiat, envisagent

1. *Lettres d'amour de Mirabeau*, p. 59, 62, 106, 238.
2. *Annales révolutionnaires*, 1913, t. VI, p. 535.
3. *Mémoires inédits*, p. 311, 356.
4. *Revue de la Révolution française*, 1911, t. LXI, p. 481-484.
5. *Œuvres complètes*, t. II, p. 519-520.

l'amour en économistes et en patriotes. Ces vues uti-
litaires, ces considérations matérielles cherchent à s'inscrire dans la loi, enlèvent à l'amour sa spontanéité
désintéressée et son bouquet de fleurs sauvages.

Mais, pour un Saint-Just rigoriste et un Lakanal tra-
cassier, il existe dix Barras et dix Tallien. La société de
1793 et du Directoire ne vaut guère mieux que la société
de la Régence; elle a ses Don Juan, ses aventurières, ses
hypocrites de vertu : « Jamais l'amour du plaisir, de la
table, des femmes, du jeu ne fut plus vif qu'à l'époque
où l'on voulait nous perfectionner », avoue Sophie
Grandchamp; et l'amie de Mme Roland ne fait allusion
qu'à Louvet, à Pétion, à Barbaroux, à Gorsas, à Manuel,
dont le ton léger et les mœurs contrastent avec le costume
austère [1]. Or, ce ne sont pas les pires, tant s'en faut!
Même leur épicurisme affecté prend une grandeur
narquoise en face de l'échafaud. Sur les autres, sur les
révolutionnaires qui s'affranchissent des lois morales
pour échapper aux angoisses de l'heure, sur les débauchés
indélicats et faciles, la chronique anecdotique ne tarit
pas; elle exploite le scandale, accommode au goût de
la curiosité moderne cet érotisme dont Mme Tallien
est devenue le symbole [2]. Mais ni Fabre d'Églantine,
ni Hérault de Séchelles, ni Chabot, ni Collot-d'Herbois,
ni Barras ne portent témoignage pour ou contre la
Révolution. L'homme défend ses plaisirs et ses besoins
grossiers, comme il défend sa vie et son idéal. Barras
réagit à sa manière, qui n'est pas celle de Louvet ou

---

1. *Souvenirs de Sophie Grandchamp* (*Revue de la Révolution française*,
juillet-août 1899, t. XXXVII, p. 155). — Cf. E. et J. de Goncourt,
Histoire de la société française pendant la Révolution, Paris, Dentu, 2 vol.
in-8°, 1854, t. I, p. 215; II, 117, 139, 169.
2. Cf. par exemple l'ouvrage récent de J. Bréhat : *Barras ou les
jeux corrupteurs de la politique et de l'amour*. Paris, Baudinière, in-12,
1934. L'historien ne peut s'arrêter à ces vies romancées.

de Saint-Just. Barnave soupire : « Ne vaut-il pas mieux
que nous soyons amants et tendres que simplement
hommes et libertins [1] ? » Tendresse ou libertinage,
c'est une évasion, un salutaire oubli... Parfois on est
tendre et libertin à la fois, on est amant et homme.
Ainsi l'abbé Fauchet, qui sait unir la passion et la vertu,
l'audace et la chasteté, le mysticisme et le désir charnel,
l'amour pour les femmes et l'amour pour une femme.
Dans une lettre importante, qui est une confession et une
réponse aux calomnies des *Actes des Apôtres*, il écrit :
« Mes mœurs sont exactes, et cependant hardies, comme
mon caractère; je chéris les femmes par un penchant
général, j'en aime une seule par une inclination fixe
et qui, indépendamment de toute passion sensuelle,
fait la douceur de ma vie. On m'a calomnié pour elle;
je m'y suis attaché davantage, et j'ai été chaste; on m'a
très gratuitement attribué son fils; je l'ai adopté dans
mon cœur. Elle donnerait sa vie pour moi, je livrerais
la mienne pour elle, mais je ne lui sacrifierais pas ma
vertu [2]. » Que de mots, dans ce curieux document humain,
s'entrechoquent, dont la morale traditionnelle ne peut
souffrir le rapprochement! Mais cette confusion, fréquente et voulue, de la passion avec la vertu, il faut la
comprendre et l'admettre, si l'on veut juger sans parti-
pris la vie intime des révolutionnaires. Or, tel critique
étudiant, par exemple, la liaison de Condorcet et de
Mme Suard, ne la comprend pas. Il attaque la morale
du sentiment, dont se réclament, après Jean-Jacques,
Condorcet et son amie, déclare que « la valeur réelle des
âmes est en raison inverse de ces vaines démonstrations »,
traite avec irrévérence Condorcet de « Jocrisse à Cythère ».
Condorcet, dont la sincérité, parfois naïve, est hors de

1. *Œuvres*, t. IV, p. 153.
2. *Revue de la Révolution française*, juin 1909, p. 545. — Cf. l'histoire de cet amour, *ibid.*, novembre 1909, p. 417-431.

doute, lui répondrait que la valeur réelle des âmes est
en raison directe de ces démonstrations sensibles; et
non seulement Condorcet, mais Mme Suard, et l'immense majorité des disciples du xviiie siècle : « Le bon
Condorcet est haineux, ajoute le même critique; la
sensible Amélie Suard est égoïste : tel est l'envers de la
sensibilité » [1]. Où donc est la haine de Condorcet? Nulle
part elle ne s'exprime. Condorcet, malgré les épreuves,
reste indulgent et bon. L'exemple des révolutionnaires
prouve d'ailleurs que l'amour, loin de les rendre égoïstes,
les porte à une compréhension plus large du genre
humain et à un dévouement fraternel. Mme Suard est
égoïste? Peut-être. Mais Lodoïska, Simone Evrard,
Félicité Dupont... ne le sont pas au sens étroit du mot,
et la tête de Lucile Desmoulins a roulé dans le panier
du bourreau. La contagion de l'héroïsme gagne ces
amours qui, légitimes ou coupables, heureuses ou malheu-
reuses, finissent presque toujours tragiquement.

*
* *

Aussi objectif et impartial, aussi froid, aussi éloigné
des extases de Michelet que soit l'historien, il ne peut
oublier la cocarde tricolore de Lodoïska, ni l'appel
pathétique de Lucile à Robespierre, ni les soins ménagers
de la citoyenne Marat. Il ne peut oublier surtout le
grave problème de l'individu en défense, sinon en lutte
contre la Révolution. Ce problème paraît se résoudre de
la manière suivante. L'individu ne se laisse pas broyer
par la Révolution, qui exige tout de lui, et il sauvegarde
tant bien que mal les puissances affectives dont le xviii^e
siècle lui a révélé la valeur. Comment la nature abdi-

1. Cf. Doumic, *Lettres d'un philosophe et d'une femme sensible. Condorcet et Mme Suard* (*Revue des Deux Mondes*, 1er janvier 1912, p. 81).

querait-elle? La vie, si courte, est plus courte encore
en période révolutionnaire; l'homme a beau en faire
le sacrifice, il veut en jouir d'abord, et vite. L'héroïsme
civique a besoin d'une détente, comme le courage militaire. Donc la famille, l'amitié, l'amour existent pour
un révolutionnaire. En revanche, le révolutionnaire
intègre, selon Saint-Just, concilie les exigences de la vie
sentimentale avec les exigences de la révolution et,
au besoin, subordonne les premières aux secondes.
Oui, la famille est sacrée, l'amitié est sainte, l'amour est
divin, mais ils ne sont respectables que s'ils se vouent
à la cause révolutionnaire. La sœur, l'amante, la femme
légitime seront d'autant plus choyées qu'elles seront
des citoyennes; Pylade ne restera fidèle à Oreste que si
Oreste est un bon citoyen. Les drames de la famille
et de l'amour n'ont souvent alors pour cause que les
divergences politiques; lorsque le civisme est d'accord
avec les sentiments naturels, l'harmonie règne entre les
cœurs. Je ne parle naturellement que des hommes et
des femmes sincères, en qui l'idéal de 1793 jette sa
flamme pure; derrière eux, la tourbe accumule son flot,
venu du fond des siècles. Il n'en faut que plus respecter
cet effort de la révolution pour absorber l'individu,
et l'effort légitime de l'individu pour sauvegarder ses
joies terrestres, ses raisons de vivre : « Je veillerai sur
moi pour me préserver des passions qui pourraient
amortir le feu de celle qui doit nous animer tous, de
l'amour de la République », déclare Vergniaud [1]. Belle
parole, qui prend sa valeur dans le conflit de l'individualisme et du collectivisme révolutionnaire.

1. *Œuvres*, p. 201.

CHAPITRE VI

LE CULTE SENSIBLE DE LA NATURE

Ce conflit renaît sans cesse, prend les formes les plus diverses, n'épargne ni la notion de nature, ni le sentiment religieux. Barnave déclare que « les Anciens vivaient au milieu de la nature, hommes des choses autant que des pensées [1]. » Lui-même aspire à être un « homme des choses », et beaucoup de révolutionnaires avec lui. Le peuvent-ils, dans l'absorbante activité de leur tâche qui les oblige à l'action? Ils s'efforcent au moins de rompre l'étreinte des événements, d'oublier les exigences de la politique. « Son âme oppressée par le sentiment de l'injustice, écrit Barbaroux à propos d'un ami, a besoin du spectacle de la belle nature et des sentiments de l'amitié [2]. » Tous ont besoin de ce spectacle, et jamais la nature n'a mieux joué son rôle maternel que pendant ces années troublées; n'est-elle point, en face des agitations et des convulsions humaines, celle qui demeure immuable, au risque de nous paraître impassible, image de l'éternité en face de l'éphémère?

Pour les hommes de 1789 et de 1793 elle a un double visage, visage de bonne et saine villageoise qui dispense les plaisirs rustiques, visage de déesse grave à qui l'on

1. *Œuvres*, t. IV, p. 94.
2. *Correspondance*, p. 378.

rend un culte; aussi, envers elle, les révolutionnaires se comportent-ils en paysans ou en prêtres. Ils aiment la campagne, parce qu'ils l'admirent, parce qu'ils pénètrent sa grandeur calme et son charme apaisant; ils l'aiment aussi parce qu'on leur apprit à l'aimer. Lectures, éducation, souvenirs littéraires, tout les incline à cet amour. D'ailleurs, au xviiie siècle, la nature entre pour une large part dans la formation de l'homme sensible : c'est en elle qu'il goûte des « sensations muettes, délicieuses, ineffables... » [1] Rien d'inattendu, rien de neuf par conséquent dans les pages nombreuses où les révolutionnaires traduisent leur commune tendresse à l'égard des choses inanimées. Je n'insisterai pas sur ces pages, souvent émouvantes et presque toujours sincères, mais je voudrais en marquer la valeur réelle. Les révolutionnaires ne décrivent pas pour le plaisir de décrire. Certes, les évocations ne manquent point chez eux : ici, le lac de Genève ou la campagne orléanaise, là, les coteaux du Beaujolais hérissés de vignobles, ailleurs, la plaine d'Alsace ou les environs de Paris, souvent une prairie, un bois, une rivière sans nom, la nature anonyme et d'autant plus chère [2]. Mais ils ne s'y attardent pas : « La douce fraîcheur d'une belle nuit d'été, n'est pas plus pure que les derniers jours de ma vie », soupire Buzot avec un accent racinien et une sobriété méritoire [3]. Que dire d'ailleurs, après tant d'autres? Devant les spectacles naturels, les révolutionnaires répètent : là est le refuge de « l'homme sensible », le séjour des simples et des modestes, l'oubli des maux, le charme de la solitude. Solitude, ô solitude! Ils tendent les mains vers elle pour échapper à la grande marée humaine,

---

1. Brissot, *Mémoires*, t. I, p. 22.
2. Cf. Brissot, Mme Roland, Mirabeau, Condorcet...
3. *Mémoires*, p. 22.

qui les emporte, les engloutit. Crime envers la nation :
il faut vaincre ou mourir ! Le terrible rapport que Saint-
Just rédige contre Danton, le 11 Germinal 1794, contient,
entre autres reproches, celui-ci : « Dans les débats ora-
geux, on s'indignait de ton absence et de ton silence;
toi, tu parlais de la campagne, des délices de la solitude
et de la paresse! »[1]

Il en parle en effet, Danton, et il songe, aux heures
les plus dures, à vivre en campagnard, à planter démo-
cratiquement ses choux[2]. Les révolutionnaires ne se
contentent pas d'aimer la nature d'un amour plato-
nique, ils veulent réaliser leur rêve champêtre. Désir
sincère, mais qui s'entache parfois de littérature. C'est
le Rousseau de la *Nouvelle Héloïse*, des *Rêveries* et des
Confessions qui les convie à « faire la retraite » : la petite
maison aux volets verts devient pour eux un idéal.
Brissot, Vaublanc, Marat, Danton, Robespierre... l'imaginent, fût-ce, comme ce dernier, dans la solitude royale
de Versailles[3]. D'autres, tel Danton, associent leur
rêve au souvenir de Buffon ou de Bernardin de Saint-
Pierre, « ce sage qui fait aimer la nature[4]. » La plupart,
d'ailleurs, se contentent du rêve : comment, dans la
tourmente, le réaliseraient-ils? Même les accalmies
sont menaçantes. Dès 1787, avant l'action, Mirabeau
écrit à Mme de Nerha : « Combien, désabusé des hommes
et des choses, on serait heureux de cultiver ici son jardin! »[5]
Est-ce le jardin des Charmettes ou celui de Candide?
Jardin merveilleux en tout cas, que Mirabeau ne culti-
vera jamais. Marat parle souvent de se retirer dans un

1. *Œuvres Complètes*, t. II, p. 318.
2. Cf. Robinet, *ouvr. cité*, p. 307.
3. *Correspondance de Robespierre*, Paris, Alcan, in-8°, 1926, p. 111.
4. Robinet, *ouvr. cité*, p. 208.
5. *Revue Bleue*, 1909, t. II, p. 747; il s'agit de la campagne alsa-
cienne, près de Strasbourg.

coin de la terre, « où il trouvera un ciel serein et riant. »[1]
Saint-Just, dit Gatteaux, soupire après le terme de la
Révolution « pour se livrer à ses méditations ordinaires,
contempler la nature et jouir du repos de la vie privée
dans un asile champêtre. »[2] La cabane lui semble pleine
de grandeur, et il l'exalte à plusieurs reprises, l'associe
à la morale, à la vertu; c'est elle, et un champ fertile,
qui nous offrent la volupté vraie. Ainsi, en 1791, Bernardin de Saint-Pierre fait parler précisément le paria
de la *Chaumière Indienne*, qui déclare : « Ma pagode, c'est
la Nature[3]! » Saint-Just s'écrie : « Allons habiter les
bords des fleuves, et bercer nos enfants, et les instruire
au désintéressement et à l'intrépidité[4]! » Le bonheur,
c'est le retour à la nature, source de toute vertu. Mais
Saint-Just, pas plus que Mirabeau, que Danton, que
Marat, que Robespierre, n'atteindra ce bonheur.

Quelques-uns, tout de même, le réalisent; ce sont,
en général, les plus obscurs ou les plus couards, ceux
qui ont l'adresse de se faire oublier : ainsi le Conventionnel Picqué, dont les *Veillées Béarnaises* sont un pastiche
adroit de la *Nouvelle Héloïse*[5]. Avant, et même pendant
la Révolution, Louvet ne perd jamais le contact avec
la nature et transporte au fond des bois les secrets de sa
vie intime. Larevellière-Lépeaux se recueille dans la
maison rustique de son ami Buire, étend, comme Jean-
Jacques, sa sollicitude au règne végétal, fait de la bota-
nique, se passionne pour Linné, qui le dérobe à lui-
même et prête à la nature un charme nouveau. Que de
frais tableaux s'offrent à lui, tel le spectacle animé d'un

1. E. Champion, *Rousseau et Marat* (*Revue Bleue*, 1908, t. II, p. 102-
105).
2. *Œuvres Complètes*, t. I, p. XIII.
3. *La Chaumière Indienne*, Paris, Didot, in-16, 1791, p. 59.
4. *Œuvres Complètes*, t. II, p. 377.
5. Cf. A. Monglond, *Vies préromantiques*, p. 109-111.

mariage à la campagne, au mois de Septembre : coteaux variés et sauvages, majestueuses futaies, jolie rivière, prairies bordées d'arbres, et, dans ce décor champêtre, une scène non moins champêtre : « Deux jeunes époux, enivrés du bonheur de se voir enfin l'un à l'autre », la jeunesse dansant sous l'ombrage, la vieillesse jouant à l'abri d'un vieux chêne, « des promeneurs solitaires s'abandonnant à une douce rêverie », des amants ou des amis « errant sans but pour se livrer aux épanchements de leurs cœurs », partout l'ordre naturel, la simplicité, la décence, la bonne éducation, la vertu..., Larevellière est si touché de ce spectacle qu'il en oublie ses crises nerveuses et ses moments de désespoir [1].

Ainsi un horizon calme, un paysage bien composé, une campagne peuplée de gens honnêtes, heureux, sensibles avec mesure, sages dans leurs plaisirs, décents dans leur mise et leurs propos, rien qui ne respire la vertu, voilà ce qui plaît en 1793. On aime bourgeoisement la nature. Florian, Roucher gâtent un peu Jean-Jacques, et l'idylle champêtre déplaît d'autant moins aux révolutionnaires qu'elle prend à leurs yeux une valeur sociale. Pour eux, en effet, la nature rend l'homme meilleur ; Brissot le déclare sans ambages : il n'est que de voir le paysan toujours bon, toujours vertueux [2]. Cette idéalisation simpliste, dont Rousseau a donné l'exemple, est devenue un lieu commun, un thème de développements oratoires. Les révolutionnaires l'utilisent à des fins pratiques, car ils croient sincèrement à la bonté de l'homme primitif, de l'homme resté fidèle à la terre. Danton parle avec attendrissement des « bons habitants de la campagne », des « vertueux cultivateurs. » [3] Pour-

1. *Mémoires*, t. I, p. 25, 56-58, 187-189, 225...
2. *Mémoires*, t. I, p. 3.
3. *Discours*, p. 270.

tant de quelle misère ces hommes ne sont-ils pas frappés
à la fin du xviiiᵉ siècle! Les *Cahiers de Doléances* en témoignent presque à chaque page, et les jacqueries de 1789
sont une tragique réplique aux litanies officielles sur
le bonheur des champs. Lorsque Buzot peint un paysan
qui veut se faire « un bonheur tranquille, près de sa
femme chérie et de ses enfants dociles, en adorant ensemble, en paix avec soi et les autres, le dieu de ses ancêtres »,
il tombe dans l'artifice, compose un petit tableau qui
veut être touchant, et qui est fade jusqu'à la niaiserie.
Lorsqu'il affirme, sans l'ombre d'une preuve, que « les
campagnes se détachent de la Révolution parce que,
à la campagne, la liberté ne peut s'allier qu'avec l'amour
du travail, la pureté des mœurs, la paix de la conscience,
toujours si humaines, si hospitalières », lorsqu'il proclame que la Révolution est corrompue, donc incapable
de rallier le paysan, il parle en Girondin aigri, que la
rancune anime dans son exil [1]. Singulier langage à
l'heure même où, après avoir procédé au rachat des
servitudes qui pèsent sur la terre, on s'apprête à abolir
le régime féodal qui écrase le paysan! Il existe une
discordance entre la manière sérieuse dont les Assemblées
envisagent, puis résolvent le grave problème agraire,
et la manière surannée dont les révolutionnaires parlent
de l'existence paysanne. Gessner, Florian... ont des
disciples sur les bancs mêmes de la Convention et des
Jacobins. Fabre d'Églantine chante le Zéphyr aux ailes
légères, les prés verdissants et le « crépuscule d'une
suave aurore [2]. » Ce n'est que pauvre littérature à la
Dorat. Lorsque le jeune Robespierre, disciple trop
fidèle de Jean-Jacques, développe, en vers qui sont
aussi mauvais que la pensée est naïve, les idées du

1. *Mémoires*, p. 18-19.
2. *L'Etude de la Nature*, Londres, 1783.

maître sur le bonheur de l'homme des champs, il tombe,
lui aussi, dans la sensiblerie pastorale chère aux versificateurs du xviiie siècle :

> Heureux l'homme de la Nature !
> Qu'il est riche, qu'il est heureux,
> Celui qui vit dans l'indigence !
> Il veille en sage, il dort en paix.
> Lui seul peut être heureux, et lui seul l'est toujours [1].

L'Homme des Champs paraît en 1786, et c'est en 1783
que Fabre d'Églantine dédie *L'Étude de la Nature* à
Buffon... Même à cette date, est-il opportun de proclamer que l'indigent est riche et que, seul, il est heureux?
Robespierre, poète de cénacle provincial, soupçonne-t-il,
à la veille de la Révolution, le problème agraire et ses
redoutables conséquences? Les pipeaux de Tircis l'empêchent d'entendre la rumeur paysanne...

On comprend mieux le désir de Fouquier-Tinville
qui, las de remplir les fonctions d'accusateur du Tribunal Criminel extraordinaire, s'écrie : « J'aimerais mieux
être laboureur ! » Il parle en connaissance de cause,
puisque son père est cultivateur [2]. Après la Révolution,
Merlin de Thionville réalise le vœu de Fouquier-Tinville, pousse la charrue, écrit au Comité de Salut Public.
« Je vais, je l'espère, devenir tout à fait paysan [3]. » Pour
beaucoup de Conventionnels lassés, l'ombre de Cincinnatus se profile en effet à l'horizon. Si la cabane
chère à Saint-Just reste un symbole de vertu spartiate
et d'innocence républicaine, le domaine rustique que
les Roland songent à acquérir sur les biens nationaux,
en commun avec leurs amis, afin de l'exploiter sous forme

---

1. *Poésies de Robespierre*. (*Revue de la Révolution française*, 1885,
t. IX, p. 397-8.)
2. *Réquisitoires de Fouquier-Tinville*, p. 1, xiv.
3. *Vie et Correspondance de Merlin de Thionville*, p. 152, 253.

de coopérative, répond à un désir sincère, qui, d'ailleurs, faute d'argent, ne se réalise jamais. Mais on sait l'amour que Mme Roland porte à la nature et les pages charmantes qu'elle consacre au Clos de la Platière, aux travaux champêtres, à ses poules et à ses lapins, à ses roses et à ses vignes, à la poésie de cette campagne un peu austère, tempérée de grâce italienne. Ce qu'elle goûte dans cette Thébaïde sauvage, c'est l'harmonie entre la nature, la vie rustique et le sentiment [1]. Brissot, intéressé à la combinaison des Roland, se rappelle les sociétés agricoles qu'il vit fonctionner en Amérique, où lui-même avait acheté des terres, et il mêle à ses tentatives de réalisation pratiques le rêve, si vague et tant caressé, du retour à l'état de nature [2]. État primitif, nature sauvage, oui, mais au mot *sauvage* les révolutionnaires accolent le mot *bon*, tel Saint-Just pour qui le sauvage est doué de toutes les vertus, tel Larevellière-Lépeaux, pour qui la nature sauvage est bonne. Il ne faut donc pas que l'homme craigne de se rapprocher des instincts primitifs : « Parce que j'étais jeune, dit Saint-Just, il m'a semblé que j'en étais plus près de la nature. » Or, Saint-Just a été jeune jusqu'à la mort, si prématurée pour lui [3].

C'est pourquoi les révolutionnaires paraissent avoir un goût très vif pour la nature, non pas cultivée, mais sauvage, dans le sens où l'entendait Diderot. Que ne trouve-t-on pas en effet chez Brissot ou Mme Roland, chez Louvet ou Larevellière-Lépeaux, chez Buzot ou Pétion, chez Marat ou Billaud-Varenne..., qui ne

1. Cf. *Lettres de Mme Roland (1780-1793)*, Paris, Impr. Nationale, 2 vol. in-4°, t. II, p.21, 31, 77, 89, 108, 122, 171-173, 182, 388, 408.

2. *Mémoires*, t. I, p. 3, 32, 45, 63, 165, 283; II, 45. — *Papiers et Correspondance*, p. 205, 252, 308. — Cf. B. Faÿ, *ouvr. cité*, p. 159, 192.

3. Cf. Saint-Just, *Œuvres Complètes*, t. I, p. 252, 316. — Larevellière-Lépeaux, *ouvr. cité*, t. I, p. XXXVII.

soit chez Jean-Jacques et Bernardin de Saint-Pierre, qui ne sera bientôt chez Chateaubriand, Senancour et les poètes romantiques? Louvet évoque précisément des « sites *romantiques* » [1]; le mot commence à faire fortune, mais il importe moins que les sentiments dont on l'enrichit chaque jour. Rêverie, mélancolie, attendrissement, désespoir, repliement sur soi-même, exaltation, enthousiasme..., les révolutionnaires goûtent avec volupté ces rares jouissances qui leur viennent d'une nature complice. Brissot aime l'orage, le sifflement des vents, les torrents de pluie, les tempêtes, la mer et la montagne, les ossements et les tombeaux; il pousse le romanesque si loin que son cœur palpite à la vue de la campagne orléanaise, la plus plate qui soit [2]. Mme Roland, que le printemps revivifie, se pâme devant un beau ciel, s'enivre de l'odeur d'un bouquet de violettes, peuple Salency, Meudon, le Jardin du Roi, le Luxembourg, Vincennes, Fontenay, de ses rêveries juvéniles et de ses langueurs secrètes. Le soleil l'égaie, la pluie l'abat, la campagne la régénère, et elle mêle à des impressions saines des germes morbides, une sensibilité douloureuse, inquiète inquiétante [3]. La nature cesse d'être en effet la nature simple et bonne; elle devient une confidente, une complice. Buzot, en exil, ne voit plus en elle qu'une consolatrice [4]; Louvet l'associe étroitement à son amour, grave le chiffre de son amante sur les arbres de la forêt, se complaît en de belles descriptions, un peu surannées, où Diane et Endymion voisinent avec Julie et Saint-Preux, où les « perles du

1. *Mémoires*, t. II, p. 70.
2. *Mémoires*, t. I, p. 45, 71, 165-166, 217.
3. *Lettres de Mme Roland (Nouvelle Série)*, t. I, p. 12, 50, 53, 91, 103, 111, 154, 222-223, 281, 298, 307, 310, 389, 439, 449, 496, 546; II, 63, 72, 112, 128, 153, 237, 275, 317, 448, 481.
4. *Mémoires*, p. 24, 129, 187.

matin » et les ténèbres, « ministres de l'amour », se mêlent
aux senteurs végétales et à l'odeur des bois [1]. Pétion,
poursuivi, haletant, ses pistolets chargés, traverse la
forêt de Saint-Germain. Ah! s'il pouvait s'arrêter!
La forêt le bercerait doucement, et il se prosternerait
« sous la voûte des cieux ». Hors du monde, il reste plongé
pendant plus d'une heure dans cet état contemplatif
qui l'isole de la terre et le plonge dans des « rêveries
délicieuses [2]. » Marat, au fort de ses tourments, traqué,
vilipendé, associe la nature à ses méditations solitaires,
goûte en elle ses « plus doux plaisirs » [3]. Les sentiments
de Larevellière-Lépeaux dépendent étroitement du
soleil, de la lumière plus ou moins avare qu'il dispense [4].
Billaud-Varenne enfin, déporté à Cayenne, trouve dans
la magnificence d'une nature inconnue à l'Europe un
réconfort qui allège son chagrin, et, tout en comparant
son « Ermitage » à celui d'Ermenonville, il décrit cette
nature tropicale en un style parfois déclamatoire, mais
sincère : vents alizés, forêts sourcilleuses, rivières tom-
bant en cataractes, mangliers « d'un vert étincelant
et qu'on dirait taillé au ciseau », hommes d'un noir
d'ébène, l'exilé goûte ce merveilleux tableau, car il a
de l'âme et du tact [5].

Ainsi, tantôt les perspectives des *Rêveries du Promeneur
Solitaire*, tantôt celles de *Paul et Virginie* se prolongent
dans les œuvres des révolutionnaires. L'exotisme y
jette sa note éclatante, et les sentiments où le romantisme
va se complaire, tel Conventionnel les éprouve avec
une acuité souvent douloureuse. Rousseau et Diderot,
Bernardin de Saint-Pierre et Buffon ne sont pas étrangers

1. *Mémoires*, t. II, p. 65, 71 à 74.
2. *Mémoires*, p. 142.
3. *Œuvres*, p. 6.
4. *Mémoires*, t. I, p. 11.
5. *Mémoires inédits et Correspondance*, p. 445-448.

à ces dispositions sentimentales. Mais, en dehors de toute préoccupation littéraire, les révolutionnaires sont capables de s'intéresser à la nature pour elle-même. Ils s'y intéressent d'autant plus qu'ils vivent dans l'angoisse de l'action, sous la menace de la mort. Ils n'en apprécient que mieux la valeur d'un ciel plein de clémence, d'un chemin creux bordé d'églantiers, d'un arbre consolateur, d'une étoile qui veille sur le ravin silencieux. Dans la prison d'où ils marcheront à l'échafaud ils rêvent avec complaisance au monde extérieur et au principe qui l'anime. Sans doute ils sont hors de l'action, et leur rêve ne saurait nuire à la cause qu'ils viennent de servir : l'homme ressuscite et, parfois, l'artiste. Ainsi, à l'Abbaye et à Sainte-Pélagie, Mme Roland se console avec des fleurs, de la musique et de la poésie. Ainsi, cent vingt-cinq ans plus tard, dans les geôles de la Barminstrasse et de Wronke, Rosa Luxembourg évoque les paysages aimés, guette le chant des oiseaux, s'intéresse aux fleurs et aux nuages, écoute la musique des vents, participe à la souffrance des bêtes, laisse entrer en elle la vie universelle dont elle reçoit une « inépuisable joie intérieure ». La militante révolutionnaire n'a pas honte de pleurer sur un buffle blessé, comme Robespierre pleurait sur la mort d'un pigeon. Sa faculté d'émotion est si vive qu'elle se croit malade, parce qu'un nuage rose suffit à la mettre en extase. La beauté du monde lui enseigne la bonté; Rosa, surnommée la « Sanguinaire », s'écarte de son chemin pour ne pas écraser une chenille. Rosa, inflexible disciple de Karl Marx, compagne intrépide de Karl Liebknecht et de Clara Zetkin, révélant enfin les sources profondes de sa sensibilité, ne craint pas d'écrire en 1916 que, « dans [son] for intérieur, [elle] appartient plus aux mésanges qu'à [ses] camarades », et qu'elle est « plus à l'aise dans un champ que dans un Congrès du Parti[1]. » De son côté Lénine, dont la jeunesse a eu des préoccupations agricoles, ne cache pas son amour de la nature et, plus précisément, de la terre; défenseur de la terreur rouge, il lui arrive de se pencher vers les fleurs avec tendresse. « Cela fait peine à voir, disait-il une fois en regardant une branche de lilas brisée par une main barbare. »[2] Ce n'est point reniement, c'est, comme chez Mme Roland ou Rosa Luxembourg, la marque d'une riche nature qui ennoblit, par sa propre richesse, une vie de servitude matérielle et de dénuement tout entière au service de la Révolution, et qui fait à cette Révolution le sacrifice total, à la condition que le « révolutionnarisme » ne soit pas sécheresse de cœur. Libérer les hommes c'est, d'abord, se libérer soi-même.

Ainsi, chez les révolutionnaires de 1793, dont les jours sont mêlés aux jours d'autrui, au sort d'un peuple et, peut-être, du monde, le besoin de solitude et d'oubli ne doit pas nous surprendre, ni leur être imputé à trahison. Le calendrier républicain, que Fabre d'Églantine compose, reflète, de Vendémiaire à Fructidor, la poétique beauté des saisons, respire la forte odeur de la terre, où ces hommes rêvent de dormir enfin. Les saints ont cédé la place, qu'ils vont reprendre bientôt, à la fleur, au fruit, à l'arbre, à la bête des champs. Floréal est paré de fougère, de rose et de muguet; il nous offre l'ancolie et la rhubarbe, la pimprenelle et la civette; le rossignol égaie le cinquième jour, le ver à soie file son cocon, la carpe jette son éclair bleu dans les étangs... Evariste naît sous le signe de l'aubépine, Elodie sous le signe de la pintade... Les temps idylliques

1. Cf. Rosa Luxembourg, *Lettres de la prison*, Paris, Cahiers du Travail, in-12, 1921, p. 11, 17, 19 à 37, 40 à 50. — *Le Ciment* de F. Gladkov témoigne aussi d'un sentiment très profond de la nature mêlée à la vie révolutionnaire.

2. Cf. Trotsky, *Vie de Lénine*, I, 264; M. Vichniac, *Lénine*, p. 215.

revivent en pleine Terreur, une concordance précise
s'établit entre l'ordre de la nature et l'ordre de la Révolution, la seconde se modelant sur la première pour se
réaliser avec une plénitude et une force invincibles [1].

*
* *

Car la nature n'est pas seulement pour les révolutionnaires le monde des formes et des couleurs, des odeurs
et des sons; elle revêt la majesté d'un principe qui est,
au sens étymologique du mot, le principe par excellence,
origine des êtres et des choses, d'où s'échappent les
sources du bonheur, du droit, de l'éducation, de la politique et de la religion. La Nature, que l'on gratifie
d'une majuscule, devient ainsi une notion abstraite,
vague en son essence, donc mal définie; pourtant cette
notion, dans la vie de l'individu et de l'humanité, se traduit d'une façon concrète. Elle devient aussi une sorte
de divinité à la fois multiple et une. La pensée philosophique du XVIIIe siècle s'achève donc, chez les révolutionnaires, en un culte fervent : tout est dans la nature,
tout vient d'elle, tout retourne en elle. Le panthéisme
spiritualiste est familier aux grands esprits de 1789 et
de 1793. Dans l'ordre des affections humaines, c'est la
Nature, proclament-ils, qui est la seule inspiratrice et
le seul guide. Condorcet démontre que, si la bonté
morale de l'homme, résultat nécessaire de son organisation, est susceptible d'un perfectionnement indéfini,
c'est la Nature qui lie la vérité, le bonheur et la vertu [2].
Pour Vergniaud, les sentiments que nous éprouvons
sont aussi forts qu'ils l'étaient au plus lointain des âges,

1. Cf. Jaurès, *ouvr. cité*, La Convention, t. II, p. 1686.
2. *Esquisse d'un tableau historique des progrès de l'esprit humain* (*Œuvres
Complètes*, Paris, Didot, 12 vol. in-8°, 1847, t. VI, p. 263, et toute
la 10e *Epoque*).

et ils ne passeront jamais, puisqu'ils découlent de la Nature : « La succession des siècles a-t-elle affaibli dans le cœur humain ces sublimes et tendres affections (pour les pères, les épouses, la patrie et la liberté), ou énervé le courage qu'elles inspirent? Non, sans doute, elles sont éternelles comme la Nature dont elles émanent [1]. »

Il ne faut donc pas violenter la Nature en portant atteinte aux affections qui viennent d'elle. Or, les révolutionnaires sont contraints à des actes qui blessent les sentiments naturels : certaines mesures, certains décrets, certaines lois ont un caractère draconien. La guerre, la surveillance étroite des citoyens, la proscription, l'exil, la prison, la guillotine révoltent les cœurs sensibles et ouvrent un conflit tragique dans l'âme de ces hommes. Buzot s'écrie : « Hors la loi!... La Nature, l'humanité frémissent à de semblables horreurs... [2]. » Saint-Just déplore que la Nature soit « sortie du cœur des hommes », condamne l'athéisme intolérant d'Hébert et de Chaumette : « On aurait cru, dit-il, que l'on voulait bannir du monde les affections généreuses d'un peuple libre, la Nature, l'humanité, l'Être Suprême, pour n'y laisser que le néant, la tyrannie et le crime [3]. » Ainsi Nature devient synonyme de humanité. Au contraire, lorsque Fouché incite en termes énergiques une commission lyonnaise à prononcer des condamnations capitales : « Allons! mes amis, plus de lois! Nous sommes dans l'état de nature » [4], le mot évoque la dureté des êtres primitifs qui n'hésitaient pas devant le meurtre pour se défendre. Le mot est donc à double sens, à double fin, et ni Fouché, ni Saint-Just ne semblent avoir tort : la Nature ne commande-t-elle pas tantôt le bien,

1. *Œuvres*, p. 152.
2. *Mémoires*, p. 126.
3. *Œuvres Complètes*, t. I, p. 283; II, 314.
4. Barras, *Mémoires*, t. I, p. 184.

tantôt le mal ? Mais, au fond, les révolutionnaires estiment qu'elle commande le seul bien, puisque récla-
mer des têtes rebelles, c'est sauver l'humanité.

   Aussi, lecteurs attentifs de l'*Émile*, subordonnent-ils
l'éducation à la Nature. Les écoles, décrète Saint-Just,
seront à la campagne, et les enfants, sous aucun prétexte,
ne devront être frappés ni caressés : « On les laisse à la
Nature », dit Saint-Just. Vêtus de toile en toute saison,
ils couchent sur des nattes, sont nourris en commun,
ne vivent que de racines, de fruits, de légumes, de lai-
tage, de pain et d'eau. L'éducation est toute spartiate,
militaire et agricole [1]. Avec une hardiesse moins précise,
Danton, parlant sur l'instruction gratuite, affirme qu' « il
faut respecter la Nature, même dans ses écarts [2]. » Plus
encore, la Nature doit inspirer le droit. Mais, en cette
matière, la pensée des révolutionnaires, assez confuse,
se borne à des affirmations de principe ou à des projets
vagues. L'auteur de la *Théorie des Lois Criminelles*, Brissot,
veut établir dans la magistrature « l'ordre que prescrit
la Nature », cet ordre aboli en France, mais toujours
conservé en Angleterre, « et que je retrouve, dit-il,
jusque dans les forêts de la Dalécarlie, parce que l'homme
y est près de la Nature ». Ainsi l'on évitera que les jeunes
gens, à peine sortis des Écoles, « jugent si lestement leurs
concitoyens à mort. » Sage précaution, qui s'inspire de
la prudente lenteur de la nature : aux jeunes les causes
sans importance, aux hommes d'âge mûr les jugements
graves [3].

   Lorsque Vergniaud, après Brissot, défend la cause des
hommes de couleur et réclame pour eux l'égalité des
droits, il déclare que cette égalité les noirs « la tiennent
de la souveraine, de celle qui a fixé vos droits comme les

   1. *Œuvres Complètes*, t. II, p. 516-519.
   2. *Discours*, p. 533.
   3. *Correspondance et Papiers*, p. 15-17.

leurs, de la Nature ». Le 14 mars 1793, parlant à la
Convention sur la conspiration du 10 mars, il oppose la
fausse égalité, « fille de la haine et de la jalousie, toujours
armée de poignards », à la « vraie égalité, celle de la
Nature », qui, au lieu de les diviser, « unit les hommes
par les liens d'une fraternité universelle. »[1] C'est pourquoi le législateur doit consulter la Nature et obéir
à ses lois. Parlant, à propos des vendanges en Bourgogne,
de la misère paysanne, Mme Roland, qui s'inquiète
du problème agraire, déplore que « les législateurs ne se
reportent pas assez souvent dans les campagnes[2]. »
Si Danton lit Buffon, c'est « afin d'apprendre à revêtir
les questions sociales des belles images de la Nature »,
et de les rendre séduisantes à tous[3]. Lorsque Besson
dit à Robespierre : « Tes principes sont ceux de la
Nature », il veut parler sans doute des principes politiques et sociaux, moraux et religieux, mais il ne précise
pas[4]. Saint-Just ne précise pas davantage, lorsqu'il
affirme que, « si l'on donnait à l'homme des lois selon
la Nature et son cœur, il cesserait d'être malheureux[5]. »
Quelles sont ces lois naturelles? Saint-Just veut-il
parler des règles fondées sur le bon sens et l'équité, des
droits antérieurs à tout pacte et à toute société? Songe-
t-il à la définition de Montesquieu : « Les lois, dans la
signification la plus étendue, sont les rapports nécessaires
qui dérivent de la nature des choses »?[6] On n'oserait
l'affirmer.

Dans l'ordre politique, les affirmations sont aussi
généreuses, mais aussi vagues. Parlant sur la démonéti-

1. *Œuvres*, p. 19, 197.
2. *Lettres (1780-1793)*, t. II, p. 173.
3. Robinet, *Mémoires sur la vie privée de Danton*, p. 208.
4. *Rapport... par Courtois*, p. 101.
5. *Œuvres Complètes*, t. I, p. 419.
6. *De l'Esprit des Lois*, l. I, ch. 1.

sation des assignats, Danton conseille aux Conventionnels d'imiter la Nature, dont le seul but est la conservation de l'espèce; il est vrai qu'il s'empresse d'ajouter :
« Je ne me connais pas grandement en finances ». [1]
Pour Saint-Just il existe deux factions en Europe, « celle
des peuples, enfants de la Nature, et celle des rois,
enfants du crime. » Cette division arbitraire enchante le
peuple, en 1793; et, dans une emphatique comparaison,
Saint-Just développe la même antithèse : « Lorsque la
politique humaine attache la chaîne aux pieds d'un
homme libre, qu'elle fait esclave, au mépris de la Nature
et du droit de cité, la justice éternelle rive l'autre bout
au cou du tyran [2]. » On ne s'étonne pas d'ailleurs que,
pour Saint-Just, une République ne puisse « reposer
que sur la Nature et sur les mœurs », et que le patriote,
c'est-à-dire le révolutionnaire, soit l'homme qui a foi
en la Nature : « Celui qui ne croit pas à la Nature, dit-il,
ne peut point aimer sa patrie [3]. »

*
* *

Ainsi, tout se ramène à la nature, et tout est bon,
qui s'en rapproche. La Nature, comme le proclame
le paria de la *Chaumière Indienne*, est « vérité », parce
qu'elle est « l'art de Dieu » [4]. Elle est progrès, puisqu'elle
offre à l'homme deux paradis, celui des premiers âges,
l'Eden d'Adam et d'Eve, et le paradis des âges futurs où
s'acheminent lentement les générations toujours malheu-
reuses, toujours déçues, toujours bercées d'espérance.
Il est logique que la Nature finisse par apparaître aux
yeux des révolutionnaires comme une de ces divinités

1. *Discours*, p. 509-510.
2. *Œuvres Complètes*, t. II, p. 98, 503.
3. *Ibid.*, t. II, p. 101, 230.
4. P. 64-65.

païennes, bienfaisantes aux hommes. C'est elle qui préside à leurs travaux et à leurs jours, c'est à elle que, en
reconnaissant hommage, ils donnent des fêtes magnifiques, où l'épi de blé se marie à la fleur des champs.
Paris même offre une vaste plaine, légèrement ondulée,
bordée par un fleuve, entourée d'arbres séculaires, où,
le 14 Juillet 1790, la France vient communier dans le
culte nouveau de la patrie et de la liberté. Mieux, le
10 Août 1793, la fête de l'Unité et de l'Indivisibilité
est d'abord la fête de la Nature. Les députés de la
Convention portent à la main des épis et des fruits,
et les délégués des Assemblées Primaires des branches
d'olivier. L'immense cortège fait cinq stations, la première devant la statue de la Régénération, c'est-à-dire
de la Nature, représentée par une forte femme qui,
de ses deux mains, presse ses deux mamelles d'où jaillit
une eau pure et salutaire. Après des libations renouvelées
de l'antiquité, le président de la Convention, Hérault
de Séchelles, adresse à l'éternelle Nature un discours,
qui est une prière solennelle et fervente, « seule prière,
depuis les premiers siècles du genre humain, adressée
à la Nature par les représentants d'une nation et par
ses législateurs » [1], hymne où la « souveraine du sauvage
et des nations éclairées » reçoit l'hommage d'un peuple
libre : « C'est dans ton sein, déclare l'orateur, c'est dans
tes sources sacrées que [ce peuple] a recouvré ses droits,
qu'il s'est régénéré. Après avoir traversé tant de siècles
d'erreurs et de servitude, il fallait rentrer dans la simplicité de tes voies pour retrouver la liberté et l'égalité.
O Nature ! reçois l'expression de l'attachement éternel
des Français pour tes lois... » Ces paroles essentielles
traduisent avec exactitude la pensée profonde des
hommes de 1793. Et lorsque la voix de Hérault de

1. Jaurès, *ouvr. cité, La Convention*, t. II, p. 1641.

Séchelles s'est tue, la voix des envoyés des départements
exalte la même pensée : le principe d'égalité parmi les
hommes, les lois de la République, la liberté se confondent avec la Nature, dont tout émane [1]. Heure émouvante, vraiment religieuse. Ce que les hommes invoquent,
souligne un historien doublé d'un poète, ce n'est point
« la Nature défigurée par le regard débile et obscurci
de l'ignorant et de l'esclave; c'est la Nature telle qu'elle
se déploie pour le ferme regard qui sait et qui ose [2]. »
La Nature cesse d'être en effet une puissance de ténèbres,
de tyrannie et d'effroi; elle invite au contraire les hommes
à l'égalité, elle abolit les droits qui donnent à des hommes
le droit de domination sur d'autres hommes. C'est
donc elle qui est la véritable inspiratrice de la Révolution, et la nuit du 4 Août, aussi mêlée soit-elle d'illusions
et de calculs, est son œuvre.

Car l'esprit nouveau qui souffle, grâce à la Nature,
est celui de l'égalité; mais c'est aussi l'esprit de liberté,
d'affranchissement, sinon total, du moins assez large
déjà pour remplir l'homme d'orgueil. Cet esprit doit
s'étendre à tous les êtres : « J'imagine, écrit Jaurès,
que cette génération rêveuse et ardente, toute nourrie
de Rousseau, songea au bosquet de la *Nouvelle Héloïse*
lorsque des oiseaux délivrés « portèrent vers le Ciel
le témoignage de la liberté de la terre [3]. » La liberté,
voici que, en effet, elle se confond avec la Nature, ou,
plus intimement encore, voici que la Nature, c'est la
Liberté. Lorsque Coleridge, enthousiaste de la Révolution française, adresse son *Hymne à la France*, il traduit
avec force cette confusion magnifique, où l'homme
puise sa grandeur et ses droits : nuages, vagues de la
mer, forêts, chants des oiseaux, soleil, étoiles, « et toute

1. *Le Moniteur Universel*, 12 août 1793.
2. Jaurès, *ouvr. cité*, t. II, p. 1641.
3. *Ibid.*, t. II, p. 1642.

chose qui est et veut être libre, s'écrie le poète, témoignez
pour moi de quel cœur profond j'ai toujours adoré l'esprit
de la divine liberté! » Wordsworth, qui visite la France
en juillet 1790, constate la joie fraternelle des hommes
mêlée au rayonnement des cités ardentes et des prairies
embrasées : sur les routes publiques, dans les chemins
de traverse, au cœur des grandes villes et des villages
écartés, le voyageur trouve la bienveillance et la joie
répandues comme une odeur printanière; et il éprouve
un charme un peu mélancolique à voir « en plein air,
sous l'étoile du soir, les danses de la liberté », qui se
prolongent jusqu'au plus épais de la nuit [1].

Ainsi la Révolution française, en rendant un culte
sensible à la nature, fait « entrer dans l'humanité la
flottante et salubre liberté des choses, le mouvement
illimité des vagues, la large vie des souffles, le profond
murmure des feuilles, la pureté de la lumière [2]. » Les
historiens, qui se méfient des transfigurations poétiques,
n'insistent guère sur cette poésie, née de principes
abstraits, et vivifiée soudain par la réalité. Assimileront-ils,
avec un des leurs, moins réticent, l'espérance populaire
à l'aube qui se lève sur les cités et les lacs, la douceur
des villages enfin libres à la douceur des horizons joyeux,
le frisson de l'innombrable peuple au frisson de l'innombrable feuillage? Ce parallélisme harmonieux, que
Jaurès développe avec un rare bonheur d'expression,
leur semblera factice, propre tout au plus à fournir
des thèmes, poétiques en effet, à l'âme tendre des rêveurs
et des artistes. Mais c'est un danger pire de tomber
dans la sécheresse, de nier tout élan. Un enthousiasme
sincère porte les hommes de 1790 vers la nature, où on

1. Cf. C. Cestre, *La Révolution française et les poètes anglais*, Dijon,
Damidot, in-8°, 1906, en particulier, p. 1 à 204; 536 à 556.
2. Jaurès, *ouvr. cité*, *La Convention*, t. I, p. 763.

leur a fait croire qu'ils retrouveront, avec la pureté
des mœurs, la liberté et l'égalité perdues. Mirage d'une
heure, mirage salutaire : les joies qui viennent de la
nature se confondent, un instant, avec les joies qui viennent de l'homme. Est-ce d'ailleurs un mirage ? N'est-ce
pas plutôt l'aboutissement de la pensée du xviiie siècle,
et comme une manière nouvelle de concevoir la vie,
de réaliser l'âge d'or ?

Nouvelle, oui, comme la société qui s'organise douloureusement. Les révolutionnaires le sentent, peut-être
avec un peu de confusion, mais ce n'est pas un effet
du hasard s'ils s'efforcent de lier les principes de liberté
et d'égalité au principe naturel. Ils croient que les
premiers acquerront ainsi une puissance inébranlable
et une durée illimitée. La nature est éternelle, parce
qu'elle est divine. En elle les révolutionnaires découvrent
Dieu ; spiritualistes et déistes à la façon de Jean-Jacques,
ils s'élèvent directement à l'Être Suprême par le seul
intermédiaire de la création. C'est la nature qui inspire
à Mirabeau sa religion, c'est la vue de la mer qui rapproche l'âme de Brissot de l'âme divine, et, si le paysan
adore Dieu, c'est, affirme Buzot, grâce à la nature.
Pour Robespierre comme pour Jean-Jacques, le retour
à la nature signifie donc le retour à la religion évangélique ; Dieu est pour lui la loi morale, et il l'intègre à
la nature, à la bonté ultime des choses [1].

C'est la dernière étape de leur pensée, qui se dégage
avec lenteur, avec peine, d'un passé tout proche, où
elle demeure embarrassée de ses liens. Avant de franchir
cette étape, il faut souligner, sinon l'universelle compréhension de ces hommes, du moins leur universelle
sympathie ; car leur sentiment religieux naît de la notion

1. Cf. *Lettres d'amour de Mirabeau*, p. 95. — Brissot, *Mémoires*,
t. I, p. 165. — Buzot, *Mémoires*, p. 19. — Aulard, *Les Orateurs de la
Législative et de la Convention*, t. II, p. 357.

d'universalité. Par les routes sanglantes que leur impose le destin ils vont à l'humble chaumière, séjour des vertus, et veulent la paix fraternelle sous le regard des étoiles. La dure nécessité quotidienne, le cortège des misères, des corruptions, des intrigues, des trahisons, des luttes sans merci, des vengeances implacables, des crimes jugés nécessaires, les rapprochent de la nature consolatrice. Le culte qu'ils lui vouent n'est pas purement verbal. Leur langage conventionnel et déclamatoire, leur solennité attendrie et puérile, les effusions naïves de leur sensibilité trop jeune, qui associe le monde à leur propre allégresse, ne doivent pas faire tort à la sincérité de ce culte. Pendant la Révolution, une statuette représente un Jean-Jacques champêtre et démocratique, adossé à un arbuste, tenant une houlette enrubannée; et les représentants du peuple marchent dans les cortèges officiels, un bouquet de fleurs à la main. Le symbole ne hâte pas l'accomplissement de l'œuvre révolutionnaire, et il n'empêche pas la guillotine de couper les têtes; mais il participe à l'œuvre même, en ramenant la sensibilité humaine de son inférieure bestialité à ses manifestations les plus hautes.

CHAPITRE VII

LA SENSIBILITÉ RELIGIEUSE

Chartres, c'est-à-dire une petite ville endormie à l'ombre de ses beaux clochers, la solitude d'une rue et d'une maison provinciales, fermées aux bruits du dehors, l'horizon étroit d'une société et d'une famille très pieuses, une mère dévote, un frère prêtre, une sœur bigote, et le bigotisme partout autour de lui, tel est le milieu où grandit Brissot. Lui-même est un enfant pieux, soumis jusqu'à l'obéissance crédule. Tard encore, pour complaire à sa sœur, avec qui il est en lutte, il communie, sans confession il est vrai. Mais, brusquement, la lecture du *Vicaire Savoyard* lui ouvre les yeux. Le jeune homme se libère, ou plutôt essaie de se libérer. Car le sentiment religieux persiste en lui : son cœur est avide de croire, alors que sa raison, obéissant à la philosophie du siècle, s'y refuse. Brissot songe à se jeter dans un cloître; un Bénédictin l'en détourne. Que d'hésitations, de doutes, de reprises dans cette âme déchirée! : « Ma haine pour les prêtres me faisait renier Dieu, ma conscience me ramenait à lui, ma raison me rejetait dans le pyrrhonisme. » Brissot hésite ainsi entre l'athéisme et le déisme, atteste l'Être Suprême, voit Dieu dans la conscience et l'instinct moral, aboutit, sous l'influence de Diderot et de Jean-Jacques, à une sorte d'incrédulité raisonnée, de déisme sentimental, et, sous l'influence du clergé des États-Unis, à une sorte de religion sans dogme, de religion naturelle, faite de tolérance et de vertu [1].

L'exemple de Brissot est caractéristique : la courbe de son évolution religieuse est celle qu'ont suivie à peu près tous les hommes de sa génération. Une longue hérédité chrétienne, catholique, pèse sur les révolutionnaires de 1789, élevés pieusement dans leur famille, éduqués dans la foi traditionnelle par les Jésuites et les Oratoriens. Mais l'esprit philosophique, c'est-à-dire l'esprit de contrôle et d'analyse, mine peu à peu cette foi, sans la ruiner. Le drame qui se joue dans beaucoup de consciences s'explique ainsi, et il commande, non seulement la vie intérieure des révolutionnaires, mais leur politique. Rares sont ceux qui versent dans l'incroyance totale, l'athéisme ou la libre-pensée. Sans doute Condorcet ne se borne pas à combattre la superstition et l'imposture de la morale des prêtres, qui étouffent les « lumières », mais il attaque avec véhémence la religion en général et le christianisme en particulier, quitte à se rallier au quakérisme américain [2]. Sans doute Guadet, fidèle à la philosophie, étale son impiété, raille le christianisme, bafoue les effusions mystiques de Robespierre, Jacob Dupont veut substituer la science à la religion, Fabre d'Eglantine est anti-chrétien, Billaud-Varenne, écartant toute idée de Dieu et de despotisme religieux, fait une opposition énergique au religieux Robespierre [3].

Mais ce sont des cas exceptionnels, et Robespierre a tort d'accuser Hébert et Chaumette d'athéisme, car, même chez les athées de 1793, tant d'incertitudes

1. Brissot, *Mémoires*, t. I, p. 30, 37, 47 à 60; II, 353.
2. *Esquisse d'un tableau historique des progrès de l'Esprit Humain*, p. 29-30, 56-57, 89 à 103, 115, 141 à 167...
3. Cf. Aulard, *Les Orateurs de la Législative*, t. I, p. 404-405, 414; II, 160, 242, 495.

demeurent, tant de revirements s'opèrent! Chaumette
est tour à tour déiste, franc-maçon, athée, protestant.
Sous l'influence du *Vicaire Savoyard*, il a des attendrissements mystiques, il croit à l'existence d'un Dieu que
nous ne pouvons connaître, il parle sans cesse de lui,
les larmes aux yeux, il est trop sentimental vraiment
pour être un pur athée [1]. Quant à l'anticléricalisme
violent de Hébert, il cache, lui aussi, des persistances
religieuses qui arrêtent Hébert à mi-chemin : ne décou-
vre-t-il pas Dieu dans la Nature, ne déclare-t-il pas :
« Un bon prêtre est, à mes yeux, un ange [2] »? Inverse-
ment, le catholicisme orthodoxe subit des atteintes,
même chez les âmes les plus religieuses, même chez les
prêtres qui sont membres des Assemblées. Grégoire,
Camus, Fauchet, Don Gerle, Lamourette, Couthon...,
il est impossible de suspecter la sincérité religieuse de
ces hommes [3]. Mais si Grégoire, catholique par conviction
et par sentiment, n'abdique jamais sa foi, il confond
souvent le prêtre et le patriote, enferme son christianisme dans le dogme de la fraternité et mêle sa piété
de républicanisme. Si Camus, janséniste sectaire, théo-
logien étroit, ne concède rien de sa croyance, s'attaque
au pape et repousse la liberté de conscience, il estime
que l'égalité politique favorise l'état de grâce et il est,
en partie, responsable de la Constitution civile du clergé.
Si Fauchet a des attitudes de prophète inspiré et reste
prêtre, il veut unir, dans un néo-catholicisme qui rappelle
Fénelon et Jean-Jacques, le christianisme et la Révolution. Si Couthon lutte contre l'impiété, l'athéisme, l'esprit de l'*Encyclopédie*, il veut, lui aussi, une République
chrétienne, et son néo-catholicisme n'est pas orthodoxe;

1. Cf. *Papiers de Chaumette*, p. 87 à 90.
2. *Le Père Duchesne*, Lettres 243 et 368.
3. Cf. A. Mathiez, *Contributions à l'histoire religieuse de la Révolution française*, Paris, Alcan, in-16, 1907, p. 99 et suiv.

c'est Rousseau, c'est Fauchet, c'est Robespierre qui parlent par sa bouche... Bref, chez les plus sincères, la croyance religieuse est si intimement liée à la philosophie et à la politique que République et Christianisme se confondent, dictent aux Assemblées des actes incohérents, parfois contradictoires. La religion n'est plus au-dessus des gouvernements humains; elle est descendue sur la terre, ralliée à une forme de gouvernement. Ce n'est point une nouveauté. Le catholicisme a été, pendant des siècles, au service de la monarchie; il est curieux de le voir au service de la Révolution. Mais c'est pour lui, comme pour la Révolution, moins une force qu'un danger [1].

Entre l'incrédulité mitigée des uns et la foi tendancieuse des autres, voici la religiosité vague, le déisme commode et paresseux du plus grand nombre, la croyance sentimentale qui se contente d'être un instinct. Ce sont les Girondins surtout qui, disciples élégants des philosophes, se détachent du dogme avec désinvolture. Toutefois on trouve dans leurs *Mémoires* et leurs *Correspondances* les mêmes principes généraux : la religion est dictée par la nature, par le cœur et par l'amour; il existe une Providence secourable à l'homme; la vertu est un rayon de Dieu; l'âme est immortelle; la tolérance doit engendrer la fraternité. A l'heure de la mort, les Girondins se tournent vers une Providence que, peut-être, ils ont oubliée pendant leur vie. Leurs dernières lettres sont éloquentes à cet égard; invariablement, ils donnent rendez-vous aux leurs dans le sein de Dieu, et ils affirment que leur âme ne périra pas. La formule, aussi émouvante soit-elle, n'est pourtant qu'une formule;

1. Rien de tel dans la révolution russe; le matérialisme historique de Lénine combat l'idéalisme et la doctrine de « l'édification de la Divinité » (Cf. en particulier *Matérialisme et Empiriocriticisme. Œuvres Complètes*, t. XIII, p. xxiv, 313-314).

elle traduit une espérance suprême, non une foi raisonnée. Barbaroux, Brissot, Buzot, Louvet, Salle...
expriment, avec des nuances personnelles, ce déisme,
hérité, dit-on, de Jean-Jacques, mais dépourvu de la ferveur contagieuse et de l'élan qu'il avait chez le *Vicaire
Savoyard* [1]. Ils parlent de l'asile que leur offre une infa-
tigable Providence, de la confiance qu'ils ont en elle,
du séjour des justes qui les attend, des vues profondes
d'un Dieu équitable et bon : langage aussi païen que
chrétien, langage d'Épictète et de Sénèque autant que
de Jésus. Si le dernier entretien que l'on prête aux
Girondins la veille de leur mort est exact, il rappelle
les dialogues de Platon plus que l'Évangile : ces hommes
veulent mourir comme Socrate, et ils discutent, comme
lui, de l'immortalité avec une sérénité grave. Toutefois,
nulle prière ne monte à leurs lèvres, les cérémonies du
culte les laissent indifférents, et ils écartent le prêtre
comme le dogme.

La religion de Mirabeau est plus vague, plus impré-
cise encore, puisqu'elle se ramène au bien moral, à
l'élan du cœur, à la tolérance; celle de Danton n'est
pas plus assurée, puisqu'elle n'est qu'une charité, une
provisoire illusion du pauvre, un élément de justice et
de liberté, un moyen de gouverner les hommes; celle
de Camille Desmoulins est philosophique et nationale,
vide de substance [2]... *Dieu de l'Univers, Dieu national,
théisme universel, vie future,* tels sont les mots qui reviennent sous la plume de ces hommes. Chez tous on découvre

1. Cf. Barbaroux, *Correspondance et Mémoires*, p. 414. — Brissot,
Correspondance, p. 391. — Buzot, *Mémoires*, p. 41, 168, 181, 256-258.
— Louvet, *Mémoires*, t. II, p. 74-76. — Même langage chez Hoche
(Cf. *Revue des Deux Mondes*, 1er décembre 1927, p. 511 et 523).

2. Cf. *Lettres d'amour de Mirabeau*, p. 95, 120, 131-132, 172, 291-
294. — Danton, *Discours*, p. 182, 247, 599. — C. Desmoulins,
Œuvres, t. I, p. 90-91, 192, 194, 263; II, 154-158, 311, 375-376, 382.

un singulier mélange de philosophie et de christianisme,
des survivances millénaires et des audaces neuves.
Lorsque Hérault de Séchelles remplace Dieu par la
Nature, lorsque Chabot invoque la Sagesse divine,
lorsque A. Cloots passe du rationalisme militant au
déisme, puis au naturalisme, lorsque Barère se contente
d'une vague piété, lorsque Barras et Fréron s'élèvent
contre le fanatisme et recommandent la tolérance, ils
sont à la fois les disciples de Jésus et les élèves de Voltaire. Chez aucun d'eux la foi n'est intacte, mais chez
aucun d'eux elle n'est morte. Ils sortent de l'orthodoxie,
mais ils ne s'évadent pas de la croyance. Les déviations
mêmes du christianisme, jansénisme de Camus, théisme
de Camille Desmoulins, théophilanthropie de Larevellière-Lépeaux... ramènent inlassablement l'homme à
Dieu. Le culte de la Raison, la fête de l'Être Suprême,
malgré leur apparence païenne, gardent un caractère
religieux; l'esprit chrétien de Marat, de Saint-Just, de
Robespierre, de Couthon les anime, comme il anime,
à l'autre extrémité de la chaîne, le mysticisme lyonnais,
contre lequel s'évertue Chalier, le mysticisme panthéis-
tique et social de Boissel, précurseur de Saint-Simon,
le mysticisme de Catherine Théot, liée au bénédictin
Dom Gerle, et annonçant la venue du nouveau Rédemp-
teur, Robespierre [1]. Bref, la religion des révolutionnaires,
qui oscille de la raison voltairienne à la folie des illu-
minés, est une forme de la sensibilité plutôt qu'une
croyance dogmatique ou un acte de foi.

1. Cf. A. Mathiez, *Contributions à l'histoire religieuse de la Révolution française*, p. 2 à 35, 97 à 142, 146 à 196. — *La Révolution et l'Eglise*,
p. 2, 197. — *La Théophilanthropie et le culte décadaire*, p. 21, 91 à 95,
144-145, 195. — Jaurès, *ouvr. cité*, *La Convention*, p. 1064, 1552-
1561, 1814.

*
* *

Il en résulte une extraordinaire confusion de doctrines, et une confusion non moins extraordinaire dans les âmes. Athéisme, libre-pensée, déisme, théisme, théophilanthropie, mysticisme, religion naturelle, Raison, Être Suprême..., toutes les nuances de la sensibilité religieuse, depuis l'indifférence jusqu'au sectarisme, se reflètent en un immense arc-en-ciel. Bien plus, tel révolutionnaire passe de l'une à l'autre nuance, selon les besoins de sa conscience ou de sa politique. Il est impossible de fixer des limites et d'y enfermer les croyances. Nous sommes dans un monde mouvant, sous un ciel troublé. C'est pourquoi les interprétations des historiens, qui se penchent sur le problème religieux, diffèrent essentiellement : Michelet, E. Quinet, Louis Blanc, Taine ne sont pas d'accord; Aulard, P. de la Gorce, Mathiez, Jaurès... ne le sont pas davantage. Il se peut que tous aient raison, et que tous aient tort, car la religion des révolutionnaires est multiple, complexe, variable, chargée de passé, lourde d'avenir.

Comment ne le serait-elle pas, puisqu'elle émane de la sensibilité? Or, les historiens les plus favorables à la Révolution mettent parfois en doute la valeur profonde de cette sensibilité. C'est ainsi que Jaurès dénonce une hypocrisie sentimentale fréquente, selon lui, en matière religieuse, chez les hommes de 1789 et de 1793 : « Ils montent à l'autel sans croire, dit-il, mais avec le dessein de transformer en vague croyance déiste la foi traditionnelle du peuple », et c'est Jean-Jacques qui leur suggérerait cet arrangement un peu faux entre le respect extérieur de la pratique religieuse et un arrière-fond de rationalisme [1]. Sans doute il y eut des comédiens de la

1. *Ouvr. cité, La Constituante,* t. I, p. 538-539.

religion, et les plus religieux des révolutionnaires pour-
suivent un but politique. Mais la sincérité de la plupart
d'entre eux est incontestable [1]. Ce qui nous déroute,
c'est cette union de la sensibilité et de la raison, du christianisme et du rationalisme; il en résulte, d'une part,
une fidélité sans hypocrisie à la foi traditionnelle, d'autre
part un anticléricalisme qui ne désarme pas : « Anticléricaux, [les révolutionnaires] le furent abondamment,
écrit A. Mathiez, irréligieux très rarement, désireux de
faire passer leur irréligion dans les lois, jamais [2]. »

Anticléricaux, Condorcet, Louvet, Vergniaud, Guadet,
Dupont, Danton, C. Desmoulins, Fabre d'Eglantine...,
le sont en effet, puisqu'ils rejettent le dogme et s'atta-
quent au prêtre, dont ils veulent limiter ou ruiner la
puissance. Encore faut-il prendre garde, car les nécessités
politiques mettent des bornes à cet anticléricalisme.
En 1792, le budget des Cultes n'a pas de plus ardents
défenseurs que Basire, Danton, Condorcet, Robespierre,
esprits libérés, mais respectueux de la foi naïve du peuple,
de l'humble conscience du pauvre, qui ont encore besoin,
provisoirement, du prêtre [3]. Attaquer le culte, c'est
attenter à la moralité publique, donc à la Révolution,
fondée sur les notions de justice et de sentiment moral.
Ainsi le sort de la Révolution est lié au sort du culte.
Va-t-on, de ce fait, considérer Danton, Condorcet,
Robespierre comme des chrétiens orthodoxes? Ce serait
une aussi grave erreur que de les considérer comme des
anticléricaux, à la façon brutale de Hébert et des Hébert-
tistes, qui s'amusent aux gamineries sacrilèges, aux

1. Les historiens d'opinions et de tendances les plus divergentes,
P. de la Gorce, E. Champion, A. Gazier, A. Mathiez... le reconnaissent.
2. *La Révolution et l'Eglise*, Paris, Colin, in-16, 1910, p. 2.
3. Cf. l'article de Robespierre (fin décembre 1792), reproduit
par Jaurès : *La Convention*, t. I, p. 242.

parodies bouffonnes, aux scandaleuses processions[1].
Dans le *Père Duchesne*, Hébert donne de la voix, dépense
un talent courageux à combattre le culte et ses ministres
avec une truculence de langage qui atteint parfois les
sommets de la satire[2]. Ses attaques, un peu lourdes,
mais bien menées, réjouissent le peuple, dont le fanatisme anticlérical se porte aux violences, pèse sur les
Assemblées et les Clubs, plus réticents et plus tièdes.
Aussi l'œuvre religieuse et morale de la Constituante,
les mesures, souvent incohérentes, prises par les Assemblées entre 1790 et 1793, sont-elles en partie le résultat
de la pression populaire. A travers les multiples réformes
de détail, trois grands principes se dégagent : pour les
révolutionnaires, l'État est souverain en religion comme
en politique[3]; le catholicisme doit être absorbé dans une
religion de la patrie et de l'humanité; à Dieu et à la
Révélation s'opposent la Nature, la Raison, la libre
Volonté. Mais, à aucun degré, ce que nous appelons
l'anticléricalisme de la Constituante, de la Législative
et de la Convention n'est la négation du christianisme.
Au contraire ; si on bouleverse la discipline de l'Église,
on respecte le dogme; si les résistances du clergé et du
pape imposent aux Assemblées des mesures intolérantes,
la tolérance demeure la règle des moins croyants; si
la Convention précipite le mouvement laïcisateur, ce
mouvement est contrecarré par Robespierre même;
si la Montagne hésite entre Descartes et Rousseau,
le rationalisme et le sentimentalisme, l'État sans Dieu
et le déisme d'État, elle penche finalement vers Jean-
Jacques, vers le sentimentalisme, vers le déisme d'État

1. C. Aulard, *La Société des Jacobins*, t. IV, p. 477. — Jaurès,
ouvr. cité, La Convention, t. I, p. 241-243.
2. Cf. *Le Père Duchesne*, Lettres 24, 29, 30 à 41, 61, 72, 142, 138,
139, 183, 188, 198, 208, 210, 233, 243, 334, 347, 353, 356, 368, 371.
3. Cf. Mathiez, *La Théophilanthropie et le culte décadaire*, p. 21...

au point de mériter le nom de « Sainte Montagne »,
sainte grave, austère, redoutable. La seule pensée que
la France puisse être privée de tout culte lui cause,
en 1793, un « effroi moral » [1]. Car la sensibilité religieuse
persiste à travers le rationalisme : combattre la tyrannie
des prêtres, asservir l'Église à l'État, ce n'est pas, dans
la pensée des révolutionnaires, s'éloigner de Dieu, c'est
s'incorporer plus intimement à lui, c'est dégager sa
puissance des liens où de mauvais serviteurs la main-
tiennent.

Aussi toutes les tentatives de déchristianisation de la
France échouent; les plus hardies, en 1793 et en 1794,
n'atteignent pas le sentiment religieux. On a montré
comment elles le parodient, comment ses manifestations
demeurent sans effet, parce que ridicules ou grossières [2].
Divinisation de la Nature, fêtes nationales laïques,
culte de la Raison, sacrements républicains, mascarades
des Hébertistes..., la guerre au culte n'est souvent qu'une
parade ou une tyrannie. Tel historien catholique, retra-
çant les vicissitudes du clergé français pendant la Révolution, ne peut rester impartial devant cette guerre,
où son cœur vibre des souffrances endurées par les
nouveaux « martyrs ». [3] Au contraire, tel historien libéré
juge que cette guerre pouvait avoir sa grandeur, se
justifier par le désir de secouer le séculaire fardeau des
superstitions et des habitudes, de les secouer d'un seul

1. A. Mathiez, *La Théophilanthropie et le culte décadaire*, p. 707.
2. Cf. Aulard, *Le Christianisme et la Révolution*, p. 29 et suiv.;
Le culte de la Raison et de l'Etre Suprême, p. 17, 83, 107; *La Société des
Jacobins*, t. IV, p. 497. — A. Mathiez, *La Révolution et l'Eglise*,
p. 68 et suiv.
3. P. de la Gorce, *Histoire religieuse de la Révolution française*. Paris,
Plon-Nourrit, 3 vol. in-8°, 1909. Cette partialité respectable, qui
perce en beaucoup d'endroits (cf. t. III, p. 265 à 512), empêche
l'auteur de pénétrer au fond de la pensée religieuse des Conventionnels et, en particulier, de Robespierre.

coup brutal, pour libérer l'humanité des artifices de
l'Église et pour mieux saisir le mystère du monde;
mais il fallait avoir l'audace de détruire le christianisme,
d'écraser ses manifestations, au lieu de les parodier
bassement [1]. La critique est juste, un peu trop aisée :
car pouvait-on détruire alors le christianisme, enraciné
depuis tant de siècles? Son pire ennemi, l'hébertisme,
n'y songe pas; il injurie, se porte aux violences, puis il
hésite, se rétracte, sent le peuple se détacher de lui. Cette
déchristianisation superficielle n'est même pas athée,
et elle se heurte à des résistances puissantes: Robespierre,
soutenu par Danton, par Marat, par Saint-Just, par
Couthon..., s'oppose, pour des raisons politiques autant
que religieuses, à la campagne haineuse des Hébertistes,
plus sympathiques au peuple qu'aux Assemblées [2].
Tous sont animés, quelquefois à leur insu, par la pensée
chrétienne, tous croient en une Providence bienfaisante,
tous séparent habilement la religion de ses mauvais
disciples, tous, non moins habilement, veulent garder
au peuple ignorant une foi nécessaire, tous défendent
le culte et les prêtres, tous assimilent Dieu à la loi morale,
tous, sous l'influence de Jean-Jacques, souhaitent le
retour à la religion naturelle et évangélique, tous confondent le déisme avec la justice et la tolérance. Marat
condamne les philosophes qui ne croient pas en Dieu,
Danton respecte la superstition, Saint-Just défend l'Être
Suprême, Couthon pousse la dévotion jusqu'au fanatisme, frappe les impies, veut une République chrétienne [3]. Sans doute ces âmes ne sont pas toujours

1. Jaurès, *ouvr. cité, La Convention*, p. 1709.
2. Cf. Aulard, *Le Culte de la Raison et de l'Etre Suprême*, p. 65-82.
— Mathiez, *Contributions à l'histoire religieuse de la Révolution*, p. 118.
3. Dès 1789, dans un *Mémoire Judiciaire*, Robespierre se tourne
pathétiquement vers « le Juge éternel » (*Œuvres Judiciaires*, t. I,
p. 618).

assurées dans leur foi, des remous les agitent, la molle et incertaine complaisance de Danton ne s'accorde guère avec l'orthodoxie mystique de Couthon, Marat soutient que le christianisme favorise le despotisme, et il le condamne politiquement, à l'heure même où il le défend au nom de la tolérance, Saint-Just s'élève contre la vénalité de l'Église, au moment même où il défend ses prérogatives... Double face? Hypocrisie? On l'a supposé. Calculs politiques? Souvent [1]. Mais ces âmes présentent une complexité réelle; partagées entre le rationalisme et la foi, divisées contre elles-mêmes, elles restent individualistes avant tout : le Dieu de Robespierre, de Marat, de Saint-Just n'est plus celui de l'Évangile, ni celui de Saint Louis, ni celui de Bossuet.

Quel est donc ce Dieu? Celui de Jean-Jacques, a-t-on coutume de répéter. Peut-être; mais si le *Vicaire Savoyard* inspire les Montagnards, les Montagnards le transforment peu à peu, moins par conviction que par nécessité politique. Bien curieuse, à cet égard, la définition que Robespierre donne de Dieu en décembre 1792 : « Mon Dieu, c'est celui qui créa tous les hommes pour l'égalité et pour le bonheur; c'est celui qui protège la liberté et qui extermine les tyrans; mon culte, c'est celui de la justice et de l'humanité. [2] » *Égalité, Liberté, Justice,* ce Dieu est donc un Dieu républicain au service de la révolution jacobine. Déjà Grégoire confondait en lui le prêtre, sincèrement croyant, et le patriote dévoué à son pays, c'est-à-dire à la Révolution, et Saint-Just, devançant Robespierre, avait déclaré que « les contrées où l'Evangile est demeuré pur sont devenues républicaines [3]. » Aussi lorsque la Montagne veut donner au peuple une foi nouvelle, instituer un culte nouveau,

---

1. Cf. Aulard, *Le culte de la Raison et de l'Etre Suprême*, p. 210-215.
2. Cf. Jaurès, *La Convention*, t. I, p. 242.
3. *Œuvres Complètes*, t. I, p. 296.

cette foi est la foi dans la Révolution, ce culte est le culte de la Patrie et de l'Humanité. La Constituante avait préparé ce changement radical : « C'est l'attente messianique de la Régénération qui anime toutes les âmes en 1789, écrit Mathiez..., la croyance profonde au progrès indéfini, la vision prochaine d'un âge d'or placé dans l'avenir et non plus dans le passé [1]. » Nouvelle religion sans mystère ni surnaturel, d'où l'on peut craindre que, précisément, la sensibilité ne soit absente, où Dieu est un accessoire, la Patrie une source de bonheur, le patriotisme un mysticisme qui exige le sang de ses fidèles. Le culte de la Raison tend, lui aussi, à se confondre avec le culte de la Patrie : preuve, entre beaucoup d'autres, que la sensibilité perd, en effet, ses droits. Lorsque la Convention montagnarde institue le culte révolutionnaire de la Patrie avec ses rites, ses symboles, ses chants, ses cérémonies, ses statues, ses fêtes, ses jeux, ses offices devant l'autel de la déesse Patrie, elle élargit singulièrement l'idée de patrie, elle la crée même sous sa forme moderne. « Il est beau de ne prendre les armes que pour défendre sa liberté, proclame Saint-Just; celui qui attaque celle de ses voisins fait peu de cas de la sienne [2]. » L'Ancien Régime, confiant sa défense aux armées de métier, ne pouvait avoir cette conception presque mystique du citoyen patriote. La Révolution menacée fait appel à tous pour la sauvegarde de ses droits et la diffusion de ses idées. Déclarer la guerre à l'Europe, imposer la levée en masse, exige chez le peuple

1. *Contributions à l'histoire religieuse de la Révolution française*, p. 32. — Sur ce messianisme populaire, cf. Carlyle, *ouvr. cité*, t. III, p. 157. Rousseau n'est pas étranger à cette foi grandissante (Cf. A. Pauphilet, *Rousseau et l'Age d'Or. Revue Française de Prague*, 15 novembre 1935, p. 153).
2. *Œuvres Complètes*, t. I, p. 333. — La révolution russe, elle aussi, loin d'affaiblir le patriotisme, en fera un instrument de puissance prolétarienne et bouleversera la conception même de l'armée.

la notion d'un patriotisme qui soit une religion [1]. La Gironde, contre la Montagne, réclame imprudemment la guerre. La Montagne résiste, mais le courant l'entraîne. Les tyrans et les rois doivent être sacrifiés sur les autels de la Patrie. La Sainte Montagne institue le culte de la Sainte Liberté, de la Sainte Egalité, déclare « sacrés » *les Droits de l'Homme*, « divinise » Lepelletier, Chalier, Marat, honore Descartes au Panthéon. Jamais il n'est question de nier l'existence de Dieu : la Raison universelle, comme la Nature, est synonyme d'Être Suprême, sans qu'il y ait contradiction dans la pensée des révolutionnaires.

Mais, s'il est relativement facile d'exalter un peuple en divinisant l'idée de patrie, peut-on séparer la morale sociale de la croyance en Dieu et de l'immortalité de l'âme? Cette question, d'ordre philosophique plus que sentimentale, met en cause la nature et l'existence même du culte révolutionnaire, provoque la chute d'Hébert et de Danton. Robespierre essaie de la résoudre, d'autant plus qu'il est préoccupé de morale et que, en sa qualité de législateur, il considère l'athéisme comme un système insensé : le discours qu'il prononce aux Jacobins le 21 novembre 1793 est catégorique sur ce point [2]. Mais le texte capital, où il livre toute sa pensée, est le long *Rapport* qu'il présente, le 7 mai 1794, à la Convention. L'immoralité, proclame-t-il, est la base du despotisme, comme la vertu est l'essence de la République. L'idée de l'Être Suprême est sociale et républicaine, parce qu'elle est un rappel continuel à la justice. Il ne faut donc pas briser les liens qui unissent l'homme à Dieu, et, si l'on attaque un culte établi, ce doit être avec prudence : « Il y a loin de Socrate à Chaumette,

1. Cf. Mathiez, *Contributions à l'histoire religieuse de la Révolution française*, p. 20 à 35.
2. Cf. Aulard, *La Société des Jacobins*, t. V, p. 524.

Pl. IV

Fête a l'Être suprême
le 8 Juin 1794.

et de Léonidas au *Père Duchesne.* » Il faut combattre le
fanatisme aussi bien que l'athéisme, respecter la liberté
des cultes, rejeter les prêtres, car « le véritable prêtre
de l'Être Suprême, c'est la Nature ». Le peuple français
instituera donc des fêtes en son honneur, reconnaîtra
l'existence de l'Être Suprême et de l'immortalité de
l'âme et ramènera le culte de l'Être Suprême à la pratique des devoirs de l'homme [1]. Le 21 novembre de la
même année, un discours aux Jacobins précise, en trois
formules, la pensée de Robespierre : « Poursuivre le
fanatisme est le meilleur moyen de le faire naître;
l'athéisme est aristocratique; si Dieu n'existait pas, il
faudrait l'inventer [2]. » Robespierre, sans se soucier
aucunement d'ailleurs de soutenir le catholicisme, n'a
pas de peine à *inventer* Dieu. On a ramené strictement
sa religion au déisme [3]. Mais ce déisme se rapproche de
plus en plus du *Vicaire Savoyard* et cherche à s'approprier
les thèmes sentimentaux de Jean-Jacques; sa morale se
fonde sur la conscience, cet « instinct divin », cette
« immortelle et céleste voix », selon l'auteur de l'*Émile.*
Or, voici que, à l'appel de cette voix, pleine d'une
sainte autorité, les résistances fléchissent. Sans doute,
malgré Danton, malgré Robespierre, la Convention
applaudit ses orateurs anti-religieux, les *Exagérés* et les
Indulgents, et veut déchristianiser la France, tandis que
les Jacobins combattent l'Être Suprême. Tous sentent
que, sous les formules vaguement sentimentales des
défenseurs de la religion, la superstition se cache, prend
un autre visage. Mais la politique se mêle à la lutte
religieuse. Robespierre est tout puissant, et redouté.
Ne vient-il pas de faire exclure Cloots des Jacobins?

1. *Œuvres choisies de Robespierre.* Éd. Laponneraye, t. III, p. 607.
2. Cf. Jaurès, *La Convention,* p. 1713. — Mathiez, *La Révolution
et l'Eglise,* p. 120 à 145.
3. Cf. Mathiez, *La Révolution et l'Église,* p. 69.

Au lendemain de la mort de Danton n'a-t-il pas fait annoncer par Couthon la fête prochaine de l'Être Suprême? Soucieux de ne pas créer un divorce entre le déisme philosophique et la multitude chrétienne, respec-tueux des survivances du passé, voulant amener peu à peu le peuple de la foi chrétienne au déisme rationnel par la lente évolution des consciences, il apparaît comme un prêtre. « C'est un prêtre qui a ses dévotes, déclare dédaigneusement Condorcet. Robespierre n'est qu'un prêtre et ne sera jamais qu'un prêtre [1]. » Devant ce prêtre orgueilleux, sectaire, mais d'une exceptionnelle probité morale, tous, d'abord, s'inclinent. La Commune renie la déchristianisation, les Jacobins se rallient aux principes de l'existence de Dieu et de l'immortalité de l'âme; Payan marque à la Convention son plein accord avec la pensée religieuse de Robespierre. Le mouvement aboutit, dans une apothéose, à ce culte de l'Être Suprême, où l'on retrouve l'esprit de Jean-Jacques. Mais Rousseau reconnaîtrait-il l'Être Suprême de l'*Émile* et du *Contrat Social?* Carnot en donne une définition si large que tout, depuis la tendresse maternelle et l'amitié jusqu'à la justice et l'amour de la patrie, se confond avec cet être illimité [2]. L'Être Suprême, qui est Nature, Raison, Sentiment, est moins une divinité que l'aspiration géné-reuse de la Révolution : la société nouvelle s'adore elle-même en lui [3]. Le détail magnifique de la fête du 8 juin 1794 n'a qu'une valeur symbolique. Ce qui importe, c'est l'esprit qui l'anime, cet esprit que Robespierre traduit en deux beaux discours, où la pompe d'un lan-gage, violent parfois, ne fait pas tort à la hauteur de la pensée : Guerre à l'athéisme, comme aux rois et aux

1. Jaurès, *La Convention*, p. 247.
2. Cf. Aulard, *Le Culte de la Raison et de l'Être Suprême*, p. 293.
3. Cf. G. Lefebvre, *Foules révolutionnaires* (*Annales historiques de la Révolution française*, janvier 1934, p. 20).

tyrans! Dieu qui, « dès le commencement des temps,
décréta la République », est un Dieu de justice et d'é-
galité, de liberté et de vertu. C'est pourquoi le peuple
de la Révolution se tourne vers lui : « Homme, qui que
tu sois, tu peux concevoir encore de hautes pensées
de toi-même; tu peux lier ta vie passagère à Dieu même
et à l'immortalité. » Le second discours s'achève par
une prière solennelle et émouvante [1]. Aussi apprêtées
que soient les paroles de l'orateur, elles produisent un
effet puissant, remuent l'orateur et la foule. Avant de
paraître en public, Robespierre, raconte Vilate, est
plongé dans « l'ivresse de l'enthousiasme », et l'émotion
l'empêche de manger. D'autre part, le *Moniteur Universel*,
le rapport de Payan à la Commune soulignent le succès
de la fête; les gens du peuple ont été si heureux qu'ils
ne peuvent se remettre au travail. « Les sensations qu'ils
avaient éprouvées avaient été si douces qu'ils s'y livraient
encore et jouissaient du souvenir même [2]. »

Pourtant il semble que l'émotion demeure superficielle et que la curiosité l'emporte sur le cœur. La religion n'est plus un instinct, elle est un calcul, et, tout
en voulant rester un acte sensible, elle s'intellectualise.
Si Robespierre incline vers la pensée chrétienne, c'est
parce qu'il cherche dans l'adaptation moderne du christianisme, dont il respecte l'action sur les âmes, un ren-
fort moral. Son pessimisme n'ignore pas en effet que la
Révolution sera impuissante à détruire toutes les iné-
galités sociales; cette triste pensée explique son recours
à la religion, le drame qui se joue en lui, la profondeur
de son émotion, la persistance de sa mélancolie [3]. Ses
collègues, ses rivaux, ne le comprennent pas; la Fête

1. *Œuvres choisies de Robespierre*, t. III, p. 655-659.
2. Cf. Aulard, *Le culte de la Raison...*, p. 307 à 327.
3. Cf. Jaurès, *La Convention*, t. II, p. 247-250.

de l'Être Suprême l'isole, le fait apparaître comme un dictateur ambitieux. Le jour de son triomphe marque sa chute; on murmure, on l'insulte, il se sent perdu. On lui en veut, on lui en voudra toujours d'avoir incarné une foi nouvelle, d'avoir substitué à la tyrannie d'une religion la tyrannie d'une autre religion. Ainsi, près de cent ans plus tard, l'insurgé Jules Vallès déclare : « Je hais Robespierre le déiste », et crache sur le gilet de Maximilien [1]. Plus respectueux, mais non moins acerbe, l'aristocratique Renan s'était écrié : « Quel enfantillage ce fut de célébrer la fête de la Raison, quand la Raison avait pour armée un peuple inintelligent, excessivement peu raisonnable, versatile et armé de piques et de mauvais fusils! » Oui, mais enfantillage prophétique. Les révolutionnaires agissent dans le sens même que préconise Renan : « Quand la Raison sera toute puissante, c'est alors qu'elle sera vraie déesse », déclare le philosophe, pour qui le règne absolu de la raison ne fait aucun doute [2]. Est-il juste de reprocher alors aux hommes de 1794 une anticipation sur le développement intellectuel de l'humanité?

Robespierre mort, la plus haute pensée religieuse de la Révolution disparaît, le culte de la Patrie et de l'Être Suprême s'évanouit, l'effort de la Montagne pour transformer le culte de la Patrie en une religion d'État est compromis. En 1796, la théophilanthropie, malgré ses « croyances de sentiment » et son rituel qui cherche à émouvoir la sensibilité par les mêmes moyens que le catholicisme, est incapable de convaincre, d'émouvoir [3]. Le peuple est las; en moins de cinq ans, on l'a fait passer du catholicisme traditionnel à l'adoration

1. *L'Insurgé*, p. 298.
2. *Dialogues philosophiques*, p. 114.
3. Cf. Mathiez, *La Théophilanthropie et le culte décadaire (1796-1801)*.

de la Nature, de l'adoration de la Nature au culte
de la Raison, du culte de la Raison à celui de l'Être
Suprême, du culte de l'Être Suprême à la Théophilanthropie... Les formules varient, mais elles se ressemblent,
et elles ont le tort de n'être que des formules; l'ignorance subsiste, l'esprit n'a pas libéré l'esprit, et, surtout,
aucune puissance affective profonde n'a été mise en
jeu.

C'est pourquoi Michelet, Edgar Quinet, les républicains philosophes du XIXᵉ et du XXᵉ siècles constatent
l'échec religieux de la Révolution et le déplorent [1].
Mais cet échec n'est pas total. La confusion des doctrines,
la coexistence chez les mêmes hommes de tendances
contradictoires ne doivent pas empêcher le moraliste
de dominer un débat où s'affrontent, une fois de plus,
l'esprit critique et la sensibilité. La rencontre du rationalisme et du christianisme crée des conflits fatals et
nécessaires; les deux forces tendent à s'équilibrer, et,
désormais, resteront aux prises. Avec une lenteur douloureuse, quatre principes se dégagent : principe de
tolérance, principe de la conscience humaine, capable
de remplacer la foi, principe de la liberté de cette
conscience, principe de la raison qui est, comme la
foi, dispensatrice de lumière. Ces principes entraînent
une adhésion sentimentale autant qu'une adhésion
spirituelle; croire que la raison et la conscience peuvent
construire une société idéale n'est pas faire œuvre de
matérialisme, mais de spiritualisme, puisque la raison

1. Ainsi Michelet, pour qui la Révolution n'est rien sans la
révolution religieuse, regrette que la première n'ait pas réalisé la
seconde, en établissant le rapport de l'homme à Dieu sur un dogme
neuf et fort. « Elle ferma un moment l'église et ne créa pas le temple. »
(*Ouvr. cité*, t. V, p. 403-404).

est, pour les révolutionnaires, une étincelle de la divinité. Dans le *Tableau historique des progrès de l'esprit humain*,
Condorcet montre la raison qui pousse l'espèce humaine
vers un progrès indéfini, fait reculer la Mort même,
ouvre, au seuil du néant, de sublimes espérances; l'homme
devient une partie du grand Tout, le coopérateur d'un
ouvrage éternel [1]. Tel est le frisson nouveau, où les formes
supérieures de la sensibilité animent l'esprit le plus
lucide et le plus clairvoyant. Les révolutionnaires se
déchirent, ont, comme tous les hommes, des pensées
mesquines, des jalousies, des fureurs, des haines, com-
mettent des fautes, versent le sang. Mais ils sont unis
par un invisible lien idéal; chrétiens ou libres-penseurs,
ils retrouvent dans l'épreuve une sorte de foi commune,
qui vient aux uns de Jésus, aux autres de Platon. La
crise révolutionnaire exalte en effet dans leurs âmes le
sens de la vie immortelle. L'échafaud emplissait-il
la ville « d'une lueur d'immortalité », comme le dit
magnifiquement Jaurès? [2] C'est peut-être lui conférer
un prestige qu'il n'avait point en 1793. Mais il reste
vrai qu'une lueur consolante a brillé, pour beaucoup
de victimes, sur le couperet de la guillotine. Aussi détaché
que l'on soit de toute religion, c'est une raison suffisante
pour qu'on respecte les formes, même les plus imprévues
et les plus choquantes, de la sensibilité religieuse pendant
la période révolutionnaire.

1. Cf. *Œuvres Complètes*, t. VI, p. 273, 574, 575, et *Sur l'Instruction
Publique*, 1er *Mémoire*; t. VII, p. 183.
2. *Ouvr. cité, La Convention*, t. II, p. 1808; cf. également, p. 1797-
1798.

CHAPITRE VIII

LE RECOURS A L'ÉLOQUENCE

La nature et la religion entrent donc au service de la cause révolutionnaire et appuient les desseins du jacobinisme. Faut-il voir dans cette adaptation une ruse destinée à des fins politiques? Personne n'ose traiter de palinodie le culte de la Nature et de la Raison, de la Patrie et de l'Humanité. Les excès de ce culte n'empêchent pas celui-ci d'être sincère en effet, parce qu'il est le résultat d'une évolution lente, mûrie par le xviiie siècle, et non pas d'une improvisation dérisoire. La logique des événements, plus encore que la volonté des hommes, commande cette évolution, la dirige, la précipite, sous l'influence de la crise où se débat un peuple entier. Toutes les forces ne sont-elles pas nécessaires pour construire une société nouvelle? Recourir à ces forces, les plier aux tâches impérieuses qui ne permettent aucune négligence ni aucune défaillance, est indispensable. Un Dieu républicain peut se concevoir quand il s'agit de fonder une République, et la nature, comme la raison, peut être déifiée, quand il s'agit d'asseoir les droits de l'homme sur les principes de la Nature et de la Raison. Un proche avenir, une fois l'œuvre accomplie, se charge de corriger les intempérances et de redresser les erreurs.

Or, une force nouvelle est mise au service du peuple

que l'on proclame « souverain »; puisque ses représentants siègent en Assemblées, la parole reprend tous ses droits, et l'éloquence entre en jeu. Le peuple même se fait entendre, porte ses revendications à la tribune, intervient dans les débats. La monarchie avait, dans l'ordre politique, supprimé toute vie oratoire; la Révolution, en instituant le régime parlementaire, ressuscite la parole, lui donne une dignité nouvelle. L'éloquence, comme les sentiments affectifs, comme la nature, comme la religion, comme le civisme, entre à son service. Elle est moins un genre littéraire que l'expression directe d'une pensée qui s'exprime souvent à l'improviste. Les révolutionnaires n'oublient pas que, à Athènes, tout dépendait de la parole, à commencer par le peuple; la parole devient donc pour eux une arme autant qu'un moyen de séduction, et ils en usent avec cette idée qu'un seul mot peut déclencher le couperet de la guillotine. Les uns applaudissent à la résurrection d'une éloquence qui n'a jamais été si multiple, si ardente, si passionnée; les autres se défient de cette éloquence, qui leur paraît dangereuse par son élan même. Admiration d'un côté, indifférence ou mépris de l'autre : deux conceptions se contrarient, deux tempéraments se heurtent, et la lutte entre la sensibilité et la raison prend un aspect nouveau. Les révolutionnaires, qui s'attachent d'abord aux réalités immédiates et qui n'admettent pas qu'on s'éloigne du matérialisme imposé par l'histoire, repoussent le recours à l'éloquence. Sans doute il faut parler aux Assemblées et aux foules; mais la parole simple et nue doit suffire. Ainsi Saint-Just, à quelques exceptions près, se contente d'un discours laconique, clair, précis, discipliné [1]. Ainsi Lénine dénonce avec vigueur le règne de la phrase, qu'il appelle « un

1. Cf. Marie Lenéru, *Saint-Just*, p. 51-53.

mal tenace comme la gale », s'attaque au style « immo-
dérément fleuri », dénonce les « monstrueuses exagéra-
tions » qui sonnent faux [1]... Saint-Just et Lénine n'en
sont pas moins d'excellents orateurs, dont la manière
sobre et directe, classique en quelque sorte, emporte
l'adhésion des foules. Mais leur classicisme s'oppose
précisément au « romantisme », que Lénine pourchasse
dans l'ordre de la pensée et de l'action comme dans la
parole [2]. Beaucoup plus nombreux en effet sont les
révolutionnaires pour qui la parole doit être la traduction
de l'idéalisme humanitaire et sentimental qu'ils servent
avec une foi sincère. Les mots *idéalisme, sentiment,* reviennent sans cesse dans leurs discours et forment un accou-
plement nécessaire. A distance, la plupart des historiens
et des critiques emploient le même langage pour les
louer d'avoir sauvé par la parole l'idéalisme traditionnel
de la race, et soulignent la « sentimentalité facile »,
le « sentimentalisme humanitaire » des orateurs. Il leur
plaît que, même à l'apogée de la Terreur, l'éloquence
française reste « idéaliste, morale, mystique » [3]. N'est-ce
pas une nouvelle victoire que la sensibilité remporte sur
la raison? N'est-ce pas, en même temps, la victoire de
l'enthousiasme et de l'élan sur le calcul et l'abstraction?
Une fois de plus, les tempéraments différents créent
des manières différentes de penser, d'agir et de parler.
L'étude des textes prouve, en dehors de toute controverse, que les révolutionnaires établissent volontiers
une étroite corrélation entre l'art oratoire et la sensi-

1. *Œuvres complètes,* t. VII, p. 146.
2. Cf. V. Serge, *L'An I de la Révolution russe,* p. 195. — *Lénine tel
qu'il fut,* p. 22. — M. Marx, *C'est la lutte finale,* p. 184. — L'éloquence
de Jaurès, essayant de concilier l'idéalisme et le marxisme, paraît,
aux yeux de Lénine, frappée d'opportunisme, comme l'éloquence
de la Gironde le semble à la Montagne.
3. Cf. Marc Sangnier, *Aux sources de l'Eloquence,* Paris, Bloud,
in-12, 1909, p. 185, 240, 251.

bilité. Il leur semble naturel que le premier découle de celle-ci. Le secret de cet art pour Mirabeau, qui semble écarter parfois l'idéalisme révolutionnaire et l'idéologie à la mode, « c'est d'être passionné ». « Une vive sensibilité est souvent la mère d'une admirable éloquence », déclare Barnave. « Te voyant éloquent, je te croyais honnête et sensible », écrit Brissot à Linguet; et Merlin de Thionville affirme que, « pour être éloquent, il faut de grandes vertus ou de grands vices [1] ». Élargissant la question, Vergniaud, Robespierre, Barnave voient dans les passions un moyen puissant de gouverner les hommes; or, c'est l'éloquence qui excite ou dirige les passions, qui émeut la sensibilité, et c'est la sensibilité qui fonde les Républiques [2].

Aux témoignages nombreux des révolutionnaires se joignent les affirmations des historiens et des critiques littéraires, qui soulignent la pathétique émotion des discours prononcés à la tribune. Un choix, souvent habile, isolant quelques « morceaux à effet » et quelques phrases à l'emporte-pièce, crée une tradition littéraire dont l'artifice saute aux yeux : l'éloquence révolutionnaire est ramenée à la voix tonitruante de Danton, aux gamineries géniales de Camille Desmoulins, à la froideur compassée de Robespierre, aux glapissements de Marat, aux sonorités lyriques de Vergniaud..., et il est entendu, *a priori*, que cette éloquence participe de l'antique et du néo-classicisme, mais se réchauffe à la flamme du patriotisme le plus ardent. Les Assemblées tremblent d'admiration, le public applaudit, les lois sont votées dans un enthousiasme que suscite un verbe irrésistible.

1. *Lettres d'amour de Mirabeau*, p. 160. — Barnave, *Œuvres*, t. IV, p. 204. — Brissot, *Mémoires*, p. 96. — *Vie et Correspondance de Merlin de Thionville*, p. 184.
2. Vergniaud, *Œuvres*, p. 53. — Barnave, *Œuvres*, t. II, p. 42. — Michelet, *ouvr. cité*, t. II, p. 178.

Il faut écarter ce poncif, examiner de plus près une question qui prête à la controverse. M. Aulard a consacré deux ouvrages importants à l'éloquence des membres de la Constituante, de la Législative et de la Convention. Or, cette éloquence, il la qualifie très souvent de *passionnée, émouvante, enflammée, pathétique.* De Mirabeau à Danton, de Vergniaud à Robespierre, la plupart des orateurs lui paraissent sensibles au meilleur sens du mot, sensibles à la manière de Jean-Jacques : « Ils pensent, dit-il, que la vraie source du pathétique oratoire est dans la sensibilité ». Leur idéal est Saint-Preux traitant des sujets de politique ou de morale, Émile s'exerçant à la parole [1]. Mais Sainte-Beuve avait caractérisé cette même éloquence d'une toute autre façon : *romaine, latine, lourde, grave, ferme, nombreuse, stoïque,* et *de rare éclat* [2]. M. Munier-Jolain, à propos de l'éloquence parlementaire, juge comme Sainte-Beuve : « On pourrait croire, dit-il, que la sentimentalité à la Jean-Jacques en honneur au barreau à la fin du XVIIIe siècle va se donner libre cours, et que le tragique des événements serait propice à son développement. Or, il n'en est rien. Les plaidoiries marquent le retour à l'ancien art classique. » D'une façon générale, « l'éloquence révolutionnaire est d'essence classique ». Le fait est d'autant plus important que beaucoup de révolutionnaires sont des magistrats et des avocats. M. Munier-Jolain conclut : « C'est au moment qui paraissait le moins fait pour ce divorce que le divorce de la pensée française avec l'idéal sentimental a lieu [3] ». Qui a raison, Sainte-Beuve et Munier-Jolain, ou Aulard ?

1. *Les Orateurs de la Législative et de la Convention,* t. I, p. 31-32.
2. *Portraits contemporains,* t. III, p. 36-37.
3. *La plaidoirie dans la langue française,* Paris, Marescq, 3 vol. in-8°, 1897, t. III, p. 15 à 18.

*
* *

Il est très difficile de répondre, d'abord parce que
nous n'avons des discours prononcés à la tribune que
des textes inexacts, tronqués, déformés par l'esprit de
parti; même les comptes rendus du *Moniteur Universel*
et des trois autres journaux qui reproduisent les débats,
sont infidèles, sujets à caution. Les discours qu'on nous
propose sont remaniés, ou fabriqués de toutes pièces,
après la séance, et leur valeur historique n'est guère plus
grande que les discours de Tite-Live ou du *Conciones:*
ainsi les discours de Vergniaud, refaits et abrégés par
Lamartine, ainsi les discours de Danton, péniblement
reconstitués par M. A. Fribourg. Ensuite, quand nous
avons un texte à peu près établi, le ton, l'accent, les
gestes de l'orateur, les interruptions et les applaudisse-
ments de la salle, les mouvements de séance, l'atmosphère des débats sont à jamais disparus; de cette éloquence
ardente, toute en acte, nous n'avons plus que la cendre
froide. Devant le Tribunal Révolutionnaire, Vergniaud
prononce des paroles « dont on sent encore l'émotion
dans la page étroite où elle est sèchement résumée »,
dit M. Wallon [1]; mais comment en juger, puisque le
texte nous manque? Enfin, notre manière de sentir
et de réagir n'est plus celle des révolutionnaires. Leur
esprit est mort en nous; ce qui provoque leurs larmes
ne nous émeut pas, nous semble même parfois ridicule.
Camille Desmoulins rapporte l'effet produit le 22 juin
1791 par le discours que Robespierre prononce aux
Jacobins; cet effet est un effet sensible, qui bouleverse
les cœurs. Or, si nous relisons ce discours sur la fuite
de Louis XVI, il nous paraît sobre, précis, courageux;

---

1. *Histoire du Tribunal révolutionnaire*, t. I, p. 393.

mais rien, si ce n'est la courte péroraison, ne nous semble pathétique [1]. Camille Desmoulins nous trompe-t-il donc? Non; il est sincère, ému. Le pathétique vient pour lui de l'orateur et des événements; il disparaît pour nous. De même, s'il est vrai que l'éloquence de Lally-Tollendal soit « un flot du cœur » [2], l'expression, aujourd'hui, se retourne contre lui, car de cette improvisation sentimentale, qui bouleversa les contemporains, il ne subsiste qu'un souvenir. La gloire de la tribune, comme celle du théâtre, est une gloire éphémère, et l'orateur n'est qu'un acteur, au sens propre du mot.

Il est victime, lui aussi, des variations du goût et de la mode. Qui donc ne raille aujourd'hui la manière néoclassique des orateurs de 1793? Contemporains de David et d'André Chénier, ils pillent le *Conciones*, se plaisent aux réminiscences antiques, évoquent les grands hommes de Plutarque, stylisés dans leurs livres de classe [3]. Que nous importent Brutus et César, les Gracques et Coriolan! Pour nous, ces souvenirs glacent l'éloquence la mieux venue, et nous jugeons dérisoire qu'un homme préoccupé de graves problèmes actuels veuille ressembler aux contemporains de Solon ou de Lycurgue. Mais nous commettons une erreur de jugement. Car, pour les révolutionnaires, ces rappels d'une antiquité qu'ils ont appris à chérir dès le collège sont lourds d'émotion et, malgré l'artifice, ont une valeur d'exemple. Lorsque, dans un discours, se profile l'ombre de Cincinnatus au mancheron de sa charrue ou de Philopœmen en

1. *Œuvres choisies de Robespierre*, t. I, p. 136.
2. Aulard, *Les Orateurs de la Révolution. L'Assemblée Constituante*, p. 363-371.
3. Le parti-pris de Brunetière ne veut voir dans cette évocation qu'un « idéal de fausse vertu, sentimentale et déclamatoire ». (*Manuel de l'Histoire de la Littérature française*, Paris, Delagrave, in-12, 1899, p. 84.)

train de fendre du bois, ceux-là sont touchés jusqu'aux
larmes qui se sont retirés dignement au village ou qui
n'ont pas de servante pour les usages domestiques.
L'assimilation est naturelle, spontanée, entre le héros
selon Plutarque et le révolutionnaire sensible. Quel
enthousiasme, lorsqu'un orateur évoque Aristogiton plon-
geant son poignard dans le sein du tyran! L'Assemblée,
les tribunes se sentent revenues aux temps des salutaires
vengeances. L'art oratoire s'apparente alors à l'art
dramatique et vise aux mêmes effets que les tragédies
historiques de Marie-Joseph Chénier. Il vit précisément
par ce que nous croyons mort, il garde une vérité humaine
alors que nous le jugeons faux, et l'élément sensible
perce sous l'artifice. Isnard, par exemple, excelle au
pathétique de la tribune, fait frémir l'Assemblée et le
peuple par l'alliance emphatique du geste et de la parole,
cherche les scènes théâtrales, mélodramatiques. Lorsque,
le 18 décembre 1791, s'adressant aux Jacobins, il brandit
une épée pour accentuer son discours sur la politique
girondine, Robespierre proteste et supplie l'Assemblée
« de supprimer tous ces mouvements d'éloquence matérielle qui peuvent entraîner l'opinion dans un moment
où elle doit être dirigée par la discussion la plus tranquille [1]. » Robespierre a raison; mais Isnard n'a pas
tort, puisque son éloquence répond au goût de l'époque
et entraîne l'auditoire, quel qu'il soit. Nous la jugeons
artificieuse; cet artifice, pour les contemporains, est
le comble de l'art.

Artificieuse également cette rhétorique redondante
que le collège enseigna aux révolutionnaires. On a dit
que, dans les plaidoiries, « la sensibilité prend la place
de la logique, la phrase palpite, bouillonne, se termine
par des points d'interrogation ». [2] La remarque vaut

1. Cf. Aulard, *Les Orateurs de la Législative*, t. II, p. 74.
2. Munier-Jolain, *ouvr. cité*, II, 168.

davantage pour les discours politiques. Faut-il se moquer des apostrophes, des invocations, des prosopopées, des dialogues, des scènes imaginées, de ces jeux grammaticaux usés et fatigants ? Dans tous les temps et dans tous les pays l'art oratoire, comme le lyrisme, y recourt. Les révolutionnaires n'en usent point sobrement, car ils parlent en hommes d'action, et ils miment leurs discours, tel Diderot ses drames ; ils les miment d'autant plus qu'ils s'adressent à la foule. Marat, Danton, d'autres encore, excellent dans cette mimique, et le discours, souvent improvisé, devient harangue populaire. Le fait que, aujourd'hui, la lecture de ces discours est ennuyeuse ne tire donc point à conséquence. Si on leur restitue la vie dramatique qu'ils eurent en pleine action révolutionnaire, on leur restitue la seule valeur réelle qu'ils pouvaient avoir. Les comptes rendus, aussi imparfaits soient-ils, des journaux officiels nous y aident mieux que les recueils factices composés par des éditeurs infidèles. C'est ainsi que, dans la séance du 31 Mai 1793, le duel oratoire, magnifique et cruel, de Vergniaud et de Robespierre prend tout son relief dans les colonnes du *Moniteur Universel* : les phrases sont ponctuées par le tocsin, le canon, les cris des députés et des tribunes, et, sans cesse brisées, reprennent leur vol inlassable pour dominer le tumulte [1].

Les défauts disparaissent donc, comme les défauts d'un dialogue oratoire disparaissent sur la scène grâce à l'optique théâtrale. Il existe d'ailleurs une éloquence révolutionnaire qui dépouille l'artifice. Après avoir raillé les allusions constantes à l'histoire ancienne, les oripeaux et les friperies, Jules Vallès ajoute : « Les Grecs étaient simples à leurs heures, les Conventionnels aussi [2] ».

1. *Moniteur Universel*, 1ᵉʳ et 3 juin 1793.
2. *Le Bachelier*, p. 106.

Simples, donc émouvants. Beaucoup d'orateurs renoncent à la pose, à la rhétorique, à la verbosité redondante, et s'abandonnent au mouvement de leur cœur; ils ne craignent même pas de laisser voir leurs faiblesses, percer leurs craintes. Necker, dans la séance que les États Généraux tiennent le 29 juillet 1789, est si ému qu'il ne peut articuler deux phrases; Vaublanc pleure et tremble à la tribune; Vergniaud verse des larmes de joie; Danton, Camille Desmoulins, ne résistent pas à la peine qui étrangle leur voix, lorsque les Girondins sont condamnés. D'autres orateurs, sensibles par nature, s'appliquent au contraire, lorsqu'ils parlent, à réfréner leur sensibilité : tels Guadet, attentif à contenir les élans d'une âme ardente; Condorcet, volontairement sec, lui si bon; Barnave, si vivant, si passionné dans ses *Œuvres*, si froid dans ses discours. Mais ni chez les premiers, ni chez les seconds, la sensibilité n'est absente; elle brise même parfois l'armature du discours, rend à la parole son instinct et sa liberté.

Alors Mirabeau orateur garde les gestes de la passion, s'émeut lui-même à la péroraison de l'un de ses *Mémoires*, permet que la sensibilité, toujours à vif chez lui, commande son indignation, son orgueil, sa colère, sa révolte, puise en elle « les bouillons de son patriotisme », et fait frémir l'Assemblée par le seul élan de la phrase [1]. Même élan chez Danton. « C'était l'élan subit de l'âme, la fougue, tout l'abandon de la nature, précise Thibaudeau; l'effet en était prodigieux [2] ». Mais c'est peut-être moins la sensibilité que la violence, moins l'émotion que l'au-

---

1. *Œuvres de Mirabeau*, Paris, Brissot-Thivars, 8 vol. in-8°, 1826. T. II, p. 277; III, 90. On trouvera de beaux mouvements oratoires, t. I, p. 112-113, 131 à 135, 186, 212, 263, 277-279, 281, 344 à 354; III, 14-15, 17, 41-42, 46, 131, 156-157.

2. *Discours de Danton*. Éd. Fribourg, p. 36. — Cf. p. 173, 183, 324. — Chalier a les mêmes qualités oratoires.

dace qui caractérisent la parole de Danton. « Voyez, il a tordu la bouche, toutes les vitres ont frémi » ; Michelet exagère, déforme, mais il révèle [1]. Le pathétique des passions, c'est Vergniaud qui l'atteint, et c'est à ce pathétique qu'il doit d'être un des plus grands orateurs de la Révolution : « Une pensée échappe à mon cœur... », dit-il. Tel est le secret de son éloquence. Dressé contre Robespierre, il s'écrie : « J'oserai lui répondre sans méditation; je n'ai pas, comme lui, besoin d'art, il suffit de mon âme. » Tel est le ressort de son éloquence [2]. C'est l'âme, aidée, il est vrai, par l'art, qui lui dicte des formules sensibles et lui inspire d'admirables discours, dont le plus beau est celui-ci qu'il prononce le 3 juillet 1792. Traduisant les angoisses de la Patrie et de la Liberté, il porte un coup fatal à la monarchie et à Louis XVI. Maître de l'Assemblée, que son éloquence entraîne, il s'écrie : « Vous frémissez, Messieurs!... [3] » Frémissement significatif, symbole de la contagion du verbe. Un bon juge en la matière, grand orateur lui-même, a montré comment ce discours est un prodige de vérité et d'art, de passion et de tactique, grondement de foudre, éblouissement d'éclairs [4]. Vergniaud menace, puis suspend sa colère, parce que sa justice n'exclut pas la pitié. De même, lors du procès du roi, devant la Convention énervée et troublée, il réclame, le 27 décembre 1792, l'appel au peuple pour sauver Louis XVI; puis il suspend sa pitié, car, au moment où il émeut, où il incline à cette pitié ceux qui l'écoutent, le suprême effort de cette émotion doit être de renvoyer la cause à d'innombrables juges anonymes qui, eux, n'auront entendu ni sa voix persuasive, ni celle de l'accusé, ni

1. *Ouvr. cité*, t. II, p. 92; IV, 91-92.
2. *Œuvres*, p. 200.
3. Cf. *Œuvres*, p. 139 à 157.
4. Jaurès, *ouvr. cité*, p. 1222.

celle des défenseurs. Le lendemain, Robespierre, jus-
ticier sombre et sec, ruine cette thèse dangereuse. Trois
jours après, Vergniaud réplique par un discours ému,
où une sérénité un peu triste enveloppe des paroles de
colère; il accuse Robespierre avec une véhémence trop
longtemps contenue, demande à ceux qui vont déchaîner
la guerre et affamer le peuple s'ils pourront le nourrir
avec les lambeaux sanglants de leurs victimes [1]. C'est
ici que l'on saisit sur le vif, à travers les procédés de
rhétorique en usage, l'émotion qui se communique de
l'orateur à l'Assemblée : appel direct aux « citoyens
industrieux », dont le travail va être ruiné : « Que devien-
driez-vous? Quelles seraient vos ressources? Quelles
mains essuieraient vos larmes et porteraient des secours
à vos familles désespérées? » Argument sentimental,
que renforce l'évocation des « faux amis », des « perfides
flatteurs » : « Ah! fuyez-les plutôt; redoutez leur réponse... »
Car cette réponse aux malheureux qui demanderaient
du pain, la voici : « Du sang et des cadavres, nous n'avons
pas d'autre nourriture à vous offrir... Vous frémissez,
citoyens! O ma patrie! je demande acte à mon tour
des efforts que je fais pour te sauver de cette crise déplo-
rable. » Vergniaud écarte alors le spectre de la famine
et de la trahison : « Mais non, ils ne luiront jamais sur
nous, ces jours de deuil. Ils sont lâches, les assassins;
ils sont lâches, vos petits *Marius*, nourris de la fange du
marais où ce tyran, célèbre au moins par de grandes
qualités, fut réduit à se cacher un jour [2]... » Ainsi Vergniaud mêle habilement le pathétique à l'artifice;
cet homme, qui fait appel aux « passions les plus sublimes »
et chez qui le mot *frémir* revient souvent [3], cet homme
généreux se méfie des élans de la sensibilité. Il met

1. Cf. Jaurès, *ouvr. cité, La Convention*, p. 899-912.
2. *Œuvres*, p. 183.
3. Cf. *Ibid.*, p. 164, 183.

l'Assemblée en garde contre elle, lui conseille de ne pas prendre les passions pour les principes, et, lorsque ses adversaires prétendent que, si l'on réunit les Assemblées Primaires pour juger le roi, on risque l'invasion étrangère ou le retour à la tyrannie, il réplique : « Dans cette déclaration extrêmement attendrissante, j'ai vu une grande prétention à la sensibilité; j'y cherche encore une raison qui puisse me déterminer [1]. » C'est l'harmonie qu'il réalise entre la sensibilité et la raison qui constitue la trame solide de ses discours. Vergniaud veut convaincre et émouvoir à la fois, et l'émotion entraîne chez lui la conviction si elle ne heurte pas la logique. Lorsque, le 2 septembre 1792, il envisage un plan de défense nationale, il associe à son raisonnement des images lyriques, où l'instinct de conservation trouve son compte. « Il faut piocher la fosse de nos ennemis, ou chaque pas qu'ils font en avant pioche la nôtre... Tout s'émeut, tout s'ébranle, tout brûle de combattre [2]... » On a voulu voir, dans le duel oratoire qui met aux prises Vergniaud et Robespierre, le choc de deux nuées, la grandiose mêlée qui, de ses lueurs et de ses ombres, émeut la face attentive et tragique de la terre. Langage d'épopée, où tout n'est pas hyperbole dans la bouche de Jaurès [3]. Si Robespierre n'atteint pas l'ampleur dans l'émotion, parce qu'il se surveille, prépare et corrige avec soin ses discours, contrôle sa sensibilité, il lui arrive, sous la raideur affectée que soulignent les témoins [4], de faire appel, lui aussi, à l'émotion et au pathétique. Sa sincérité oratoire est incontestable pour ceux qui l'entendent; même, certains le jugent naïf. La remarque

1. *Œuvres*, p. 166, 178, 201.
2. *Ibid.*, p. 157. — Jaurès donne un texte plus complet que celui de Vermorel (*La Convention*, p. 47-49).
3. Jaurès, *ouvr. cité*, p. 911-912.
4. Cf. Barras, *Mémoires*, t. I, p. 149-150; Louvet, *Mémoires*, I, 32.

du perspicace Mirabeau sur Robespierre député de la
Constituante : « Il ira loin, il croit tout ce qu'il dit [1] »
est-elle dictée par l'admiration ou par l'ironie? On ne
sait, mais elle éclaire l'homme, le juge. Les biographes
les plus attentifs, Michelet, Hamel, Aulard, prétendent
que l'éloquence de Robespierre, aussi académique
soit-elle, vient du cœur, que chacun de ses discours est
l'histoire de son âme : « J'ai suivi le sentiment de mon
âme », déclare Robespierre même [2]; Vergniaud ne
s'exprime pas autrement. Or, l'âme de Robespierre est
une âme inquiète, troublée, qui cherche à ordonner un
chaos, à voir clair dans les événements, à créer un monde
nouveau. « Bridoison austère de la forme classique [3] »,
il lui arrive de l'être, car il s'étudie, se concentre, se
préoccupe de dignité et de tenue, est rebelle aux caprices
du public; mais le mot est étroit et injuste. Robespierre
est éloquent par la méthode, par le besoin de précision,
par la force des termes, par la netteté de la phrase, par
le rythme de la période; il l'est aussi par l'ironie, par le
jeu subtil des contrastes, des antithèses, des oppositions;
il l'est par la force de la démonstration, par la véhémence;
il lui arrive de l'être par la rhétorique, par l'emphase,
par tous ses défauts que la lecture rend insupportables [4].
Mais il l'est aussi par certains élans de sensibilité, que
l'auditoire prolonge, amplifie avec complaisance, élans
retenus, pourrait-on dire, car Robespierre est timide
à la tribune [5]. Son apprentissage d'avocat lui a peu

1. Cf. Aulard, *Les Orateurs de la Constituante*, p. 522.
2. *Œuvres choisies*, t. III, p. 688. — Cf. Michelet, *ouvr. cité*, t. II,
p. 69, 178, 245. — Hamel, *ouvr. cité*, t. I, p. 60. — Aulard, *Les
Orateurs de la Législative*, t. II, p. 416.
3. J. Vallès, *L'Insurgé*, p. 36. — Taine, Aulard sont encore plus
durs pour Robespierre, dont l'éloquence leur semble entachée
d'hypocrisie autant que d'académisme.
4. Cf. *Œuvres choisies*, t. II, p. 34-35, 44, 212-213, 319-320; III,
14-15, 58, 61, 72, 83, 84, 150, 165, 183, 404, 645, 692, 702, 713.
5. Cf. Aulard, *ouvr. cité*, p. 520.

servi pour aborder l'éloquence politique; tout au moins
le barreau lui révéla-t-il la misère humaine. C'est alors
que le désir lui vint d' « exciter dans les cœurs ce doux
frémissement par lequel les âmes sensibles répondent à
la voix du défenseur de l'humanité [1] ». Or le voici,
entre 1790 et 1794, le défenseur des droits de l'homme
et de la nation souveraine. Pourquoi l'orateur de la
Convention ne se rappellerait-il point l'avocat d'Arras?
Quand il énumère les vertus qu'il faut à un représentant du peuple, Robespierre n'oublie pas « l'éloquence
du cœur sans laquelle on n'arrive pas à persuader [2] ».
Cette éloquence du cœur, il la fait sienne au besoin, il
en appelle à la sensibilité physique, peint des tableaux
touchants, des scènes imaginées : « Plaisirs divins,
larmes délicieuses... », c'est l'*Adresse* à Dumouriez. —
« Pleurez cette méprise cruelle... Gardons quelques
larmes... N'avez-vous pas aussi des frères?... », c'est la
Réponse à Louvet au sujet d'un innocent condamné. —
Apostrophe au peuple où les larmes, la mort, l'héroïsme
sont tour à tour évoqués, c'est le *Discours* contre les
factions. Si les factions triomphent (ici, souligne le
compte rendu, « il se fait un mouvement d'horreur »),
ce sont les armées battues, les femmes et les enfants
égorgés, la République déchirée en lambeaux, Paris
affamé, la tyrannie triomphante... — « O ma patrie!
ô peuple sublime, ô vous!... », s'écrie ailleurs Robespierre,
et il rencontre cette éloquence directe, dont la solennité
n'exclut pas l'émotion [3].

Saint-Just, contenu, froid, implacable dans son patriotisme exclusif, ne craint pas, lui non plus, de faire appel
à la sensibilité. Rarement, il est vrai; mais il s'efforce,
par exemple, de montrer la répercussion des pensées

1. *Œuvres complètes*, Paris, Leroux, in-8°, 1910, t. I, p. 16.
2. Cf. Hamel, *ouvr. cité*, t. I, p. 60.
3. Cf. *Œuvres choisies*, t. II, p. 124, 205, 212; III, 201, 319, 592, 611.

généreuses sur la conduite de la guerre, et l'influence
que doivent avoir les passions sur la stratégie des armées
françaises. « Enflamme ton armée », commande-t-il à
Hoche [1]. Il n'oublie pas Valmy, Jemmapes, il souffle
l'ardeur aux volontaires de l'An II. Représentant du
peuple aux armées, il applique aux choses militaires
sa connaissance de l'homme, il est à la fois rigoureux
dans la discipline et souple dans les moyens qui
procurent la victoire. L'enthousiasme lui paraît aussi
utile que l'obéissance. A la tribune, il use, comme
Robespierre, d'un pathétique facile, efficace. « Le bon
peuple du Midi est opprimé; c'est à vous de briser ses
chaînes. Entendez-vous les cris de ceux qu'on assassine?
Les enfants, les frères, les sœurs sont autour de cette
enceinte, qui demandent vengeance [2]...! »

Mouvement renouvelé de Cicéron, mais irrésistible
en 1793, car il correspond à la réalité. Voici, en effet,
la foule qui entre en action et qui, à travers les murs de
la salle où siège l'Assemblée, inspire certains mouvements d'éloquence, comme elle dictait, tout à l'heure,
sa volonté. Les tribunes jouent un rôle dans l'histoire
de l'éloquence révolutionnaire; elles l'animent ou la
réfrènent pendant la Constituante, la tyrannisent pendant
la Législative et la Convention. Un public restreint,
fanatique, impossible à dissuader, difficile à toucher,
souvent réfractaire aux effets oratoires, exerce sur les
députés un rigoureux contrôle. Dans la séance du 31 mai
1793, Vergniaud, impatienté, s'écrie que tout travail
est rendu impossible à la Convention et demande en
vain que les tribunes soient évacuées. La lutte entre la
Gironde et la Montagne, qui marque le sommet de
l'art oratoire et donne à l'éloquence une vie sans équi-

1. Cf. *Œuvres complètes*, t. II, p. 86, 148.
2. *Ibid.*, t. II, p. 28.

voque, une chaleur pleine d'éclat, cette lutte trouve les tribunes aux côtés de Robespierre, et la Terreur eût été plus courte si le peuple de Paris n'eût occupé les tribunes. Intervention illégitime? Peut-être; gênante? A coup sûr. Mais ce perpétuel contrôle des mandataires par les électeurs n'est pas sans grandeur ni efficacité. Le peuple se méfie, et il n'a point toujours tort; les députés se surveillent, et cette surveillance n'est point inutile. Les orages et les tumultes sont favorables à l'art oratoire, peut-être même dans la mesure où ils le contrarient. « Confondons nos sentiments avec ceux du peuple », conseille Danton avec un enthousiasme clairvoyant [1]. Si l'on découvre dans les événements révolutionnaires une « âme d'humanité infiniment riche [2] », un feu intérieur, c'est grâce au peuple d'abord, à ce peuple en éveil qui, selon Barbaroux, « trop facilement s'émeut, s'abat et s'exaspère [3] », à ce peuple dont La Fayette se défie, précisément à cause de ses impulsions sentimentales [4]. Si le langage politique, qui traduit les aspirations communes, prend une ampleur humaine inconnue jusqu'alors, c'est grâce aux interprètes du peuple. Le dénouement confère à leurs discours, aujourd'hui sans écho, une émotion suprême, car le terrible enjeu des luttes oratoires est la vie de chaque orateur. Devant les têtes coupées de Vergniaud, de Camille Desmoulins, de Danton, de Robespierre, de Saint-Just, d'Hébert..., « un horrible frisson paralyse la pensée [5] ». Mais on leur doit de garder cette pensée lucide pour honorer la leur, qui fut capable, avec le recours de la parole, de mener les plus rudes événements

1. *Discours*, p. 311.
2. Jaurès, *ouvr. cité*, t. I, p. 756.
3. *Mémoires*, p. 145.
4. *Correspondance inédite de La Fayette*, p. 22.
5. Jaurès, *ouvr. cité*, *La Constituante*, p. 684.

de notre histoire, de dominer les problèmes les plus graves et la réalité la plus pressante. L'éloquence leur est indispensable. Arme à double tranchant, elle exalte ou réprime, sauve ou condamne. En elle la sensibilité s'incarne, sans nuire aux nécessités du matérialisme historique; elle ménage néanmoins cet idéalisme, dont les esprits les plus lucides, les plus froids ne se peuvent déprendre, et, au fort des luttes politiques, elle assure la continuité d'un art d'autant plus émouvant qu'il s'inspire de la vie. Sans doute elle est au service entier de la cause révolutionnaire; mais elle se fait aussi l'interprète des revendications individuelles, et elle nous révèle, une fois de plus, l'antagonisme qui met aux prises l'égoïsme des hommes et les nécessités, parfois cruelles, du bien général. Découvrant à nu, ou voilant les passions, directe ou rusée, flagorneuse ou brutale, cynique ou généreuse, elle donne à cet antagonisme une force dramatique peu commune, elle lui confère une dignité, une majesté neuves. Contre elle beaucoup de résistances se brisent; autour d'elle s'organise l'effort de tout un peuple pour qui, d'abord, elle est action.

CHAPITRE IX

LA SENSIBILITÉ FÉMININE
ET LA RÉVOLUTION

Dans cette lutte entre l'idéal révolutionnaire et l'individualisme, il semble, au premier abord, que la femme doive jouer un rôle prépondérant. Ne l'a-t-on pas considérée, à tort ou à raison, comme supérieure à l'homme par la sensibilité? On rappelle volontiers la phrase de Mirabeau : « Tant que les femmes ne s'en mêlent, il n'y a pas de révolution véritable [1] », et on l'appuie de noms célèbres. Les historiens, sur ce point, paraissent d'accord. Victor-Serge déclare que, si la révolution russe a été très profonde, c'est parce que les femmes se sont émancipées en la préparant [2]. Michelet consacre des pages exaltées à cette sensibilité féminine, créatrice, selon lui, d'enthousiasmes nécessaires et de révoltes fécondes. En 1794, comme en 1789 et en 1791, l'activité des femmes s'exerce, dit-il, dans les deux sens, idéalité républicaine, idolâtrie royaliste, et cette activité, il la juge considérable, décisive. Car les femmes ont reçu une éducation prérévolutionnaire [3];

1. Cf. V. Serge, *Vie des Révolutionnaires*, p. 17.
2. *Ibid.*, p. 17 et suiv.
3. Cette éducation, d'ordre purement sentimental, est beaucoup plus limitée et superficielle que ne le croit Michelet. Aucune comparaison n'est possible entre la formation intellectuelle des femmes françaises en 1789 et la formation intellectuelle d'une Rosa Luxembourg, d'une Véra Zassoulitch, d'une R. S. Zemliatchka par exemple.

elles entrent dans la liberté sous l'influence de Plutarque
et de Rousseau, dont les *Vies des Hommes Illustres*, l'*Emile*
et le *Contrat Social* leur inculquent le désir d'être mères
et citoyennes. Elles veulent que les hommes ressemblent
aux héros de l'antiquité; aimant la force, elles les pré-
cipitent dans l'action, hâtent le cours de la Révolution.
Ce sont elles qui règnent par le sentiment, la passion,
l'initiative, elles qui inspirent les salons, les clubs, les
Assemblées; l'éloquence parlementaire leur doit ses
meilleures inspirations, et aucun journal ne vaut leur
souple, leur insinuante parole. Un instinct généreux
les pousse à la pitié, au dévouement, au sacrifice, à
l'héroïsme; et elles sont invincibles, parce qu'elles per-
sonnifient l'amour, la rêverie, la maternité. L'amour,
nous savons qu'il leur arrive de le confondre avec
l'amour de l'idée ou de la patrie, avec la liberté même.
Voici qu'elles prennent « pour amant le Droit éternel »,
qu'elles ont dans l'imagination la vertu des temps
romains. Bref, de Necker à Robespierre, ce sont elles
qui inspirent la politique, dirigent les événements [1].

Telle est la thèse de Michelet : la cause de la sensibilité
y gagne singulièrement. Mais les beaux développements
oratoires de Michelet commandent la méfiance autant
que l'admiration : l'historien n'est-il point dupe de sa sensibilité féminine? Cependant A. Mathiez, qui ne court
pas le même risque, souligne, lui aussi, l'importance
du rôle joué par les femmes [2]. S'il ne s'agit d'ailleurs que
de montrer leur participation aux scènes révolutionnaires,
la tâche est aisée, et ni les témoins, ni les historiens,
ni les chroniqueurs, ni les romanciers n'y ont failli.
On peut dire que toute scène dramatique, toute fête

1. Michelet, *Les Femmes de la Révolution*, Paris, Flammarion, in-12,
1854, p. 5 à 9; l'historien leur consacre un livre de 300 pages. —
Histoire de la Révolution française, t. II, p. 279-282.
2. *Annales Révolutionnaires*, 1908, t. I, p. 303-305.

théâtrale attire des spectatrices enthousiastes, parce que
le sentiment collectif est exalté sous la forme particulière
de l'héroïsme ou de la liberté, de la vertu ou de la religion. Le 4 Mai, le 14 Juillet, le 4 Août 1789, les femmes
acclament les Etats Généraux, se portent vers la Bastille,
donnent leurs offrandes à l'Assemblée. En 1790, elles
assistent aux fêtes de la Fédération, arborent l'écharpe
aux couleurs nationales et la cocarde tricolore, enchan-
tent les spectateurs par leur « démarche patriotique [1] ».
En 1791 et en 1792, on les rencontre partout, devant les
autels de la Patrie, aux fêtes de la Loi, aux Jacobins,
jeunes filles vêtues de blanc et couronnées de roses,
femmes mariées portant des robes blanches voilées de
crêpe et des ceintures tricolores, veuves en deuil entre-
laçant leur chevelure de branches de saule pleureur.
Elles sont, le 17 Juillet, au Champ de Mars, le 10 Août
derrière le drapeau rouge, le 26 Août à la cérémonie
funèbre en l'honneur des victimes du 10...[2]. Elles agissent
et, au besoin, menacent : le 20 Juin, mêlées à la foule
des faubourgs, elles acclament les patriotes, mènent les
danses patriotiques et c'est des mains d'une femme
que le roi, coiffé du bonnet rouge, prend une épée
fleurie, « symbole de la Révolution vaillante et tendre,
qui, tout en combattant, [veut] aimer »[3]. Le 18 Décembre,
ce sont elles qui apportent aux patriotes anglais reçus
par les Jacobins l'arche d'alliance et les trois étendards
où resplendit l'inscription : *Vivre libre ou mourir*[4]. Tantôt
elles donnent à la Révolution ce caractère idyllique

1. Cf. *Gaultier de Biauzat*, par F. Mège, t. II, p. 334.
2. Cf. De Villiers, *Histoire des clubs de femmes et des ligues d'Amazones*,
Paris, Plon, in-8º, 1910, p. 124 et suiv.
3. Jaurès, *ouvr. cité*, p. 1210.
4. *La liberté ou la mort*, c'est le même mot d'ordre que Lénine
donne au prolétariat russe en avril 1905 (*Œuvres Complètes*, t. VII,
p. 281).

et printanier, qui la transforme en une fête symbolique,
elles sont une gracieuse parure, un élément de joie et
de concorde. Tantôt elles se portent aux pires violences,
attisent l'insurrection, excitent au meurtre. En Septembre
1792, le cadavre de la princesse de Lamballe connaît
les insultes des « tricoteuses ». 1793 et 1794 les poussent
aux colères suprêmes. Le 29 Mai, elles sont au premier
rang des insurgés ; le 16 Octobre, les « tricoteuses » et
les femmes des Halles, massées par Rose Lacombe sur
le passage de Marie-Antoinette, accueillent celle qui va
mourir par des rires, des bordées de sifflets, des refrains
orduriers. Le 27 Juillet 1794, elles insultent pareillement celui qu'elles admiraient et aimaient la veille,
et le cœur de Robespierre en est soulevé de dégoût.
Après le 9 Thermidor, elles donnent le spectacle du
dévergondage, de la débauche et du cynisme. Pendant
ces deux années, leur acharnement et leur cruauté sont
aussi grands que ceux des hommes ; la *Carmagnole* et le
Ça Ira prennent dans leur bouche une valeur tragique.
Parfois leur opposition nerveuse et narquoise vient
à bout de la patience masculine : c'est ainsi qu'à
Longny-du-Perche les censeurs ne veulent plus monter
à la tribune parce que « les citoyennes leur lancent des
coques de noix et du sable à la figure »[1]. Ce ne sont pas
seulement les femmes du peuple qui tombent dans
l'excès ; en 1793, à Nantes, tandis que Carrier décime,
noie et souille, une exaltation perverse gagne les femmes
de la haute société, et la riche bourgeoisie participe à
des orgies de luxure et de sang [2]. Le cas n'est point
isolé ; d'impartiaux historiens ont pu tenir la balance à

1. Registre des délibérations de la Société Populaire (Archives
Communales de Longny, non cataloguées et inédites.)
2. Cf. Dr Guépin, *Histoire de Nantes*, Nantes, Sebire, in-8°, 1839 ;
Jaurès, *ouvr. cité*, t. I, p. 149.

peu près égale entre l'enthousiasme généreux des femmes et leur criminelle violence.

Mais ces manifestations, bonnes ou mauvaises, restent, politiquement, à peu près sans effet; car elles ont le mérite et le défaut de la spontanéité. Lorsqu'une femme du club de Caen proclame que la force des femmes est dans leur sensibilité, elle a raison et elle a tort à la fois [1] : aussi bien, la faiblesse des femmes est-elle dans leur sensibilité. Or, tout révolutionnaire est tenu de ne pas donner prise à la faiblesse. La femme, livrée à son instinct, est versatile; impulsive, elle se porte d'un extrême à l'autre. Michelet l'a compris : « La sensibilité lance les femmes dans la Révolution de 1789, écrit-il justement. Ensuite la sensibilité et l'horreur du sang les lancent dans la réaction [2]. » Le 9 Thermidor et le Directoire le prouvent. On voit, dans le même temps, les femmes applaudir aux massacres et implorer la création du Comité de Clémence, que propose Camille Desmoulins en 1793; elles idolâtrent Robespierre, et elles triomphent insolemment de sa chute. Ce manque d'équilibre, cette absence de continuité dans les desseins et dans l'action les privent ainsi du sens politique, indispensable à l'homme d'Etat.

***

A vrai dire, c'est moins en effet la politique qui les intéresse que les questions économiques. Pour comprendre la mentalité révolutionnaire des femmes, il faut sans doute moins faire appel à leurs facultés d'émotion qu'à la nécessité où elles se trouvent de nourrir leur famille. La remarque de Jules Vallès vaut toutes les hyperboles sentimentales de Michelet. « Des femmes

1. De Villiers, ouvr. cité, p. 128.
2. Les Femmes de la Révolution, p. 267.

partout. Grand signe! Quand les femmes s'en mêlent,
quand la ménagère pousse son homme, quand elle
arrache le drapeau noir qui flotte sur la marmite pour
le planter entre deux pavés, c'est que le soleil se lèvera
sur une ville en révolte [1]. » On s'en aperçoit dès la Révolution naissante; c'est la cherté de la vie, la spéculation
éhontée, la raréfaction des denrées, les menaces de
famine qui poussent les femmes hors du foyer; ce sont
elles qui, en Octobre 1789, donnent un corps et une
voix à la souffrance ouvrière de Paris, disséminée en
d'innombrables ménages, jettent les femmes de la Halle
sur la route de Versailles, où elles envahissent l'Assemblée, admonestent vigoureusement le président Monnier,
occupent son fauteuil, haranguent le roi, l'obligent à
céder. Certains historiens attribuent à cette première
révolte une importance capitale, d'autres prétendent
que les femmes sont le jouet de meneurs habiles [2].
Toujours est-il que leur rôle est certain; elles le jouent
chaque fois que la crise économique s'accentue, parce
qu'elles ont conscience de se battre pour l'essentiel,
le logement, la nourriture, le vêtement. Le 27 Juin 1793,
« l'émeute du savon » fait écho à l'émeute du pain
d'Octobre 1789; les 20 et 21 Mai 1795, c'est encore le
problème angoissant du pain qui les oblige à envahir
la Convention avec une telle violence qu'elles coupent
la tête à Féraud et que leur meneuse, Aspasie Carlomi-
gelli, est guillotinée [3].

Elles sentent d'ailleurs que ces revendications économiques ne suffisent point à leur donner l'autorité

1. *L'Insurgé*, p. 148. Il s'agit de la Commune; mais les mêmes
causes produisent les mêmes effets.

2. Cf. Jaurès, *ouvr. cité*, p. 347-350. — De Villiers, *ouvr. cité*,
p. 248.

3. Cf. Guéhenno, *Jeunesse de la France* (*Europe*, 15 février 1936,
p. 183). — Jaurès, *La Convention*, t. II, p. 1029, 1336, 1551, 1604,
1714.

politique dont rêvent les plus ambitieuses. Beaucoup se contentent d'obtenir par la force le pain de leur ménage et le savon de leur lessive; les principes ne les touchent pas. Mais d'autres veulent plus et mieux; elles se groupent alors, tantôt entre elles, tantôt avec les hommes. C'est l'origine de ces sociétés indépendantes et de ces Clubs mixtes, dont M. De Villiers, entre autres, a retracé la pittoresque histoire. Dès 1789, un ouvrage intitulé *L'influence des femmes dans l'ordre politique* recommande à celles-ci de mesurer leurs caresses au degré de civisme des hommes. Naïveté sentimentale et enfantillage politique se mêlent alors aux exigences féminines. Qu'il s'agisse de la *Société des Amis de la Loi* ou de la *Société fraternelle des Patriotes des deux sexes*, du *Club des Citoyennes Révolutionnaires* ou de la *Société des Amies de la Constitution*, c'est là qu'on peut saisir au vif l'expression d'une sensibilité généreuse et, parfois, maladroite jusqu'au ridicule. Le manifeste de la *Société des Dames Citoyennes* jure « de redoubler de tendresse pour augmenter, s'il est possible, le civisme [des] époux »; de son côté le *Club féminin contre-révolutionnaire* lance un appel aux « femmes sensibles », en affirmant qu' « un corset peut... renfermer une âme noble, énergique, pleine d'amour (pour la monarchie) ». Partout les manifestations touchantes se multiplient : à Lille, le Club féminin proclame que « la seule pensée de la liberté et de l'égalité impose silence aux douleurs de l'enfantement »; à Rouen, le président donne l'accolade à toutes les citoyennes, et « ce moment présente le tableau le plus attendrissant »; à Besançon, les citoyennes clubistes tombent dans les bras des citoyens et des soldats; à Coutances, la décence oblige à reléguer les femmes dans les tribunes, mais toutes s'échappent pour venir embrasser l'orateur; à Mayenne, les citoyennes « flirtent » dans les tribunes, et on les fait surveiller par les gardes-nationaux; à Saint-Calais, une

femme harangue le district : « Détruisez le plus cruel
des despotes, la patrie est sauvée et nos cœurs sont à
vous. » Aussi le président s'empresse-t-il de donner à la
députation le « baiser fraternel ». A Bordeaux, les femmes
offrent une fête aux curés constitutionnels, qui les invi-
tent, en retour, à se livrer à « tous les élans de leur cœur ».
Si les Bisontines déclarent qu'elles préfèrent la liberté
et l'égalité à « toutes les fadeurs de l'amour », en revanche
les Lyonnaises affirment que les femmes « sont le premier
mobile de la sensibilité parmi les peuples, et [que] les
peuples ont autant besoin d'être émus que d'être réglés ».
Tel est le ton qui règne dans les clubs féminins, et il
monte parfois au diapason le plus élevé; par tous les
moyens, y compris l'étrangeté des costumes, les défilés
pittoresques, les offrandes à la Patrie, les symboles
révolutionnaires, les femmes cherchent à provoquer
l'émotion collective, dont elles attendent un effet certain [1].

Pareille sentimentalité, qui se plaît aux effusions
théâtrales, est à demi sincère, à demi artificielle; les
citoyennes des clubs ont le mérite de la spontanéité,
mais, parfois aussi, l'élan fait place au calcul. Elles sont
capables d'ailleurs de s'organiser, comme le prouve
la vie méthodique du club de Besançon, et leur effort
méritoire obtient des résultats pratiques : les écoles,
les hôpitaux, les œuvres de bienfaisance et d'hygiène
leur doivent beaucoup [2]. Leur maternelle tendresse
trouve un emploi dans la réalisation intelligente d'un
plan d'action sociale, où l'enfance déshéritée, la vieillesse
à l'abandon, l'indigence, mauvaise conseillère, sont
réconfortées et secourues; les clubs les plus avancés

---

1. Cf. De Villiers, *ouvr. cité*, p. 30 à 71; 109 à 145; 172-173.
2. Cf. Henriette Perrin, *Le Club des femmes de Besançon* (*Annales
Révolutionnaires*, t. IX, p. 629 à 653; X, 37 à 63; 505 à 532; 645 à 672).

OFFRANDES FAITES A L'ASSEMBLÉE NATIONALE PAR DES DAMES ARTISTES
Le 7 Septembre 1789

Pl. V

s'efforcent même de réaliser, par delà le socialisme, un communisme dont Babeuf trace le programme. C'est dans le domaine municipal, non dans le domaine politique, que l'activité des femmes s'exerce ainsi : « Les clubistes jacobins mènent presque partout en France les municipalités, et les clubistes sont menés par le public des tribunes en majorité féminin », écrit M. De Villiers [1]. L'administration révolutionnaire dépend donc, en partie, des femmes. Mais la sentimentalité des citoyennes reprend vite des formes théâtrales, dont l'efficacité reste douteuse. Nulle ne veut oublier Cornélie et les femmes illustres de l'antiquité dont on fait, à distance, de rigides modèles. Voici donc les bijoux et les parures abandonnés aux Assemblées, l'anneau nuptial déposé sur l'autel de la Patrie; et voici l'excès, le manque de tact. Une artiste envoie sa bourse bien garnie à la Législative et l'accompagne de ce billet : « J'ai un cœur pour aimer; j'ai amassé quelque chose en aimant, j'en fais l'offrande à la Patrie... Puisse mon exemple être imité par mes compagnes de tous les rangs! » Lorsque la Patrie est proclamée en danger, des femmes s'enrôlent. On a compté trente-deux volontaires, et il y en eut sans doute davantage. Nous savons la pittoresque histoire d'une Catherine Pochetat, d'une Pélagie Dulierre, d'une Barbe Parant, d'une Thérèse Figueur et d'une Rose Bouillon...; on nous a décrit avec une complaisance amusée les bataillons d'Amazones, dont le rôle fut surtout un rôle de parade. Patriotisme qui s'inspire, lui aussi, de l'antiquité, et participe à la fièvre de 1793! Il s'exprime en un langage parfois imprudent ou métaphorique jusqu'à l'incohérence. Les Charentaises d'Aunay jurent fidélité pêle-mêle à la Nation, à la Loi, au Roi, à leurs maris et à leurs amants. Les citoyennes de

1. *Ouvr. cité*, p. 221.

Clermont-Ferrand écrivent, en 1791, à l'Assemblée : « Nous faisons sucer à nos enfants un lait incorruptible et que nous clarifions à cet effet avec l'esprit naturel et agréable de la liberté. » Mais ces déclarations enflammées demeurent platoniques : aucun corps d'Amazones ne combat l'ennemi; seules, quelques femmes isolées font le coup de feu [1].

**

A la tête de ce mouvement « féministe », des « militantes » ardentes, actives, convaincues, se dévouent sans répit; mais leurs excès de langage, leurs actes inconsidérés, leur vie peu exemplaire compromettent une cause respectable et juste. Il apparaît vite que, chez toutes, les élans d'une sensibilité qui s'exaspère remplacent les conseils de la raison. Leur révolte individuelle, jaillie du cœur, ne se plie pas volontiers aux mesures collectives de la Révolution; les Clubs féminins ont une vie fragile et éphémère. Etta Palm d'Aëlders, Olympe de Gouges, Rose Lacombe, Théroigne de Méricourt, poussant leurs théories aux extrêmes, font preuve d'une hardiesse surprenante. Mais la première est une Hollandaise suspecte, la seconde une courtisane exaltée, passionnée et peu sûre. Les violences de Rose Lacombe, les excentricités de Théroigne de Méricourt jettent le discrédit sur les clubs féminins. Les rares « féministes » qui s'en tiennent à la théorie se taisent, un peu effrayées par le caractère impulsif de celles qui agissent [2].

1. Cf. De Villiers, *ouvr. cité*, p. 76 à 107, 231, et les études de Lairtullier, F. Gerbaux, H. Monin, L. Deschamps, C. Bloch, P. Foucart, Hennet. (*Revue de la Révolution française*, t. XXII, p. 83-85; t. XXVIII, p. 440-452; t. XLVII, p. 47-61, 326, 335; t. XLIX, p. 440-441). — *Annales Révolutionnaires*, t. I, p. 610-621. — *Correspondance inédite de Mlle Théophile de Fernig*, Paris, Didot, in-12, 1873.
2. Cf. Michelet, *Les Femmes de la Révolution*, p. 87-98. — Lacour,

Sans doute des résultats précieux sont obtenus, s'inscrivent même dans le Code civil. Ils eussent été plus grands, si des résistances ne s'étaient manifestées avec vigueur. Ces résistances viennent moins des femmes royalistes, dont l'héroïque acharnement ne fut pas une entrave, que des révolutionnaires. Si Condorcet songe à accorder aux femmes certains droits politiques, si Romme et Sieyès ont des tendances « féministes », ils constituent des exceptions. Mme Roland, non plus que Mlle Kéralio et Teresia Cabarrus, n'approuve les revendications des femmes. Le journal *Les Révolutions de Paris* combat avec violence les clubs féminins, « fléaux des mœurs »; à Besançon, la *Vedette* jacobine leur est hostile. Barras n'est pas d'avis que les femmes « sortent de leur sexe [1]. » Robespierre n'aime point le *Club des Citoyennes révolutionnaires* de Rose Lacombe; il juge que ce club prête « au ridicule et aux propos malins [2]. » Dans son beau *Rapport* du 18 Floréal An II, ce n'est pas aux citoyennes des Clubs, mais aux femmes françaises qu'il lance une apostrophe significative : appel à la vertu, à la foi conjugale, à la tendresse paternelle, à la piété filiale, à la morale publique, c'est-à-dire à la tradition séculaire. Nulle part il n'est question d'émancipation totale [3]. Saint-Just défend les droits civils de la femme, parle de sa « faiblesse intéressante », accuse l' « infamie » des hommes de leur avoir fait « quitter la nature », mais il se borne à des considérations morales et ne préconise qu'un vague palliatif, le retour aux bonnes mœurs [4]. Lorsque Amar présente

---

Trois femmes de la Révolution, Paris, Plon, in-12, 1900. — De Villiers, *ouvr. cité*, p. 14 à 80, 273. — Jaurès, *ouvr. cité*, t. II, 1420.

1. *Mémoires*, t. I, p. 84.
2. De Villiers, *ouvr. cité*, p. 245.
3. *Œuvres Choisies*, t. III, p. 638.
4. *Œuvres Complètes*, t. I, p. 290-292.

à la Convention un *Rapport* sur les Sociétés de femmes, il s'élève avec force contre ces sociétés, couvre d'éloges dithyrambiques les bonnes ménagères, assène aux féministes des formules brutales. Son argumentation tient tout entière dans la phrase suivante : « Les femmes sont disposées par leur organisation à une exaltation qui serait funeste dans les affaires publiques. » Amar estime donc que la sensibilité féminine est incompatible avec l'exercice du pouvoir, et il pense que les intérêts de l'Etat seraient bientôt livrés, avec les femmes, au désordre des passions. La femme, incapable de conceptions hautes et de méditations sérieuses, s'occupera donc d'éducation et de vertu. Quelques jours plus tard, Chaumette prononce un violent réquisitoire contre les femmes et reprend, sous une forme parfois étrange, les arguments d'Amar. La Convention leur donne raison, supprime les Sociétés populaires de femmes [1]. L'immense majorité de l'Assemblée se méfie d'une sensibilité trop mobile, qui lui semble mettre en danger les vieilles notions de vertu, de famille et de morale. Robespierre, Chaumette raisonnent sur ce point comme un bourgeois de 1750, étroitement fidèle au traditionalisme de la race française. Une Rose Lacombe, une Olympe de Gouges leur semblent des êtres déséquilibrés, uniquement en proie aux passions les plus versatiles et les plus dangereuses. Or, ils se méfient des passions dans le domaine politique, ils ne les acceptent qu'à la condition de les tenir en lisière, de les employer à bon escient ou de leur imposer silence. Aussi révolutionnaires soient-ils, ils n'admettent pas que la femme bouleverse les notions acquises, déclare périmé l'asservissement à l'homme, modifie le sens de sa propre destinée, brise la vie commune, proclame, comme telle héroïne contem-

1. Cf. De Villiers, *ouvr. cité*, p. 266-271.

poraine, que « la femme d'autrefois [n'est] plus », que
la femme nouvelle peut déserter le foyer, rompre tous
les liens, partir à jamais en disant : « Il faut désormais
comprendre l'amour d'une toute autre façon, d'une
façon nouvelle, mais comment [1] »? Plus d'un siècle
sera nécessaire pour mûrir, sous d'autres cieux, une mentalité où n'entre aucun Conventionnel en 1793. La résistance à toute tentative, qui compromet l'équilibre de
la famille et le rapport des sexes, s'affirme.

Ce n'est pas le terrorisme féminin, la tentative brutale
de Cécile Renault, l'acte violent de Charlotte Corday
qui rétablissent la cause des femmes. Dans les deux
cas, on les accuse encore de se porter à la vengeance
sous l'impulsion de leurs passions, de ne pas contrôler
leurs actes, même si elles se dominent, comme Charlotte
Corday, et on les plaint d'être les victimes infortunées
du sensible Jean-Jacques [2].   De tels actes restent d'ailleurs isolés, négatifs, et la femme n'y gagne que la seule
égalité devant la mort, cruelle égalité qu'illustrent
Mme Roland et Cécile Renault, Olympe de Gouges et
Mme de Lavergne, Mlle de Sombreuil et la marquise
de Lamballe [3]. Le manteau rouge de Charlotte Corday
nous émeut encore comme un dramatique symbole;
il jette de l'éclat, mais le chemin qu'il illumine est sans
issue.

Les femmes agissent donc, servies par leur instinct,
desservies par leur nature; l'enthousiasme et la révolte,
l'amour et la haine, l'engouement et la vengeance

1. F. Gladkov, *Le Ciment*, p. 337-338. Le type de Dacha, communiste russe émancipée, fait parfaitement comprendre cette évolution.

2. Cf. Michelet, *ouvr. cité*, p. 10. — Wallon, *Histoire du Tribunal
Révolutionnaire*, t. I, p. 188 à 224; 456 à 461; IV, 4 à 11, 258. —
E. Herriot, *Dans la forêt normande*, Paris, Hachette, in-12, s. d., p. 251
à 369.

3. Cf. E. Quinet, *La Révolution* (*Œuvres Complètes*, t. II, p. 263-
264).

les inspirent tour à tour. Il leur manque, en 1793, le sens et le goût des questions politiques, l'étude approfondie des problèmes sociaux, l'éducation civique, l'équilibre et la mesure indispensables au triomphe de leur cause. Cette cause marque des succès, mais elle trouve bientôt ses limites. Sincèrement ralliées, dans leur majorité, à l'idéal révolutionnaire, auquel elles apportent une adhésion sentimentale et, parfois, mystique, les femmes n'ont encore que des idées élémentaires sur les problèmes complexes dont la solution s'impose, et ces idées sont plutôt des sympathies ou des antipathies spontanées. Il est curieux de les entendre invoquer sans cesse leurs facultés sensibles, et il est non moins curieux d'entendre certains adversaires les leur reprocher. Serait-ce la raison principale de leur demi-échec? Peut-être l'exemple d'une femme qui, dédaignant la cause trop étroite d'un féminisme replié sur lui-même, se réclame de la politique générale, joue un rôle dans les affaires de l'État, exerce une influence sur un parti responsable, nous aidera-t-il à répondre. Avec Mme Roland il ne s'agit plus en effet de clubs ni de bataillons d'Amazones; il s'agit de l'orientation que doit prendre la Révolution en des heures critiques. Or Mme Roland répète à satiété qu'elle est une femme « sensible » et qu'elle agit par sensibilité autant que par raison. Agit-elle bien? Dans ce débat sur la sensibilité révolutionnaire, son exemple aura sans doute assez de poids pour être décisif.

CHAPITRE X

UNE EXPÉRIENCE MALHEUREUSE

Quatre lourds volumes in-quarto de *Correspondance*, un volume de *Lettres d'amour*, deux gros livres de *Mémoires*, au total près de 4.000 pages denses formant une confession presque unique [1]; d'innombrables études échelonnées sur un siècle et demi, des commentaires souvent passionnés, allant du dithyrambe à la condamnation brutale, nous permettent de connaître Marie Phlipon, puis Mme Roland. La seconde reflète la première, la Girondine perce sous la jeune fille. Mais il est inutile de revenir sur la formation sentimentale d'une femme, dont les minutieuses analyses ne laissent rien dans l'ombre. J'admets que Marie, sensible par nature et par tempérament, voit s'accuser peu à peu la sombre ardeur d'une sensibilité qui l'inquiète toute sa vie, et que, à la veille de sa mort, elle éprouve avec force les émotions d'un cœur de vingt ans. J'admets que toutes les influences, dont elle souligne longuement la portée, ont une valeur morale; que ni les livres, ni la nature, ni la musique, ni la religion ne la laissent jamais en repos. Bref, j'admets que, fille spirituelle de Jean-Jacques, elle porte son

---

1. Loin de posséder toutes les lettres et tous les écrits de Mme Roland, nous n'avons que les débris de cette œuvre énorme et diffuse (Cf. Cl. Perroud. *Introduction* aux *Lettres de Mme Roland* (*1780-1787*), Paris, Impr. Nat., 2 vol. in-4°, 1900, p. v à xxiv, p. xxxii et l).

ombrageuse ferveur dans l'amitié comme dans l'amour.

Après une lecture attentive de son œuvre, je voudrais
simplement dégager les aveux essentiels qui laissent
pressentir comment se développera, au contact des événements révolutionnaires, la sensibilité de Mme Roland.
Sensible et Fidèle, telle est sa devise [1]. Mais quels sont le
degré et la valeur de sa sensibilité? L'abus presque
dérisoire qu'elle fait du mot *sensible* doit nous mettre en
garde. L'adjectif revient sous sa plume plusieurs cen-
taines de fois, invariablement appliqué, telle une épithète homérique, à tout être humain; galvaudé de la
sorte, selon la mode du siècle, il perd de son efficace.
D'ailleurs, la sensibilité de Mme Roland est parfois un
acte de volonté autant qu'un effet de la nature. Elle a
beau prétendre qu' « on ne sent point parce qu'on veut
sentir, mais parce qu'on est affecté [2] », il lui arrive de
vouloir sentir, comme elle veut, de propos délibéré,
écrire son intarissable confession; et, lorsque la sensation
l'entraîne, l'expose au danger, elle fait un effort inverse
pour la contenir, car elle est capable de régir ses états
violents, de se posséder, d'analyser la sensation [3]. Ainsi,
tantôt sa volonté provoque des états violents, tantôt elle
les réprime. Mme Roland n'est pas un être d'irrésistible impulsion; elle essaie de commander à ses nerfs
et à son cœur, quitte à ne remporter que des victoires
à la Pyrrhus [4]. Il faut donc oublier à demi notre roman-

1. Cf. M. Clémenceau-Jacquemaire, *Vie de Mme Roland*, Paris,
Tallandier, 2 vol. in-8º, s. d., t. II, p. 233. Cette biographie, qui
affiche un parti-pris violent contre la Montagne, manque d'objec-
tivité.

2. *Lettres de Mme Roland. Nouvelle Série. (1767-1780)*. Paris, Impr.
Nat., 2 vol. in-4º, 1913, t. I, p. 243. — Cf. Mornet, *ouvr. cité*, p. 413.

3. Cf. *Mémoires de Mme Roland*, Paris, Plon-Nourrit, 2 vol. in-8º,
1905, t. I, p. 292; II, 117.

4. Cf. *Lettres de Mme Roland, Nouvelle Série*, t. I, p. 197. — *Roland
et Marie Phlipon, Lettres d'amour (1777-1780)*, Paris, Picard, in-8º,
1909, p. 326, 348, 355.

tisme pour n'en point trop prêter à cette femme qui
veut être sensible, comme son siècle, tout en déplorant
de l'être. Constatation plus grave : la sensibilité, chez
elle, affecte l'esprit, trouble les facultés intellectuelles.
« On peut me mettre du nombre des gens dont le cœur
fait mal à leur tête, avoue-t-elle : tant de choses affectent
le premier que l'autre s'en ressent à la fin [1]. » Il en résulte
qu'elle a « plus de sensations que de pensées », que ses
idées tiennent à ses sensations, que son premier guide
est et reste l'instinct [2]. Les inquiétants remous de sa
vie intérieure n'ont pas d'autre cause : tout l'affecte,
elle sait qu'on augmente ses peines en multipliant ses
rapports, et elle s'applique à accroître les uns et les
autres. Elle sait que, chez elle, « le moral n'exclut pas
les sens », et je ne crois pas qu'elle s'en afflige. N'écrit-elle
point à Bosc cette belle phrase profonde : « Vous avez
trop d'âme pour qu'on vous reproche d'avoir des sens :
ce serait au moins une inconséquence » ? Ainsi, chez les
grandes natures, l'âme et les sens sont liés. Enfin Mme Roland soutient que « le sentiment nous guide mieux qu'une
froide théorie », au moins quand il s'agit d'appliquer
les événements à l'avenir. Sa force et sa faiblesse sont
tout entières dans cette déclaration digne de Jean-
Jacques : « Je pensais par mon cœur [3]. »
    Ces formules, isolées du texte, risquent de perdre leurs
nuances; il convient de les atténuer, de les mettre en
opposition avec d'autres, car la vie de Mme Roland
est trop dépendante des sens pour ne pas connaître
le flux et le reflux des idées, le heurt des contradictions,

1. *Lettres. Nouvelle Série*, t. II, p. 158.
2. *Lettres. Nouvelle Série*, t. I, p. 149, 213.
3. *Lettres*, t. I, p. 222, 247 .— *Lettres, Nouvelle Série*, t. I, p. 149,
243, 494, 532; II, 33, 365, 374. — *Mémoires*, p. 91. — Même sensibilité chez Rosa Luxembourg ; mais la formation révolutionnaire
est, chez celle-ci, beaucoup plus solide.

l'incohérence des sentiments [1]. A travers ses confessions, j'imagine son âme plus complexe qu'on ne l'a dit, mais non pas plus touffue qu'elle-même l'a peinte. Elle a conscience en effet de cette complexité : âme étrange, qui se cherche, qui hésite entre les vertus terre à terre et les élans parfois un peu forcés, car la jeune fille a trop lu, trop subi l'influence intellectuelle du siècle et des lointains aïeux pour être de pur instinct. Ses trois maîtres, Plutarque, Montaigne, Rousseau, lui dictent des avis contraires, et visent pourtant à l'unité. En elle, comme en Pascal, mais moins tragiquement, se livre une lutte entre la passion et la raison, entre l'imagination et le sens du réel [2]. Passion rusée, fertile en pièges, particulièrement dangereuse entre la quinzième et la trentième année, passion qui brise la volonté, met nos idées sous la dépendance de nos sensations, se nourrit de l'illusion qu'elle produit, passion, mensonge terrible ou riant du bel âge, passion délicieuse ou cruelle qui nous emporte hors de nous-même en effaçant les lois de la vertu, ah! comme elle vous censure, vous repousse, et comme, sans doute, elle a peur de vous! Elle se rassure en affirmant qu'elle n'a « guère foi aux grandes passions »; et certains biographes, la prenant au mot, lui attribuent un cœur froid [3]. Mais il en est de la passion comme de l'imagination, dont elle stigmatise les méfaits et les dangers [4]. L'imagination est la source de nos malheurs, elle grossit les objets, invente, défigure, trompe; pourtant, Marie Phlipon s'abandonne à elle, tout en essayant de la surveiller, de la subordonner à l'esprit. Son imagination

1. Cf. *Lettres. Nouvelle Série*, t. I, p. 196.
2. *Roland et Marie Phlipon. Lettres d'amour*, p. 334.
3. *Lettres. Nouvelle Série*, t. II, p. 164. — Cf. L. Arbaud, *Mme Roland* (*Le Correspondant*, t. LXIV, p. 251). Il est excessif de dire que « tous ses sentiments n'eurent pour siège que le cerveau ».
4. *Lettres, Nouvelle Série*, t. II, p. 170.

vorace, extravagante, tyrannique, l'entraîne, et la jeune
fille lui donne libre carrière, la suit, tel Jean-Jacques, au
pays des chimères, dont le séjour est charmant : « La
force d'une imagination émue supplée à la présence
de la réalité », déclare-t-elle [1]. Or la raison, que devient-
elle dans ce combat sans issue entre deux principes
contraires? Avec une habileté subtile, Mme Roland
fait d'elle une forme atténuée de la sensibilité, déclare
qu'elle n'est rien que « le sentiment réfléchi [2] ». Ainsi
l'accord est réalisé sans trop de dommage : le bonheur
est à mi-chemin entre l'indifférence et la passion, la
sagesse consiste à fortifier la raison et à affaiblir la sensibilité [3].

Vues théoriques sans doute; mais l'épreuve de la vie
et, ce qui est plus grave, l'épreuve révolutionnaire
obligent de bonne heure Mme Roland à conformer sa
conduite aux principes qui lui sont chers. De ces épreuves
elle ne sort, hélas! ni indemne, ni victorieuse, et ses luttes
politiques, comme ses luttes sentimentales, ne sont
qu'une série d'erreurs et de défaites : « Le sentiment est
dans le moral ce que le mouvement est dans le physique »,
déclare-t-elle, et elle conclut que « la faculté d'aimer est
le plus noble privilège de l'homme [4]. » Or, cette faculté
d'aimer, elle la célèbre avec lyrisme dans ses formes les
plus atténuées et les plus délirantes, multiplie les éloges
de l'amitié et les hymnes à l'amour, use à leur égard
d'un langage théologique, d'images sacrées, d'hyperboles
mystiques. Première équivoque : chez elle, l'amitié
et l'amour paraissent se confondre, non seulement
sur le papier, mais dans la vie, et elle pousse la confusion
jusqu'aux extrêmes limites; les propos qu'elle tient à son

1. *Lettres, Nouvelle Série*, t. II, p. 431.
2. *Ibid.*, t. II, p. 34.
3. *Ibid.*, t. II, p. 250.
4. *Ibid.*, t. I, p. 178.

amie Sophie Cannet ne sont rien moins que singuliers [1].
Seconde équivoque : les plus nobles aspirations de l'âme
comme, il faut le dire, les intérêts les plus matériels
l'égarent sur la nature et la valeur du sentiment qu'on
lui voue. Elle se trompe, à la fois lucide et troublée,
sur De Sévelinges d'Epagny comme sur Pahin de la
Blancherie; elle se trompe, peu ou prou, sur tous ces
hommes d'âge très mûr, Gardanne, Moré, De Boismorel,
Sainte-Lette..., avec qui elle philosophe et auxquels,
par vanité féminine, elle prête le désir inavoué de pousser
au-delà. Puis, dans sa recherche obstinée d'un mariage
avantageux, elle écarte, avec une désinvolture dédaigneuse, les vingt prétendants dont le nombre l'amuse et
la flatte [2]. Tous ces dédains, hélas! n'aboutissent qu'à
l'erreur capitale, parce que c'est l'erreur de l'orgueil,
le mariage avec Roland. Erreur charmante et voulue!
Les lettres de Marie Phlipon fiancée sont ardentes,
enflammées, lyriques, pleines d'exaltation et de larmes;
pas un obstacle qui ne soit finalement surmonté [3].
Marie est-elle dupe, une fois encore, de son imagination?
La vie commune répond-elle à son enthousiasme?
L'ambition de la jeune femme est-elle satisfaite? On ne
sait; mais, l'année même de son mariage, le jeu décevant
des amitiés amoureuses recommence, comme avant le
mariage. Lanthenas, Bosc d'Antic, Bancal des Issarts...,
savons-nous bien le fond de ces tendresses, et le secret
d'autres tendresses, peut-être? Vraiment, autour de
cette bonne ménagère, de cette maîtresse de maison
attentive, de cette mère dévouée, vraiment ils sont
beaucoup. Je sais que Mme Roland résiste, ne cède pas,
invoque la « vertu », ne cesse de la définir, de se l'appliquer

1. *Lettres, Nouvelle Série*, t. I, p. 56, 257, 417.
2. Cf. *Ibid.*, t. II, p. 266.
3. Cf. *Roland et Marie Phlipon. Lettres d'amour (1777-1780)*, Paris,
Picard, in-8°, 1909.

avec un enthousiasme raisonné : goût du jour, suprême appel contre la tentation. Mais cette femme qui se dit vertueuse et qui l'est, cette femme qu'on nous présente comme un modèle de noblesse morale [1], cette femme dont le cachet s'orne du mot *fidélité*, éprouve un trouble amoureux en écrivant à Bancal : « Mon cœur est pur, et je ne suis pas tranquille [2]! » Cet aveu singulier prépare le dernier drame et l'explique. L'infidélité idéale de sa femme couvre Roland de ridicule, et les ennemis politiques risquent des allusions déplaisantes. Cette femme encore jeune, on la sent insatisfaite, en état de moindre résistance. Treize ans après son mariage, elle découvre que sa vie sentimentale est manquée, qu'elle s'est trompée sur les autres et sur soi. A trente-cinq ans, le désir se réveille avec un arriéré formidable; il n'a qu'une heure, et il la saisit. Lanthenas, Bosc, Bancal ne furent que charmantes et douloureuses fantaisies, que prélude à l'orage.

L'orage éclate, lorsque la vive amitié pour Buzot se transforme en amour. Mme Roland qui, selon Sainte-Beuve, n'a jamais connu le premier attrait invincible et simple de Chloé et de Virginie, qui, pendant plus de quinze ans, disserta sur l'amour au lieu de le vivre, brusquement l'éprouve [3]. Drame rapide, par la faute des événements; on en sait les tristes vicissitudes, et comment il se mêle au drame politique de 1793. Par une ironie cruelle du sort, au moment où Mme Roland va connaître les joies de l'amour — et elle les eût connues tout entières sans doute, malgré ses protestations de fidélité, d'héroïsme, de sacrifice à l'antique, oui, elle

---

1. Même parti pris d'idéalisation chez Lamartine (*Histoire des Girondins*, Paris, Furne, 8 vol. in-8°, 1867, II, 1 à 42) et Michelet (*Ouvr. cité*, II, 294).
2. *Lettres*, II, 165.
3. Cf. Sainte-Beuve, *Nouveaux Lundis*, t. VIII, p. 231-2.

les eût connues, car son passé l'y préparait, car, après
tant d'erreurs, l'amour allait prendre enfin ses yeux de
vérité, — au moment donc où elle va jouir des pléni-
tudes de l'amour, elle porte sa tête sur l'échafaud.
Double ironie : c'est son mariage avec Roland qui décide
de sa vocation politique, et c'est Buzot qui, poussé
par elle, contribue à sa perte, la hâte, la précipite[1].
Peut-être comprendrons-nous mieux ce drame révolutionnaire, après avoir dégagé les mobiles qui inspirèrent
la vie intime de Mme Roland. Ses faiblesses, ses erreurs,
ses fautes ne la diminuent pas. Elle est humaine, victime
de son imagination et de son orgueil plus que de ses
sens et de son cœur, noble par certains côtés, attirante,
il faut le croire, puisque tant d'hommes ont vécu dans
le rayonnement de sa force.

Cette force, elle prétend l'exercer au profit de la
Révolution, et elle commet alors sa plus généreuse erreur,
née, comme les autres, de son tempérament et du conflit
qui oppose sa sensibilité et sa raison. Est-elle armée
pour conduire, en des heures confuses et décisives, les
événements et les hommes ? Moins qu'elle ne le croit,
car elle le croit. Au départ, c'est-à-dire dès la crise
morale que la jeune fille traverse en 1775 et en 1776, la
noblesse de ses intentions l'honore. Désormais la philanthropie, remplaçant chez elle la dévotion, s'exerce
par une pratique constante, élargit son cœur, lui donne
une âme cosmopolite : charité, tolérance, amour universel deviennent ses « boussoles en fait de conduite
et en matière d'opinion [2] ». Ainsi elle entre, avec la

---

1. Cf. Les lettres à Buzot dans les *Mémoires de Mme Roland*, t. II,
p. 335, 348, 355, 359, 369.
2. Cf. *Lettres, Nouvelle Série*, t. I, p. 99, 195, 550; II, 520.

plupart des jeunes révolutionnaires, dans le courant du siècle, et elle entend bien que cette foi soit active, dégagée de tout égoïsme abstrait. Mais Mme Roland, que le sort d'un Cafre ou d'un Caraïbe émeut, réalise-t-elle, à l'heure des réformes sociales, le rêve de Marie Phlipon? Va-t-elle consentir à ce que la force soit mise au service de ce rêve? Nous la savons hostile aux revendications féminines; elle juge que la femme, trop faible, trop ignorante pour être « patriote », c'est-à-dire révolutionnaire, doit se borner aux tâches domestiques, et elle l'écrit nettement à Bancal des Issarts, le 5 avril 1791 : « Je ne crois pas que nos mœurs permettent encore aux femmes de se montrer; elles doivent inspirer le bien et nourrir, enflammer tous les sentiments utiles à la patrie, mais non paraître concourir à l'œuvre politique »[1]. Déclaration catégorique, à laquelle Mme Roland ne se tient pas, car sa conduite personnelle contredit ses théories, et sa sensibilité, brusquement, l'emporte sur sa raison. C'est le moment de rappeler ses deux déclarations précédentes : « J'ai plus de sensations que de pensées » — « Le sentiment nous guide mieux qu'une froide théorie. » Aussi, dès 1789, elle trépigne d'impatience, rêve de « camper là la science et le reste », s'évade, malgré son entourage, dans la politique [2]. Évasion dangereuse autant que respectable. Mme Roland va pécher, une fois de plus, par excès d'imagination et par orgueil, par ambition et par rancune. Sa nature mobile, ses exigences théoriques, ses erreurs de tactique, ses manœuvres maladroites vont perdre ses amis girondins, la perdre elle-même. Drame humain, terrible et terrifiant, qui va dresser la Montagne contre la Gironde, leçon de haute politique dont je voudrais essayer de découvrir

1. *Lettres*, t. II, p. 258, 301.
2. *Ibid.*, t. II, p. 58.

les secrets ressorts. Mme Roland nous y aide. Ses *Lettres*, ses *Mémoires* montrent à nu, en l'idéalisant, la révolutionnaire exaltée. C'est cette exaltation, magnifique et mortelle, qu'il faut mettre en lumière, sans oublier jamais les forces qui bouillonnent dans ce corps et dans ce cœur féminin, ni la primauté que l'imagination sensible exerce chez elle sur la raison.

Ah! certes, de 1789 à 1791, Mme Roland ne connaît dans ses propos ni retenue ni mesure. Barras la juge « impérieuse » dans la vie publique, comme dépourvue de réserve dans la vie privée [1]. Ce qui parle en elle avec une fougue téméraire, c'est, d'abord, la voix de ses passions irritées : l'indignation sourde contre la monarchie et l'oligarchie fait bientôt place à des colères mêlées d'enthousiasme. Lamartine n'a pas tort de dire que Mme Roland aime la Révolution « comme une amante » [2] : amante aux exigences presque féroces. Dès 1789, elle ne croit pas que la Révolution, comme le soutient Mirabeau, puisse composer avec la royauté, et elle pousse ses amis aux solutions extrêmes. Ni l'Assemblée Nationale, ni la Constituante ne trouvent grâce à ses yeux. Impatiente et fébrile, elle poursuit les deux Assemblées de sa haine, les couvre de sarcasmes et d'injures, les accuse de lâcheté et de corruption. Son dégoût s'exprime avec une véhémence parfois grossière; elle parle d' « esclaves avilis se roulant dans la fange », de fripons et d'eunuques — ce sont les députés, — de traîtres — ce sont les ministres, — de pays tombé dans la pourriture — c'est la France, — d'esprit infernal — c'est celui de la Constituante : « Vous êtes tous f.....! » crie-t-elle à ses amis; et, devant leur faiblesse, elle a des accès de rage [3]. Parti-pris, injustice flagrante envers la première

1. *Mémoires*, t. I, p. 83-84.
2. *Histoire des Girondins*, t. II, p. 30.
3. Cf. *Lettres*, t. II, p. 53, 103, 105, 160, 206 à 367.

Assemblée révolutionnaire dont elle méconnaît les mérites et l'œuvre, exaltation verbale de néophyte pour qui la réalité n'existe pas, tout, chez elle, prouve qu'elle ne se rend pas compte des difficultés considérables où se heurte la Constituante. C'est un mauvais début, dans l'aigreur et la critique acerbe, négative. Est-ce parce que Roland n'est rien? Il faut lui prêter des mobiles plus désintéressés. Que veut-elle donc?

De l'audace, et qu'on se porte aux extrêmes. Elle s'attaque au « monstre aristocratique », pousse de « généreux Décius » à l'assassinat du roi et de la reine, dénonce la cabale, c'est-à-dire la quadruple aristocratie des prêtres, des nobles, des marchands et des robins en criant : « Au feu! Au feu! », souffle sur le feu à pleins poumons. Sa haine de l'injustice et de l'oppression grandit, s'exalte; toute résistance l'exaspère. Alors elle lance d'admirables appels aux armes, au courage civique, à l'union des patriotes; elle trouve des accents dignes d'un tribun populaire, d'un Mirabeau, d'un Danton; elle veut que son cri devienne universel et si terrible qu'il éveille le peuple et en impose à ses ennemis [1]. Dans ce rôle d'excitatrice, sa sensibilité la sert à merveille, lui donne le frémissement d'un orateur dont la voix commande à l'orage, d'un poète que la satire enlève sur son aile cinglante. Elle proclame qu'il faut lutter avec courage pour la liberté naissante, que l'adversité est l'école des nations. Elle croit à la nécessité de la guerre civile, des convulsions vives, des crises salutaires; elle parle sans cesse de fièvre politique, d'épuration. Pour elle la guerre étrangère est purificatrice au même titre que la guerre civile, et les Français ne peuvent « être régénérés que par le sang » : « Il faudra bien, dit-elle, que nous arrivions à cette liberté, [fût-ce à travers une

1. *Lettres*, t. II, p. 53, 65, 85 à 89, 97-98, 105, 144.

mer de sang]. » Ces derniers mots, elle les supprime
dans l'original, comme si, après coup, elle avait un
remords; mais ils restent lisibles, témoins de sa pensée
première, de sa pensée cruelle [1]. Oui, elle veut la guerre,
pousse la Gironde à la vouloir, la guerre sainte contre
l'Europe, et la guerre des partis. Elle veut, non pas des
Cicéron qui se vantent de sauver la République, mais
des Caton qui la sauvent pour elle-même. Elle approuve
les violences sanguinaires du peuple, affirme que la
Révolution se fait à trop bon marché, exige des exemples,
déclare que la lanterne n'est pas une atrocité, qu'on
doit y pendre les ministres. Elle appelle le danger,
qui fouette, qui fait aller les timides et les lâches. « Où
donc est le courage, où donc est le devoir? » demande-
t-elle. Ils sont dans la lutte implacable et fratricide.
Elle estime que « l'insurrection est le plus sacré des devoirs
lorsque le salut de la patrie est en danger », et que « le
citoyen ne doit pas faire grâce, même à son père, quand
il s'agit du salut public [2] ». Pendant toute l'année 1791,
l'ardeur révolutionnaire la précipite dans la guerre
civile, qui régénère, dit-elle, « notre caractère et nos
mœurs ». Brutus est son héros. Lorsque les feux de la
Liberté s'allument, elle tressaille de joie, appelle l'humanité entière au salut de la liberté [3]. Hélas! les événements la déçoivent sans cesse, et le pessimisme la
gagne; elle soupire après la retraite, rêve à la maison
rustique du Clos, si paisible, si fermée aux orages, où
il ferait si bon ramer ses petits pois, cueillir ses roses [4].
Mais à peine y vit-elle que la nostalgie de l'action la

1. Cf. *Lettres*, t. I, p. 62; II, 58, 317. — Cf. Jaurès, *ouvr. cité*,
La Convention, t. II, p. 1449.
2. Cf. *Lettres*, t. II, p. 156, 159, 164, 231, 232. — *Lettres, Nouvelle
série*, t. II, p. 530.
3. Cf. *Lettres*, t. II, p. 269 à 274; 326.
4. Cf. *Lettres*, t. II, p. 345, 349, 353, 386 à 388.

tourmente, la rend nerveuse, malade; Paris l'attire,
parce que Paris, c'est la Révolution.

« On vit ici dix ans en vingt-quatre heures », écrit-elle
à Bancal en 1791 [1]; et il est vrai qu'elle vit avec une
ardeur qui la consume, pousse la Révolution en avant,
excite ses amis, préconise la violence, la lutte sans pitié.
Cette femme sensible a au cœur une sorte de rage froide,
et elle ne craint pas le sang. Cette victime, que l'on prétend innocente, loin de pleurer ses victimes, en réclame
toujours plus, holocauste offert à la Patrie et à la Liberté.
Les historiens et les moralistes ne voient en général
que le rôle officieux, sinon officiel, de Mme Roland,
lorsque son mari est au pouvoir, et ce rôle d'Eminence
grise n'est pas négligeable. Mais combien plus révélateur
ce rôle d'excitatrice, combien plus près de la nature
foncière et du premier mouvement! Il nous permet
de saisir un caractère, alors qu'il s'abandonne sans
calcul aux impulsions de l'instinct. En 1791, Mme Roland
terroriste avant l'heure, parle comme parleront Marat,
Robespierre, Saint-Just en 1793. Sa violence dépasse
la leur, et elle ne cherche pas même à concilier celle-ci
avec la sensibilité, comme le feront les Conventionnels;
son patriotisme est plus étroit, plus implacable que le
leur. Telle lettre signée d'elle dépasse de beaucoup
le langage de Marat, plus fin, plus avisé, plus prudent
sous la brutalité des mots, ou celui d'Hébert, que la
raillerie cynique égaie d'un rayon [2].

C'est alors qu'elle ferait figure de révolutionnaire,
au sens plein du mot, si elle était capable de taire ses

1. *Lettres*, t. II, p. 325.
2. Cf. la lettre du 10 novembre 1791 (*Revue de la Révolution française*, t. LVII, p. 486).

récriminations pour se plier aux exigences de l'œuvre collective. Au moins son ardeur irréfléchie sert-elle de contre-poids aux hésitations et aux lâchetés, son intransigeance a-t-elle une vertu d'entraînement. On objecte que ses vues sont théoriques, qu'elle n'agit point elle-même, que son programme reste vague, confiné en des formules philosophiques sur le bonheur universel, les « lumières », la liberté, les principes généraux [1]... Oui, mais elle tend à l'action, rêve du pouvoir, a l'orgueil de jouer un rôle, car elle est ambitieuse autant que téméraire. Alors, ne pouvant se pousser elle-même, elle pousse son mari, et au premier plan. C'est une faute, car si Roland a les qualités d'un bon administrateur, il n'a pas celles d'un chef; l'histoire de ses deux ministères en fait foi. Mais Mme Roland ferme les yeux à l'évidence, s'obstine, veut gouverner [2].

Y réussit-elle? Les uns le prétendent, les autres le nient. M. Aulard reconnaît qu'elle inspire la politique ministérielle de Roland et lui souffle sa conduite; mais il affirme que, sur le groupe girondin, son influence fut plus sentimentale que réelle, au moins jusqu'au jour de la rupture avec Danton. Mme Roland inculque à ses amis, non pas des idées, mais ses colères et ses rancunes de femme; elle leur communique un héroïsme tranquille, les rapproche « par les affections du cœur plus que par la communauté des opinions [3] ». Jaurès, au contraire, en une longue et pénétrante étude, rejette sur Mme Roland la responsabilité de l'échec girondin et souligne son rôle néfaste [4]. Il ne s'agit point de prendre

1. En Octobre 1789, elle trace un plan assez précis, mais limité et vite dépassé (Cf. *Lettres*, t. II, p. 66). — Cf. Clémenceau-Jacquemaire, *ouvr. cité*, t. I, p. 211.
2. Cf. *Lettres*, t. II, p. 213, 395.
3. *Les Orateurs de la Législative et de la Convention*, t. I, p. 154-157.
4. *Histoire Socialiste*, t. III, p. 368 à 442.

parti. Les jugements des deux historiens ne sont d'ailleurs pas inconciliables. Mme Roland n'a sans doute
ni idées politiques arrêtées, ni programme net. Mais elle
continue, avec plus d'habileté et comme en sourdine,
à exhaler sa haine contre l'Assemblée et l'aristocratie,
à prêcher la fermeté, l'énergie, l'intransigeance, à mul-
tiplier les attaques directes [1]. Incapable de dicter à
la Gironde un plan d'action pratique, elle agit sur elle
sentimentalement, elle excite et elle touche plus qu'elle
ne persuade et dirige. Ne doutons pas qu'elle en souffre,
car ce pouvoir réel qui lui échappe, elle le veut par tous
les moyens. Lorsque, en Décembre 1791, elle ramène
Roland à Paris pour préparer le terrain, elle est blessée
par l'accueil glacial qu'on lui réserve. Où est le premier
groupe républicain dont elle était, six mois auparavant,
l'âme ardente? Elle se ronge de dépit, éprouve un tel
dégoût qu'elle envisage de mourir. C'est alors qu'elle
« épanche son âme » dans l'âme de Sophie Grandchamp,
dont voici les curieuses révélations : « J'avais cru
remarquer que Mme Roland nourrissait en secret
une ambition qui contribuait à l'état de langueur qui
la consumait chaque jour. » Mais lorsque, en Mars,
on offre à Roland le portefeuille de l'Intérieur dans
le ministère Brissot-Dumouriez, c'est une résurrection.
Sophie va chez les Roland. « Ils étaient au lit; je m'y
précipite... Ils acceptent. » Le pouvoir rend la santé à
Mme Roland. « Mon amie, mourante le matin, avait
retrouvé sa fraîcheur et sa grâce [2]. » Voilà l'ambitieux
désir.

1. *Lettres*, t. II, p. 274 à 367. Çà et là, quelques accents de modération et de sagesse (II, 409).
2. *Souvenirs de Sophie Grandchamp* (*Revue de la Révolution française*,
t. XXXVII, p. 86-89). — Sur le désir que Mme Roland a d'exercer le pouvoir, cf. Jaurès, *ouvr. cité. La Convention*, t. I, p. 77; II,
1063-1065, 1185.

Et voici l'impulsion sensible. Le 27 septembre 1792, une attaque directe de Danton soulève les murmures de l'Assemblée, rejette la Gironde vers la femme qu'elle croit insultée, attise la haine de Mme Roland, dont le rôle secret vient d'être brutalement dévoilé [1]. Celle-ci déteste Danton, éprouve pour lui une répulsion physique, l'accuse des massacres de Septembre, et, pour établir sa culpabilité, elle prononce cette imprudente parole : « Je le crois comme une de ces vérités de sentiment qu'on ne peut démontrer à d'autres, mais dont on est pénétré autant que de sa propre existence [2]. » *Vérité de sentiment!* Dans l'ordre poétique ou métaphysique, oui; mais dans l'ordre politique, dans l'ordre de la justice humaine? L'instinctive présomption féminine remplace la preuve, à l'heure où il s'agit de la tête d'un homme. Mme Roland ne semble pas mesurer la gravité de ses paroles; le malheur est que, presque toujours, elle agit par sentiment, non par raison, et que le sentiment se confond chez elle avec l'intérêt, la rancune, la vengeance personnelle. Alors elle donne libre cours à son esprit batailleur; elle dit : « Je hais de causer le mal [3] », et elle le cause avec frénésie, multiplie les attaques contre le scélérat « Danton », l' « aboyeur Marat », Robespierre, toute la Montagne, se pose en victime innocente, parle de sa vertu, de son dévouement, de son courage, se compose une attitude réservée, discrète, noble, qui ne correspond pas à la réalité [4]. Car son attitude véritable n'est que provocation insensée. Elle pousse la Gironde à écraser ses rivaux, à rompre avec Danton, objet de sa jalousie [5], à exclure les chefs montagnards, puis à

1. Cf. Mathiez, *La Révolution française*. Éd. Colin, t. II, p. 108.
2. *Le Correspondant*, t. CLXVIII, p. 148.
3. *Lettres*, t. II, p. 453.
4. Cf. en particulier *Lettres*, t. II, p. 430 à 460.
5. Cf. Jaurès, *ouvr. cité*, La Convention, t. I, p. 132, 155 à 158.

régner sur une Assemblée docile. Au lieu de réaliser
son programme, la Gironde s'abandonne en effet à
une politique mesquine et opportuniste, accapare tous
les postes, se taille la part du lion au détriment de la
Montagne, recourt parfois à la calomnie [1]. Ainsi,
Mme Roland contribue à orienter la Révolution, non
pas vers la convergence des efforts, qui eût été salutaire,
mais vers la lutte des partis, qui l'affaiblit, et la violence,
qui la discrédite; elle la fait dévier, et elle provoque
ainsi l'implacable réaction montagnarde.

Comment pourrait-elle s'arrêter sur cette pente dangereuse? Plus elle avance, plus elle confond la *vérité
de sentiment* avec la probité intellectuelle, plus elle mêle
le drame domestique au drame politique, au risque
d'envenimer celui-ci et de trahir les secrets de sa vie
intime [2]. Elle lance Buzot et Louvet contre Marat
et Robespierre, elle leur inspire un rôle équivoque et
funeste. Buzot qui, depuis la Constituante, connaît
Mme Roland, l'aime-t-il déjà? Est-il jaloux de Lanthenas et de Bancal, alors plus aimés que lui? Souffre-t-il
de son inaction prolongée, de son obscurité relative?
Il aborde la tribune de la Convention avec un cœur
troublé, impatient, prêt à tout déformer; et lorsqu'il sent
qu'il peut être aimé de Mme Roland, son inquiétude
d'amour aiguillonne son inquiétude de gloire. A servir
les passions et les haines de Mme Roland, il soulage
l'orgueil amer de son cœur et il entre dans les sympathies
de la femme aimée, il y entre avec une âpreté soudaine,

1. « Les Girondins trahissaient-ils la cause de la grande Révolution? Non. Mais ils en étaient les défenseurs inconséquents, irrésolus,
opportunistes », déclare Lénine, qui leur oppose les Jacobins.
(*Œuvres Complètes*, t. VII, p. 184).

2. « Le trait principal (de son caractère) reste une quasi incapa-
cité de juger sainement des hommes, les voyant toujours sous l'angle
du sentiment et du ressentiment. » (L. Madelin, *La Révolution*,
p. 210).

un langage agressif, un étalage de sa personne. Ame faible, comme Roland, il a, comme lui, l'hallucination du poignard, et il sème la terreur, affole la Convention, prolonge le cauchemar des massacres de Septembre, jette des germes de guerre civile entre Paris et la province. Son discours maladroit et rageur du 12 Août fait de lui l'aigre interprète du ménage Roland; ce défi, cette provocation soulèvent l'émoi de la Convention. Buzot même a le sentiment qu'il exagère; les *Révolutions de Paris* le traitent de factieux, les désaveux se multiplient : Couthon et Condorcet, après Vergniaud, répudient cette politique de coterie et de haine, qui va perdre la Gironde, ébranler la Révolution. Mais les sources profondes et secrètes d'orgueil, d'amertume et de haine d'où jaillissent les dangereux conseils de Mme Roland et les paroles irritées de Buzot ne tarissent pas. J'insiste, bien que les faits soient connus, sur cet exemple où la politique est dominée par l'exaltation sentimentale et nerveuse d'une femme et d'un homme. Mme Roland pousse l'imprudence jusqu'à la calomnie : elle accuse Condorcet de céder à la peur, parce que Condorcet condamne la politique de Buzot, donc la sienne. Alors Condorcet, si modéré, se rallie à Danton, les Jacobins excluent Brissot, les sympathies s'effritent autour de la Gironde... La leçon ne profite pas à Mme Roland; elle veut anéantir Robespierre, avec qui elle a rompu. Nul doute qu'elle n'approuve le mémoire acrimonieux et emphatique que Roland lit à la Convention le 29 Octobre 1793, et le rapport de police suspect qu'il lance contre Robespierre, manœuvre déloyale que la Gironde paiera cher.

Alors Mme Roland cherche un nouvel allié, car Buzot et Roland sont discrédités à jamais; et Robespierre, Marat, soutenus par Danton, se taisent, la laissent habilement s'enferrer. Cet allié porte-parole, c'est le

BUZOT, RÉFUGIÉ A ÉVREUX,
CONTEMPLE LE PORTRAIT EN MINIATURE DE Mᵐᵉ ROLAND,
QUE CELLE-CI VIENT DE LUI FAIRE PARVENIR
Dessin par Le Guay   *(Musée Carnavalet)*

Pl. VI

sentimental Louvet : étrange connivence entre le « ménage vertueux » et le romancier de *Faublas !* Mme Roland est-elle qualifiée pour accabler Danton de sa prude vertu ? Il entre, dans cette âme droite et noble, un peu d'hypocrisie et de ruse minaudière. Elle pousse Louvet à l'attaque, et, le 29 Octobre, Louvet prononce contre Robespierre un long réquisitoire, l'accuse d'aspirer à la dictature, sans apporter l'ombre d'une preuve. Jeu dangereux. Le 5 Novembre, Robespierre riposte par un discours modéré, précis, habile, où son ironie s'exerce aux dépens du « vertueux » Roland tombé à de plats moyens policiers. La Convention l'acclame, la Gironde se sent perdue, s'affole, les Roland sont abandonnés par leurs « créatures », Pache et Garat; Lanthenas, jaloux de Buzot, aigri, blessé, se désole, critique, se refroidit. A nouveau, le drame domestique, rapide et dur, se mêle au drame politique. Mme Roland, vivant sous le même toit que Lanthenas, ne lui adresse plus que de courts billets très secs, rompt avec lui, l'accable ensuite dans ses *Mémoires :* nouvel exemple de rancune. Cependant les élections municipales de Décembre à Paris consacrent le triomphe de la Montagne : Robespierre a vaincu. Et la chute est sans grandeur : Mme Roland tombe sous les attaques, les sarcasmes, les injures, les menaces, qui ne respectent ni la femme, ni l'amante. « Je suis Galigai, Brinvilliers, Voisin, tout ce qu'on peut imaginer de monstrueux, dit-elle, et les femmes de la Halle veulent me traiter comme Mme de Lamballe [1]. » Dans le *Père Duchesne,* Hébert mène l'attaque avec sa verve cynique de rude pamphlétaire dont s'amuse tout Paris; ses calomnies trouvent dans la réalité une ample matière [2].

---

1. *Lettres,* t. II, p. 445-446.
2. Sur cette période de l'activité politique de Mme Roland, cf. Saint-Just, *Œuvres Complètes,* t. II, p. 2. (*Discours du 8 juillet 1793*),

Les fautes de Mme Roland n'ont pas trouvé grâce, même aux yeux de ses biographes les plus tendres, les plus indulgents. Ni Sainte-Beuve, ni Michelet, ni même Lamartine ne l'absolvent, et les critiques contemporains lui sont durs, car ils discernent en elle autant de rouerie que d'enthousiasme, de calcul que de générosité, d'aveuglement que de clairvoyance[1]. Aucun pourtant ne marque, semble-t-il, la cause profonde de sa faiblesse, c'est-à-dire le déséquilibre de l'intelligence et de la sensibilité au bénéfice de celle-ci. Peut-être ne la considèrent-ils pas comme une femme sensible. Je leur accorde volontiers que souvent la sensibilité de Mme Roland est appliquée, voulue, cérébrale, et que les effusions de sa tendresse viennent plus de son imagination que de son cœur [2]. Elle n'en est que plus coupable de n'avoir pas mieux fait servir cette sensibilité particulière aux grandes causes humaines, puisqu'elle pouvait la diriger à son gré, et qu'elle s'en vante. Mais la dirige-t-elle toujours ? Ne se laisse-t-elle pas mener à son insu par tout ce qui monte du fond trouble et mystérieux de sa vie intérieure ? Ainsi s'expliquerait son manque de sens politique, son indifférence relative à l'égard des problèmes de gouvernement et des problèmes sociaux. Bref, elle est une révoltée beaucoup plus qu'une révolutionnaire, au sens exact où l'entend Saint-Just.

Sa mort courageuse la réhabilite sans la justifier. Lorsque, dans la cellule de la Conciergerie, elle dénonce

et Jaurès, *ouvr. cité*, t. III, p. 374 à 441. L'argumentation de Jaurès ruine l'ouvrage tendancieux de Lamartine, car Jaurès, aussi lyrique que Lamartine et Michelet, a sur eux l'avantage d'une documentation vaste et précise.

1. Cf. par exemple les études de Léon Arbaud et Clarisse Bader (*Correspondant*, t. LXIV, p. 249 à 282; CLVII, p. 1111 à 1133; CLVIII, p. 142 à 170). — L. Madelin, *La Révolution*, p. 210.

2. Cf. *Le Correspondant*, t. CLVII, p. 1115.

les violences auxquelles elle est en butte [1], elle oublie
qu'elle-même, pendant près de quatre ans, prêcha la
violence avec une obstination rare chez une femme.
Son excuse, elle nous la donne : « Il est fort difficile,
écrit-elle, de ne point se passionner en révolution; il
est même sans exemple d'en faire aucune sans cela [2]. »
Elle s'est passionnée au point d'être aveuglée par sa
passion; et elle emploie ses dernières journées à légitimer
cette passion. Des larmes mouillent le manuscrit, ses
Dernières Pensées trahissent, dans leur netteté stoïque,
le fléchissement de la femme qui redevient uniquement
femme, son appel à « l'impartiale postérité » est trop
humain pour qu'on ne l'écoute pas avec respect [3].
Humaine, ah! comme elle le fut elle-même dans son
égoïsme et dans sa générosité, dans sa force et dans sa
faiblesse, et comme la page d'histoire qu'elle a écrite
est humaine! Mme Roland est un exemple de ce que
peut une âme droite et sincère dans l'erreur politique,
quand la passion intéressée guide ses actes; et l'on songe
avec mélancolie, devant la cruauté de son destin, à cette
robuste femme, faite pour la volupté et pour la vie
campagnarde, l'on songe à la maison silencieuse de
Villefranche, au domaine déserté du Clos, à cette ombre
à cette paix, à cette permanence des choses qui nous
console de tout ce qui passe...

1. Cf. *Mémoires*, t. I, p. 281 à 314.
2. Cf. *Mémoires*, t. I, p. 206.
3. Cf. *Mémoires*, tout le tome I, et t. II, p. 267 à 278.

CHAPITRE XI

L'EFFORT ESTHÉTIQUE

Consolation relative peut-être, mais qui trouve un appui dans l'art, cette interprétation séculaire de la nature. Les fleurs et la musique ne furent-elles pas les confidents suprêmes de Mme Roland? Elles s'unissent, dans sa prison, comme un symbole plein d'un éclat discret. Ainsi l'art, pendant ces rudes années, n'abdique pas son rôle. Il tente même un effort de libération nécessaire, cherche à briser les règles qui l'entravent. Une lutte s'engage, parallèle à la lutte politique, entre les survivances du passé et les tentatives audacieuses qui préparent l'avenir.

Je n'ai pas à retracer cette lutte. Les uns en contestent les résultats, soulignent l'avilissement de la littérature et des arts pendant la période révolutionnaire; les autres exaltent l'œuvre accomplie et saluent les promesses d'une aube éclatante. Or, les réformes de détail, les changements matériels ne portent leurs fruits que si la manière de penser et de sentir est transformée, rajeunie. Ce rajeunissement, les révolutionnaires le désirent, car ils savent que l'art est un jeu égoïste de dilettante, s'il n'est point en harmonie avec le régime économique de la société, et ils l'imposent dans la mesure où ils le peuvent. On leur reproche d'avoir négligé les questions esthétiques, et on leur trouve une naturelle excuse dans la tâche écrasante de rénovation sociale où leurs forces s'épuisent. Reproche immérité : tout se tient, et nous revenons à notre point de départ. Un révolutionnaire digne de ce nom n'improvise rien et ne s'improvise pas lui-même; une longue formation l'instruit et l'arme. D'être instruit, il n'en est que plus fort; d'être artiste, il n'en est que meilleur. Pourquoi ne jouirait-il pas de la beauté, pourquoi n'en ferait-il pas jouir le plus d'êtres possible ? La libération de l'individu doit s'accompagner d'un embellissement de la vie, d'une aspiration plus haute à un idéal supérieur. Robespierre et Saint-Just n'ont jamais renié leurs mauvais vers de poètes provinciaux; les œuvres de Marat sont d'abord de savantes études physiologiques et médicales; Fabre d'Églantine et Collot-d'Herbois cultivent le théâtre; Louvet est un romancier, Condorcet un physiocrate et un philosophe, Barnave un critique littéraire, Hérault de Séchelles un érudit, Mirabeau un psychologue, Brissot un vulgarisateur... : tous ont une instruction variée, solide, encyclopédique, un talent généreux qui donne plus qu'il n'a reçu. On peut prêcher l'austérité républicaine, et être sensible, comme Robespierre et Marat, à l'élégance d'un beau meuble. On peut recourir à la violence, et être sensible, comme Danton, Marat, Larevellière-Lépeaux, au charme consolateur de la musique. Deux témoignages, entre beaucoup d'autres, ont une valeur poignante. « On dit que je suis luxueux, écrit Fabre d'Églantine. L'amour de tous les arts est dans mon âme; le beau, le bon me plaît : je peins, je dessine, je fais de la musique, je modèle, je grave, je fais des vers et dix-sept comédies en cinq ans. Mon réduit est orné de ma propre main : voilà ce luxe »[1]. — « Un soir, à Moscou, chez E. Pechkova, Lénine, qui écoutait les

1. Aulard, *Les Orateurs de la Législative*, t. II p. 240.

sonates de Beethoven exécutées par Issaï Bobroveïn, dit : « Je ne connais rien de plus beau que l'*Appassionata*, je suis prêt à l'entendre tous les jours. C'est une musique étonnante, surhumaine. Je pense toujours avec une fierté peut-être naïve : voilà quels miracles les hommes peuvent accomplir! » Et, les yeux à demi fermés, il ajouta sans gaieté : « Mais je ne peux pas écouter souvent la musique : elle me porte sur les nerfs, on a envie de dire des bêtises charmantes et de caresser la tête des gens qui, vivant dans un enfer sordide, peuvent créer une telle beauté[1]. » Voici donc, retrouvée et revivifiée, cette forme supérieure de la sensibilité révolutionnaire qui ne disparaît jamais, même en pleine Terreur.

Car il n'existe aucune antinomie entre l'agitation d'un peuple et le rêve d'un artiste. Au contraire, plus l'époque est troublée, plus elle semble favorable à l'art; plus la révolution est libératrice, plus elle donne accès aux jouissances de l'esprit et du cœur[2]. La notion même de l'homme s'enrichit à mesure que l'homme étend sa douloureuse expérience. Les révolutionnaires lisent encore Florian et Mme Cottin, mais ils sont les contemporains de Chateaubriand, qui médite *René*, de Senancour, qui médite *Obermann*. Deux formes de la sensibilité et de l'art s'affrontent. C'est pourquoi tel répertoire bibliographique, comme ceux de F. Benoît et d'A. Monglond[3], révèle, dans tous les domaines, une floraison prodigieuse. Déjà Mme de Staël avait constaté cette brusque poussée de sève. « En présence des supplices, les spectacles étaient remplis comme à l'ordinaire; on publiait des romans intitulés *Nouveau Voyage Sentimental*, l'*Amitié Dangereuse*, *Ursule et Sophie*; enfin toute

1. *Lénine tel qu'il fut*, p. 249.
2. Cf. J. Renouvier, *Histoire de l'art pendant la Révolution*, Paris, J. Renouard, in-8º, 1863, p. 20.
3. Cf. la *Bibliographie* à la fin du livre (p. 257).

la fadeur et toute la frivolité de la vie subsistaient à côté de ses plus sombres fureurs[1]. » Les acteurs mêmes du drame ne sont pas les moins prolifiques; ils se plaisent à l'abondante expression de leur pensée et de leur cœur, font passer le pathétique de leur vie dans les œuvres, s'analysent avec une jouissance parfois douloureuse. Leurs *Mémoires* et leurs *Correspondances* offrent un ensemble tel qu'aucune littérature n'en a de semblable : document historique et surtout document humain de premier ordre, qui suffirait à illustrer cette période mal connue et méconnue. On croit avoir tout dit quand on a cité les *Mémoires* de Mme Roland; mais Brissot et Louvet, Buzot et Barbaroux, Pétion et Meillan, Larevellière-Lépeaux et Billaud-Varenne, Barnave et Condorcet.... ont laissé des confessions intimes et publiques à la fois, où la sensibilité se révèle, s'affirme, s'exaspère dans l'action, sous la menace de la guillotine. Peut-on parler de « frisson nouveau »? L'expression est trop forte, si l'on se place au point de vue de l'art; elle cesse de l'être, si l'on estime que la sincérité en face du devoir révolutionnaire et de la mort apporte un élément dans notre littérature. C'est le même frisson qui parcourt l'éloquence parlementaire des mieux doués ou des mieux inspirés, qui parcourt également les pages ardentes de certains journalistes, et qui, de ce journalisme politique, de cette éloquence parlementaire, fait des créations. Chez Camille Desmoulins et chez Condorcet, chez Hébert et chez Marat, la pensée s'organise en actes sous la poussée d'une sensibilité qui prend les formes les plus diverses : indignation, colère, raillerie, générosité, sensiblerie, vulgarité, cynisme... Toute faculté d'atteindre le but est pour eux une arme étincelante et mortelle. D'essence

1. *Considérations sur la Révolution française* (*Œuvres Complètes*, t. XIII, p. 124).

purement révolutionnaire, cette éloquence et ce journalisme ne peuvent donc rendre qu'un son oublié depuis très longtemps par la mémoire des hommes. Ils sont moins des genres littéraires que des parties de la politique, où ils s'intègrent et dont ils vivent : là est le secret de la force dont s'animent encore aujourd'hui le *Vieux Cordelier* et le *Père Duchesne* [1].

D'ailleurs, l'art entier s'intègre à la politique, devient militant : militante la littérature, militants les arts plastiques et la musique. Par une contradiction qui n'est point une incohérence, les révolutionnaires proclament la liberté de l'artiste, font un effort prodigieux et décisif pour réaliser cette liberté, qu'ils jugent indispensable, placent l'artiste sous le régime de l'individualisme, et prétendent contrôler, diriger l'art, le faire servir aux fins révolutionnaires. Ils estiment en effet que l'art est inséparable de l'œuvre sociale, et que, plus il est démocratique, plus il doit exercer un rôle économique et politique en instruisant le peuple, en réalisant un idéal intellectuel et moral. Haute et belle conception, que de nombreux théoriciens exposent en des rapports insistants, où le souci moralisateur associe l'art à la législation. Si le gouvernement surveille l'art, c'est parce que l'art lui devient nécessaire. Il protège l'artiste, l'encourage, lui confère du prestige, le met sur un pied d'égalité avec la société cultivée, dont il attaque les privilèges, lui donne les moyens de s'instruire, de faire ses preuves : accès des Salons, ouverture de Musées nationaux, concours, récompenses, pensions, renouvellement de la pédagogie artistique, qui substitue aux Académies et aux

1. On saisit mieux la valeur politique et la valeur littéraire du *Vieux Cordelier* dans l'édition critique de H. Calvet (d'après les notes d'A. Mathiez) qui vient de paraître chez Colin (in-8°, 1936). — Le *Père Duchesne,* dont la valeur n'est pas moins grande, mériterait, lui aussi, une édition critique.

Maîtrises une discipline plus libérale et plus souple,
tout s'emploie à sauvegarder les facultés souveraines
de l'artiste, l'imagination et la sensibilité, à rapprocher
cet artiste du réel et de la vie, à éviter que la science
abstraite ne gâte ses facultés de perception directe et
d'émotion naturelle. En revanche, le gouvernement
révolutionnaire demande à l'artiste de mettre à son
service ses facultés de perception et d'émotion pour faire
triompher l'idéal commun; il veut que, par lui, la petite
bourgeoisie et la population urbaine s'élèvent aux curiosités esthétiques, réservées jusqu'alors à la seule classe
privilégiée; il veut que, peintre, poète ou musicien,
il se mêle aux luttes révolutionnaires, remplisse son rôle
de citoyen et de soldat. David, Sergent, Topino-Lebrun,
Gérard, M. J. Chénier, acteurs ou spectateurs du drame
politique, apportent à la Révolution leur appui, leur
enthousiasme : natures impressionnables, ils en ressentent, ils en traduisent les convulsions tragiques [1].

*
* *

Échec, disent la plupart des critiques; et ils condam-
nent en bloc la littérature et l'art révolutionnaires,
accumulent des noms de cinquième ordre, des ouvrages
oubliés aussitôt que parus, gémissent sur une décadence
qui leur paraît sans exemple [2]. Le théâtre, transformé

1. Cf. J. Renouvier, *ouvr. cité.* — F. Benoît, *L'Art français sous la
Révolution et l'Empire*, Paris, May, in-8°, 1897. — Ch. Saunier,
Les Conquêtes artistiques de la Révolution et de l'Empire, Paris, Renouard,
in-8°, 1902. — M. Dreyfous : *Les arts et les artistes pendant la période
révolutionnaire*, Paris, Paclot, in-8°, s. d.

2. Cf. M. J. Chénier, *Tableau historique de l'état et des progrès de
la littérature française depuis 1789*, Paris, Pigoreau, in-8°, s. d. L'auteur
semble ignorer complètement la Révolution, qu'il a vécue. —
E. Géruzez, *Histoire de la littérature française pendant la Révolution*, Paris,
Charpentier, in-12, 1869 : nomenclature médiocre et partiale. —
Brunetière, *Manuel...*, p. 378-385.

en arêne politique, réglementé par les pouvoirs publics,
est « au-dessous du médiocre », « inepte, servile et féroce »;
quelques pièces honorables ne suffisent point à le réhabi-
liter, et les efforts pour créer une dramaturgie révolutionnaire restent vains [1]. Les critiques ont raison. Ils
ont encore raison, lorsqu'ils soulignent la faiblesse de la
poésie; en réalité la poésie n'existe pas, en ce sens qu'elle
ne réussit point à rompre avec l'artifice et avec la tradition. André Chénier même, le seul poète digne de ce
nom, dégage avec peine ses conceptions modernes de
l'imitation antique. Quant à la poésie officielle, c'est-
à-dire nationale et patriotique, elle est monotone, ennuyeuse, factice et, parfois, ridicule. C'est elle qui,
s'inspirant de l'époque, devrait rajeunir le fond et la
forme, créer un frisson nouveau. Les thèmes ne lui
manquent pas, et la grandeur de l'histoire contemporaine les enveloppe de prestige. Or, ce sont les poètes
anglais qui les exploitent; Southey, Coleridge, Wordsworth osent dire ce que tout Français éprouve alors au
fond de soi; ils osent chanter la liberté et la fraternité,
revenir à la nature, exalter la puissance de l'homme que
nulle entrave ne gêne plus. Leur lyrisme demeure en
France sans écho [2]. Enfin les critiques ont encore raison,
lorsqu'ils déplorent que le roman périclite et se révèle
incapable de découvrir une expression originale dans la
manière de peindre l'âme humaine. L'époque leur semble
dominée, tyrannisée par David : or, — contradiction
singulière — ce Montagnard violent, cet admirateur
de Robespierre, est le plus néo-classique des peintres,

---

1. Cf. H. Welschinger, *Le Théâtre de la Révolution*, Paris, Charavay,
in-12, 1880, p. 3. — P. d'Estrée, *Le Théâtre sous la Terreur*, Paris,
Emile-Paul, in-8°, 1913, p. VIII, 65, 66. — Brunetière, *Le Théâtre
de la Révolution* (*Revue des Deux Mondes*, 15 janvier 1881, p. 474). —
F. Gaiffe, *Le Rire et la Scène française*, Paris, Boivin, in-12, 1931, p. 145.
2. Cf. Ch. Cestre, *La Révolution française et les poètes anglais*, Dijon,
Damidot, in-8°, 1906.

le plus féru d'antiquité et d'académisme. Le *Serment des Horaces*, les *Bucoliques* d'André Chénier, dénoncent le caractère artificiel de l'art.

Les critiques ont raison, mais ils ont tort d'accuser les contraintes jacobines, les exigences révolutionnaires, le néo-classicisme et David. La littérature est toujours en retard sur la vie sociale, et la bourgeoisie mit des siècles à réaliser son idéal spirituel[1]. Incriminer les révolutionnaires, parce qu'ils n'ont point fait en cinq ans ce qui exige la longue maturité des siècles, est donc un enfantillage. Ce qui manque à l'art français pendant la Révolution, c'est le loisir et un grand génie; ce qui lui manque également, c'est une vue nette de l'idéal nouveau qu'il veut atteindre. Vif, sincère, ardent, il hésite sur la solution des problèmes esthétiques, il n'a pas d'unité, il s'épuise en efforts contradictoires, dont aucun, d'ailleurs, n'est indifférent. De même que les conceptions politiques se heurtent, de même les conceptions d'art s'affrontent, parce que la sensibilité revêt des formes contradictoires qui paraissent être aux prises plus qu'elles ne le sont réellement. Dans ce lustre, qui s'étend de 1789 à 1795, Louvet achève son *Faublas* et André Chénier écrit l'*Invention*, l'*Amérique*, l'*Hermès*, en même temps qu'il compose ses *Élégies* et ses *Églogues* gréco-latines. Volney publie *les Ruines*, Bernardin de Saint-Pierre les *Vœux d'un Solitaire* et la *Chaumière Indienne*, X. de Maistre son *Voyage autour de ma chambre*, Retif de la Bretonne ses innombrables romans, reflet de l'époque. Admirateurs et adversaires de la Révolution cherchent et découvrent en elle des motifs d'inspiration. Rivarol lui doit le talent qu'il dépense contre elle dans les *Actes des Apôtres*, comme Chénier lui doit les *Iambes* et la

---

1. Cf. Victor-Serge : *Littérature et Révolution*, Paris, Valois, in-16, 1932, p. 85, 101...

Jeune Captive, Retif de la Bretonne les *Nuits de Paris*, si riches en pathétiques tableaux et en scènes vécues [1]. Le génie de David se tempère d'une émotion moderne, sobre et dramatique, en peignant *Marat assassiné* ou l'agonie de *Bara ;* il gagne en réalité puissante, lorsqu'il évoque le conventionnel Gérard et tant de personnages contemporains, dont il fait de vigoureux portraits. Prud'hon, au service de la République, s'efforce de rajeunir l'allégorie pour exprimer la *Liberté*, la *Loi*, la *Tyrannie*, l'*Égalité* [2]. Méhul et Gossec dramatisent la musique instrumentale et le chant de plein air pour orchestrer les fêtes nationales de la Révolution [3]. Si, entre 1788 et 1795, Mme de Staël, Chateaubriand et Senancour ne publient rien, ils se recueillent : la moisson n'est pas brutalement fauchée et, par eux, le renouvellement, encore incertain, de la sensibilité et de l'art est assuré. Ainsi, en ce lustre, qui en vaut beaucoup d'autres, la gerbe recueillie n'est point avare; des réalisations s'achèvent, des possibilités se dessinent. Retif de la Bretonne n'a pas tort de dire que la Révolution donne une « secousse » à la littérature [4]. Un critique averti déclare que, dans cette crise, l'art lui paraît « se renouveler, acquérir un idéal inconnu, des types de beauté rajeunis, des réalités plus saisissantes et des conceptions plus vastes »; il lui paraît surtout « riche en éléments

---

1. Cf. *Les Nuits de Paris*, Londres, 8 vol. in-12, 1788, t. VIII, p. 292 à 564. Il faut faire la part de l'imagination. Ainsi Retif décrit son émotion au supplice de Mme de Lamballe (p. 383), et j'en avais pris acte. (*Les Maîtres de la Sensibilité française au XVIIIe siècle*, t. IV, p. 159). Or, dans la seconde édition des *Nuits de Paris*, Retif avoue n'avoir pas assisté à l'exécution.

2. Cf. Saunier, *David*, Paris, Renouard, in-8°, s. d., p. 60-72. — E. Bricon, *Prud'hon*, Paris, Laurens, in-8°, s. d., p. 59. — Renouvier, *ouvr. cité*, p. 100-112.

3. Cf. Poisot, *Histoire de la musique en France*, Paris, Dentu, in-12, 1860, p. 197, 251.

4. *Les Nuits de Paris*, t. VIII, p. 346.

et en promesses, auxquels le temps seul a fait défaut[1]. »
Enfin un musicographe écrit : « 1793, cette époque de
terreur et de massacres, fut en même temps, par une
curieuse contradiction, l'âge fertile de notre musique[2]. »
Mais cette richesse même entraîne des confusions.
F. Benoît s'élève avec raison contre « cette unité de foi
esthétique et cette aveugle soumission à l'autorité de
David », dont on a fait les caractères distinctifs de l'époque
révolutionnaire [3]. Quelques artistes prolongent l'élé-
gante corruption et la sentimentalité passionnée ou
nerveuse du XVIIIe siècle, d'autres se complaisent aux
résurrections antiques et païennes, où les froids artifices
se mêlent à la sensualité. Ceux-ci évoquent avec émotion
les paysages de ruines et de tombeaux; ceux-là se replient
mélancoliquement sur eux-mêmes. Les *Vœux d'un Solitaire*, la *Chaumière Indienne* se colorent des reflets du temps,
subissent l'influence des théories humanitaires à la mode;
Les Nuits de Paris peignent le spectacle des rues, la vie
humble des petites gens, la foule inconnue, les massacres,
la Terreur. La rêverie poétique suscite de tendres émois,
le réalisme de certaines peintures provoque des réactions
violentes; rien n'est alors indifférent. « Je sens fortement...,
déclare Retif; je suis avide de sensations...[4] » Or, les
sensations fortes ne manquent point à l'artiste, et il en
profite.

Partout, en effet, au théâtre, comme dans les arts
plastiques, en particulier dans la peinture, le goût des
sentiments extrêmes, des situations dramatiques, des
scènes terrifiantes s'affirme; le mélodrame répond aux
exigences d'un public qui veut des émotions puissantes
et s'abandonne à l'instinct. « Il faut écrire avec un

1. J. Renouvier, *ouvr. cité*, p. 5.
2. Poisot, *ouvr. cité*, p. 313.
3. *Ouvr. cité*, p. 427-428.
4. *Les Nuits de Paris*, t. VIII, p. 414.

fer rouge pour exciter maintenant quelque sensation »,
constate Mallet du Pan [1]. Le néo-classicisme, loin de
contrarier ce goût, s'accorde avec lui, puisque le révolutionnaire s'intéresse à l'antiquité gréco-latine dans
la seule mesure où elle est une allusion aux événements
contemporains. Il ne saurait donc gêner le développement d'une sensibilité nouvelle. C'est ainsi que l'élément
moderne se mêle à l'élément antique chez André Chénier,
David et Prud'hon : les *Iambes* succèdent aux *Bucoliques*,
Bara s'oppose à l'*Enlèvement des Sabines*, la *Liberté* aux
allégories mythologiques de Prud'hon. Lorsque David
expose au Salon de 1789 son *Brutus*, le sujet paraît révolutionnaire, le tableau subversif, au point que la portée politique de l'œuvre prime sa valeur archéologique :
Brutus est « actuel ». On saisit ici sur le vif l'interpé-
nétration de l'antique et du moderne. Ainsi l'éloquence
des révolutionnaires paraissait d'autant plus moderne
qu'elle était plus chargée de souvenirs antiques appropriés
aux circonstances. Brutus et Bara les émeuvent également, parce que ce sont deux héros républicains [2].

La sensibilité qui vibre aux souvenirs d'Homère, de
Virgile et de Plutarque ne contrarie donc pas la sensibilité moderne, héritée du XVIIIe siècle et tournée déjà
vers les inquiétudes romantiques. L'œuvre entière
d'André Chénier, les *Mémoires* et les *Lettres* des révolutionnaires en sont une preuve éclatante [3]; aussi éclatante la confirmation par l'art. Mais on constate que,
même chez les révolutionnaires, cette sensibilité, complexe et une à la fois, n'a pas les limites que nous lui
assignons aujourd'hui. Elle embrasse la vertu, la morale,

1. *Considérations sur la nature de la Révolution française*, p. VI.
2. Cf. Benoît, *ouvr. cité*, p. 254, 384. — Saunier, *David*, p. 37.
3. Cf. P. Dimoff, *La vie et l'œuvre d'André Chénier jusqu'à la Révolution française, 1762-1790*. Paris, Droz, 2 vol. in-8°, 1936, t. I, p. 281
à 417.

le civisme, le patriotisme, elle exige les plus hautes qualités d'énergie, comme elle dégénère volontiers en sentimentalisme humanitaire et en sensiblerie fade. Même, plus les temps sont durs, cruels, ensanglantés, plus ce sentimentalisme et cette sensiblerie se développent. La Terreur entremêle l'idylle au drame, et les lettres d'amants détenus en prison finissent par constituer un genre littéraire à la mode [1]. L'élégie accompagne ou prolonge l'idylle; une seule, la *Jeune Captive*, idéalisation d'une réalité plus sensuelle que sensible, a fait oublier les innombrables gémissements qui s'exprimaient alors sur le mode de Tibulle ou d'Ovide. Roucher se survit à lui-même, et Florian continue à émouvoir les cœurs [2]. Les improvisations romanesques de Mlle Keralio ou d'Olympe de Gouges ont, pour les contemporains, le double avantage d'être larmoyantes et sentimentalement révolutionnaires. De plus en plus, leur public est un public d'hommes inquiets, désemparés, repliés sur eux-mêmes, un public de vieillards, de veuves et d'orphelins. Alors que Mme de Charrière, publiant *Caliste* en 1786, avait su proscrire l'emphase sentimentale et donner à son art une vérité impersonnelle, Pigault-Lebrun, Mme de Souza, Ducray-Duminil, Mme Cottin, cherchent à séduire ce public par des moyens plus grossiers. En 1792, l'*Enfant du Carnaval* inaugure le roman-feuilleton; en 1794, *Adèle de Sénange* retombe dans la berquinade et l'idylle à la Florian; en 1796, *Victor* prolonge le roman-feuilleton mélodramatique; en 1797, *Claire d'Albe* recourt à un pathétique grossier. Œuvres mortes, mais qui, par leur « bouffonnerie » ou leur invrai-

---

1. Cf. Sédin, *Lettres de deux amants détenus pendant le régime de la Terreur*, Paris, Chaigneau, 2 vol. in-12, 1823.
2. Cf. G. Saillard, *Florian, sa vie, son œuvre*, Toulouse, Privat, in-8°, 1912. — A. Guillois, *Pendant la Terreur, Le poète Roucher*, Paris, Calmann-Lévy, in-12, 1890.

semblance « sinistre », bouleversent alors une foule de
lecteurs attendris et terrifiés. L'odyssée burlesque d'un
enfant du peuple, le romanesque conventionnel d'a-
mours contrariées, les crimes, les trahisons, les malheurs
et les vices, la glorification de la passion anarchique,
morbide, anti-sociale, considérée comme une religion et
une révolte nécessaire, tout s'approprie à la démocratie
naissante. La vie de la Révolution est peinte, avec osten-
tation et avec maladresse, dans sa gaîté faubourienne,
sa frénésie et son délire, ses inquiétudes et ses tourments.
Si Mme de Souza se corrige vite de la sensiblerie, les
autres romanciers y persistent pour obéir au goût du
public, chez qui l'héroïsme et l'action s'accordent avec
une lassitude de la volonté et une sensibilité douloureuse.
Car ces romanciers ne sont pas toujours naturellement
sensibles : Pigault-Lebrun, irréligieux et polisson, « Voltaire des sans-culotte », Mme de Souza, fidèle à l'esprit
du XVIIIe siècle, intelligente, fine, un peu mince, Ducray-
Duminil, âme bourgeoise et inoffensive, Mme Cottin,
honnête et candide, font contraste avec leurs œuvres,
dont les sentiments sont forcés [1]. Aussi ne réussissent-ils
point à donner une image fidèle de la France révolutionnaire et républicaine, qui les dépasse et les écrase.
Seul, Retif de la Bretonne, par endroits, atteint le pathétique des situations, et, même quand il déforme les
événements, il n'en trahit pas la réalité âpre ou comique.
Les Nuits de Paris ont une valeur humaine : Retif, « triste
et solitaire », spectateur prudent d'une Révolution qu'il
approuve et qu'il blâme à la fois, ne cesse d'insister sur les
« élans d'une sensibilité » dont il analyse les manifestations et les écarts. « J'ai l'âme sensible », déclare-t-il,

---

1. Cf. A. Le Breton, *Le roman français au XIXe siècle*, Paris, Société
française d'Imprimerie, in-12, 1901. — E. Pilon, *Muses et bourgeoises
de jadis*, Paris, *Mercure de France*, in-12, 1908, p. 282. (*Mme Cottin
ou la Femme sensible*).

et il le prouve avec complaisance : larmes, évanouisse-
ments, « cheveux hérissés d'horreur » devant la guillotine, émotion au contact de la nature automnale et
printanière, baisers prodigués au sol natal, pleurs déli-
cieux en écoutant un chant d'église, poésie attendrie
du souvenir, de la jeunesse et de l'amour, bref un « romantisme » diffus prépare les fortes émotions du livre VIII,
où sont peintes les scènes révolutionnaires de 1793 et
1794 : alors Retif frémit, se sent faiblir, s'agite, perd le
sommeil, se lève dans « l'égarement de l'épouvante »,
tombe en syncope, s'abîme dans la douleur et la lassitude, puis dans une « sombre mélancolie[1] ». Beaucoup
de lecteurs se reconnaissent en lui avec d'autant plus
d'aisance que le roman reste un genre libre, calqué sur
la réalité.

Il se reconnaît également chez les poètes et les dramaturges, liés par les conventions, les règles et la censure
révolutionnaire. Pauvre théâtre, dont on a dit tant de mal,
mais dont le caractère démocratique et violent soulève
l'enthousiasme de la foule et attire un public immense,
que les chefs-d'œuvre classiques n'ont jamais connu !
Michelet, Romain Rolland, ont souligné ce changement
brusque d'esthétique, cet effort de la Révolution pour
créer un Théâtre du Peuple, mieux encore, un théâtre
qui fît l'éducation du peuple[2]. Le décret du 10 mars
1794 fonde ce théâtre. Mais déjà, entre le public et le
dramaturge, la communion est entière. « L'homme est
naturellement sensible, déclare M. J. Chénier. Le poète
dramatique, en peignant les passions, dirige celles du
spectateur... Ajoutez que notre sensibilité et même nos
lumières sont infiniment augmentées par celles de nos

---

1. *Les Nuits de Paris*, t. VIII, p. 371 à 564.
2. Cf. Michelet, *L'Etudiant* (Cours de 1847-1848). — R. Rolland,
Le Théâtre du peuple, Paris, A. Michel, in-12, s. d. (1903), p. 75 à 86,
171 à 192 (*Textes de la Révolution relatifs au théâtre*).

semblables qui nous environnent. » Aussi, dans l'*Épître dédicatoire* de son *Charles IX*, peut-il s'écrier avec la certitude d'être entendu : « Ah! venez au théâtre de la Nation quand on représente *Charles IX* : vous entendrez les acclamations des Français; vous verrez couler leurs larmes de tendresse! » On fait grâce à Racine, parce qu'il est « sensible et touchant ». « Malheur aux âmes insensibles!... » s'écrie un personnage des *Victimes cloîtrées* de Monvel. Laya, dans l'*Ami des Lois*, prodigue le mot « cœur ». Le cœur n'est-il pas « de tous les pays », comme le proclame Sylvain Maréchal dans le *Jugement dernier des rois?* L'homme vertueux, c'est-à-dire sensible, que Ducancel met en scène dans l'*Intérieur des Comités révolutionnaires*, devient un type de la dramaturgie nouvelle, et la sensibilité, personnifiée comme la Tolérance, la Famille, la Nation, commande le drame et le mélodrame jusque dans leurs titres et leurs dédicaces [1]. C'est perdre son temps que de relever les innombrables traits qui assimilent à la sensibilité le bonheur des époux, le respect de la famille, la tendresse des amants, le patriotisme, la vertu, la liberté, l'égalité, la fraternité, le civisme. Il est devenu facile et banal de voir une affectation dans cet usage abusif de la sensibilité. Il est injuste d'y voir une insupportable hypocrisie. M. Welschinger, que cette hypocrisie énerve et révolte, écrit pourtant à propos des révolutionnaires : « Ils sont sensibles et vertueux. Ils le disent et, chose curieuse, ils le croient, ils le chantent [2]. » Or, s'ils le croient, toute hypocrisie disparaît, et peut-être serait-il plus juste de les accuser de naïveté.

Soutiendrait-on que la poésie de l'époque est, elle

1. *Théâtre de la Révolution*, Paris, Garnier, in-12, 1877, p. 5; 9 à 85, 103-104, 142, 165, 244, 314, 331. — Sur la valeur du comique à cette époque, cf. F. Gaiffe, *Le Rire et la scène française*, Paris, Boivin, in-12, 1931, p. 145.

2. *Ouvr. cité*, p. 359-360. — D'Estrée, *ouvr. cité*, p. 148, 151.

aussi, hypocrite? Je ne parle pas des mauvais poètes, pires que les mauvais dramaturges : même faiblesse, mêmes prétentions sensibles. Je choisis l'exemple des versificateurs inconnus, qui mettent leur bonne volonté au service de la Révolution. Celui-ci, dans le *Calendrier Républicain*, développe gravement trente-six hymnes civiques pour célébrer la République, l'Être Suprême, la Gloire, l'Immortalité, l'Innocence, la Pudeur, la Justice, et toutes les entités symboliques chères à la Révolution. Voici le « touchant tableau » de la fête des époux, l'époux qui expire, consolé, au sein d'une famille unie, et le célibataire isolé, à qui nul « mortel ne peut porter envie ». Voici les mœurs vertueuses qui commandent les lois, la colombe « sensible » qui fait régner la foi conjugale dans la couche nuptiale, la mère pleurant avec fierté son fils mort pour la patrie, le législateur choisi par un peuple « sensible » pour établir la liberté sur les ruines du despotisme... Partout des tableaux « charmants », des scènes touchantes où les époux et les amants rivalisent de vertu, partout de douces larmes; lorsqu'il s'agit de délivrer les colons maintenus en esclavage, Cubières s'écrie :

> Le sucre par torrents coulait avec vos pleurs.

Désormais le sucre sera pur de larmes! Les *Poésies nationales de la Révolution française* rendent le même son, exaltent un peuple « sensible », dont la sensibilité civique gagne jusqu'aux choses inanimées : le salpêtre même ne devient-il pas « républicain? » Les larmes ruissellent avec une telle abondance qu'elles grossissent le fleuve[1].

---

1. Cf. *Le Calendrier Républicain*, Paris, Mérigot, in-8°, an VII, p. 97, 118, 119, 164, 176 à 178. — *Poésies nationales de la Révolution française*, Paris, Michel et Bailly, in-8°, 1836, p. 35, 53, 211, 244, 309...

Ainsi Nivelle de la Chaussée et Diderot font école aux dépens du xviiie siècle érotique et gaillard. « Chez les hommes de cette rude époque révolutionnaire..., le sentiment est essentiellement moral et larmoyant », écrit M. F. Benoît, et il montre que, dans la peinture, la sculpture et le dessin, ce double caractère s'affirme. Époux relisant leur correspondance d'amour, amants fidèles pleurant le souvenir de l'absent, femmes versant des larmes sur leur acte de divorce..., les scènes édifiantes se multiplient. « Le Salon ruisselle de larmes ! La morale ne perd d'ailleurs pas ses droits et la vertu est glorifiée.[1] » Les notices des tableaux sont attendrissantes, la peinture de genre illustre la morale en action, prêche les bons sentiments, encourage au bien. Les artistes exploitent Ossian, Gessner, *Paul et Virginie*, les *Nuits* de Young, en attendant *Werther*, *Atala* et *René*. De plus en plus le mot *sensible* prend un sens élastique et vague, tient lieu de toute expression précise, embrasse l'immensité du monde moral. Lorsque Billaud-Varenne traite des questions d'art à la Convention, le 20 avril 1794, il s'écrie : « Ce sont ces tableaux, animés et touchants, qui laissent des impressions profondes, qui élèvent l'âme, qui agrandissent le génie, qui électrisent tour à tour le civisme et la sensibilité : le civisme, principe sublime de l'abnégation de soi-même ! la sensibilité, source inépuisable de tous les penchants affectueux et sociables ! » Cette union de la sensibilité et du civisme est nécessaire à la victoire de la Révolution française. De France, elle passe en Amérique où, loin de la railler, on l'adopte ; c'est elle qui tempère la littérature américaine, un peu fruste et rude jusqu'alors, c'est elle qui lui communique un souffle lyrique et déjà romantique. L'Angleterre, elle non plus, n'y est pas indifférente. Aux esprits cultivés

---

1. *Ouvr. cité*, p. 390 à 395.

et religieux la tourmente révolutionnaire révèle « la valeur infinie des sentiments tendres, délicats et profonds, et [inspire] le désir d'un monde où le cœur serait la règle suprême des actions et des œuvres d'art[1] ».

Sans doute l'excès de sensiblerie est ridicule, et il arrive que les contemporains mêmes de Robespierre protestent avec véhémence. Fabre d'Églantine juge immorale et odieuse cette sensiblerie; il la traite de « patelinage », de « puérile tartuferie », de « miel fastidieux ». Pour lui, tout est affectation de douceur et de sensibilité, afféterie de langage et de sentiments[2]. Beaucoup de révolutionnaires pensent comme Fabre, mais, au lieu de s'indigner, ils cherchent à élever le peuple vers une beauté supérieure, vers une intelligence plus ouverte de l'art. Ils réprouvent le vandalisme de la foule, ils y pallient de leur mieux, et les beaux rapports de Grégoire sont des actes[3]. Après avoir détruit la société polie, la littérature de salon et le goût classique, ils rêvent un idéal esthétique plus large. Sans doute ils empruntent encore la forme aux générations dont ils ne partagent plus les idées, parce qu'il leur est impossible de briser net avec le passé. Mais ils veulent un art simple, direct, naturel, au besoin brutal et réaliste, en accord avec les événements et les aspirations populaires, cet art qui respire déjà dans les vivants portraits que peignent David, Prud'hon et leurs disciples. Ils veulent un art collectif, qui s'adresse à la foule et lui donne une impression de force et de beauté. Les fêtes nationales qu'ils imaginent traduisent cette aspiration légitime.

1. Cf. B. Faÿ, *L'esprit révolutionnaire en France et aux Etats-Unis*, p. 227.

2. Cf. Aulard, *Les Orateurs de la Législative et de la Convention*, t. II, p. 228.

3. Cf. M. Dreyfous, *ouvr. cité*, p. 1 à 78. — E. Despois, *Le Vandalisme révolutionnaire*, Paris, Germer-Baillière, in-12, 1868. — Benoît, *ouvr. cité*, p. 148.

Nous en avons perdu le sens et la grandeur. Mais de
pareils spectacles, où une architecture éphémère s'har-
monisait avec la nature et le décor de pierre, où la
pompe des cortèges réglée par David, où les chants
d'ensemble et la musique instrumentale dirigés par
Méhul et par Gossec favorisaient la communion fraternelle des âmes, avaient une incontestable valeur
esthétique : l'art n'y perdait rien, le civisme y gagnait.
Les sensations, propagées à l'infini d'homme à homme,
préparaient ainsi un renouvellement de la sensibilité,
en surexcitant les énergies, en ravivant les aspirations
individuelles. Une fois encore, l'individu prend sa revanche, mais il ne la prend qu'à la condition de se confondre
avec un peuple entier. S'il est dirigé, contraint parfois,
la contrainte n'est pas inutile, et il advient même
qu'elle serve l'artiste, le mette sur la voie de réalisations imprévues. C'est ainsi que « l'art des cortèges »
a une forme et un sens révolutionnaires, fait revivre
la pompe des cérémonies de l'antiquité grecque; c'est
ainsi que la musique, en revenant, elle aussi, à la
tradition antique, la musique révolutionnaire, souvent violente et « terrible » par ses effets de masse, bouleverse la science de l'orchestration. Cet art de plein
air devient l'expression vivante, la manifestation collective d'un culte qui s'exerce selon la formule en vogue
au théâtre. « Pour le peuple et par le peuple » [1].

Cette formule, généreuse et pleine d'avenir, les révolutionnaires s'appliquent à la réaliser par tous les moyens,

---

1. Cf. Renouvier, *ouvr. cité*, p. 43. — Benoît, *ouvr. cité*, p. 257. —
Dreyfous, *ouvr. cité*, p. 388 à 463. — R. Rolland, *ouvr. cité*, p. 192
à 202 (*Plans des fêtes de David*).

et ils rencontrent de précieux concours, celui du peuple d'abord. Mais le temps leur manque, et la réaction thermidorienne, en arrêtant la révolution populaire, contrarie l'art populaire. Cet art, qui porte en lui un idéal neuf, ne peut devenir un art prolétarien. Celui-ci ne se dessine même pas en 1793, parce que la révolution reste bourgeoise, puis tourne court. Lorsque Mme de Genlis, après la fondation de la République, s'écrie avec douleur : « Eh ! quoi donc ! on ne jouera plus *Athalie* ! Ce chef-d'œuvre est perdu pour la scène française !... » [1], elle exprime un sentiment naïf et profond à la fois : naïf, car les chefs-d'œuvre de l'art exercent leur pouvoir en dehors des circonstances sociales qui présidèrent à leur création [2] ; profond, car si *Athalie* demeure une belle œuvre pour les révolutionnaires, il n'en est pas moins vrai qu'une autre forme d'art doit lui être substituée, qui réponde aux aspirations d'un peuple entier. Ce peuple même, ignorant et misérable encore, n'est pas prêt à goûter des jouissances supérieures. Il lui faudra une longue culture, et c'est l'honneur de la Révolution d'avoir voulu lui en ouvrir l'accès; pouvait-elle faire davantage? Aller trop vite, c'eût été ruiner l'art en l'abaissant, contraindre l'artiste à affaiblir la valeur de ce qu'il pense. Il semble que, en Russie, l'évolution ait été plus rapide et plus franche, parce que la Révolution fut prolétarienne. Dès 1917, des écrivains, formés par les masses ouvrières et paysannes à la dure école de l'action révolutionnaire, révèlent une âme russe nouvelle; si les traditions subsistent, l'individualité russe est enrichie par la vie sociale, la joie de vivre, l'action et la vic-

1. *Mémoires Inédits*, Paris, Ladvocat, 1825, t. IV, p. 211.
2. Cf. A. Billy, *Les Opinions littéraires de Korl Marx* (*L'Œuvre*, 31 Août 1936). L'art n'est ni capitaliste, ni marxiste : il ouit d'une indépendance totale.

toire de l'homme[1]. Aucun nom français, en 1793, ne
se pourrait comparer à ceux de Lébédinsky, d'Ivanov,
de Fadéev, de Sérafimovitch ou de Gladkov, aucune
œuvre ne pourrait se mettre en parallèle avec *La Semaine*
ou *La Débâcle*, le *Torrent de Feu* ou le *Ciment*. Déjà
Gorki avait annoncé et réalisé en partie un art révolutionnaire [2]. La France de 1793 se cherche, tâtonne,
hésite; l'art n'atteint pas les profondeurs du peuple,
de la vie sociale, de la conscience prolétarienne, et
le peuple ne domine ni son existence quotidienne, ni
son travail. C'est pourquoi il s'attarde, avec les écrivains
en vogue, à de « vagues sentimentalités rétrogrades. » [3]
C'est pourquoi l'artiste capable de créer un ordre nouveau dans l'esthétique n'apparaît point encore. Il
faudrait à cet artiste un génie rallié aux idées révolutionnaires, un esprit et une âme révolutionnaires, mais
dégagés des tâches immédiates, pour réaliser cet ordre.
Comment pourrait-il peindre et défendre les classes
exploitées s'il leur demeurait étranger? L'art est une
sympathie.

Bref, si un tel génie manque, la conception esthétique
est bouleversée, malgré d'inévitables survivances. L'é-
quilibre « statique », cher à la tradition française, est
atteint; il l'est peut-être moins par la Révolution que
par des nécessités vitales, qui exigent une transformation
et une marche en avant. La crise de la personnalité
humaine a été créée par ceux qui ont confondu la clarté
et la sécheresse, la raison et le formalisme. Elle entre dans
une phase décisive, parce que la sensibilité, réveillée
au XVIIIe siècle, reprend ses droits au moment où la

1. Cf. M. Slonim et G. Reavey, *Préface* de l'*Anthologie de la littérature soviétique (1918-1934)*, Paris, Gallimard, in-12, s. d.
2. Cf. en particulier *La Mère*, et *Eux et Nous*.
3. Cf. Jaurès, *L'Art et le Socialisme* (*Pages choisies*, Paris, Rieder,
in-12, s. d., p. 53 à 69.)

Révolution libère l'individu. Le romantisme viendra naturellement, après cette libération nécessaire. Ses déchaînements, somptueux comme les déchaînements de la Révolution même, ne cloront pas l'éternel débat entre l'immobilité et le progrès, entre l'ordre de la raison et l'ordre de la sensibilité; mais ils lui conféreront une nouvelle noblesse, parce que d'innombrables hommes, et non plus des privilégiés, participeront à la communion esthétique, en attendant l'éclosion d'un art universellement humain. Ses troubles enchantements prolongeront l'écho des tempêtes sociales de 1789 et de 1793, où ils prirent naissance. Car le romantisme est, lui aussi, un état transitoire et révolutionnaire qui n'accepte pas le présent et cherche une transformation radicale; mieux encore, il est une nuance de sensibilité qui accompagne les révolutions profondes[1]. Il contribuera donc à établir en France une culture révolutionnaire, qui date du XIXe siècle, et qui, par un effort inégal à son but, tend avec courage vers cet humanisme prolétarien dont nous n'apercevons, au XXe siècle, que l'aube incertaine[2].

1. Cf. J. Aynard, *Comment définir le Romantisme?* (*Revue de Littérature comparée*, Octobre-Décembre 1925, p. 160.)
2. Cf. G. Sorel, *Les Illusions du progrès*, Paris, Rivière, in 12, s. d. — P. Naville, *La Révolution et les intellectuels*, Paris, *Nouvelle Revue Française*, in-12, 1927. — L. Trotsky, *Littérature et Révolution.* — H. Poulaille, *Nouvel Age littéraire*, Paris, Valois, in-12, s. d. — J. Benda, *Scholies* (*Nouvelle Revue Française*, 1er Novembre 1929.) — Victor-Serge, *Une littérature prolétarienne est-elle possible?* (*Clarté*, No 72, 1er Mars 1925). — Victor-Serge, *Littérature et Révolution*, Paris, Valois, in-16, 1937, en particulier p. 111 et 120.

CONCLUSION

―――――

« Pendant la Terreur, écrit Georges Sorel, les hommes qui versèrent le plus de sang furent ceux qui avaient le plus vif désir de faire jouir leurs semblables de l'âge d'or qu'ils avaient rêvé, et qui avaient le plus de sympathie pour les misères humaines : optimistes, idéalistes et sensibles, ils se montraient d'autant plus inexorables qu'ils avaient une plus grande soif du bonheur universel [1]. » Telle est la contradiction interne que j'ai essayé d'expliquer. Or, si le siècle des « cœurs sensibles » se termine par la plus terrible des épreuves révolutionnaires, on ne saurait en faire grief, comme Taine, ou en faire gloire, comme Michelet, à la sensibilité. Car celle-ci, aussi exaspérée soit-elle par la souffrance, ne réalise jamais seule une révolution, qui exige une concordance d'efforts plus réfléchis que spontanés; elle n'empêche pas davantage, aussi inclinée soit-elle aux tendresses fraternelles ennemies de toute violence, le développement logique d'une révolution, que le cours de l'histoire impose à la volonté des hommes. En réalité, par une perception plus aiguë de l'injustice et du malheur, elle prépare les âmes aux changements nécessaires, et, par l'enthousiasme, concourt à ces changements. Elle est une entraîneuse, et elle entraîne loin. Il ne faut méconnaître ni sa

―――――――

1. *Réflexions sur la violence*. Paris, M. Rivière, in 12, 1936, p. 17.

puissance attractive, ni sa force dynamique, qui agissent sur les individus, plus encore sur les foules. Rompre alors l'équilibre des facultés lui est facile, puisque tout équilibre est momentanément rompu dans l'ordre politique et social, et que tous les élans, comme toutes les tentatives, sont permis. L'exaltation qu'elle porte en elle est indispensable, salutaire, riche de pensées et d'actes; sans elle on ne saurait rien entreprendre de grand, ni rien pousser à son terme. Nos trois Assemblées révolutionnaires, loin de la méconnaître, l'intègrent à leurs desseins, en développant chez le peuple la faculté de sentir, parce que la faculté de sentir, c'est la faculté de créer. La violence même devient la forme acerbe de la sensibilité, son expression dramatique. Recourir à cette violence est pour les révolutionnaires le cruel devoir et l'origine d'un conflit moral, heureusement rare, mais curieux pour le psychologue, et chargé d'angoissantes leçons.

Aussi la sensibilité exige-t-elle, pour un Robespierre ou un Saint-Just, une adhésion raisonnée, un perpétuel contrôle. Elle doit servir, et non commander, elle doit être aux ordres de la révolution, et non entraver celle-ci. Alors même qu'elle est effrayée par les sacrifices qu'on exige d'elle, rien ne l'autorise à reculer ou à trahir. Sa grandeur est dans son abdication, sa noblesse dans son martyre. L'homme compte peu au regard de l'humanité. S'il garde le droit de se défendre, il n'a pas le droit de se plaindre en cas de défaite ou de mort. La Révolution travaille pour le plus grand nombre et subordonne tout à ses fins. Ne pas le comprendre, vouloir résister, c'est faire preuve d'un insupportable égoisme, qui porte en soi son châtiment. Le révolutionnaire refoule sa sensibilité propre, afin que les autres hommes goûtent, une fois la tourmente passée, les fruits d'une sensibilité renouvelée; il souffre et meurt en silence.

C'est pourquoi il y a beaucoup de révolutionnaires en paroles, fort peu de révolutionnaires en actes.

Ces révolutionnaires en actes ne se préoccupent donc pas de la sensibilité, lorsqu'il s'agit de résoudre les problèmes politiques et sociaux. Ils se méfient d'elle, et ils qualifient ses excès de « romantiques ». L'épithète revient souvent chez un théoricien, comme Karl Marx, et un réalisateur, comme Lénine. Si les révolutionnaires français ne l'emploient pas — et pour cause — en 1793, ils n'en éprouvent pas moins la même réticence à l'égard d'une force naturelle qu'ils connaissent avec sûreté. Un Louvet peut évoquer des sites « romantiques »; un Saint-Just rejette, dans l'ordre politique, les rêveries romantiques. Les limites de la sensibilité, en période révolutionnaire, sont vite atteintes; elles ne doivent jamais mordre sur le réel, et tout dépassement provoque une réaction vive. Car la Révolution a d'autant plus besoin de raison, de méthode et d'ordre pour construire, que cet ordre, cette méthode et cette raison opèrent au milieu d'un désordre fatal, né d'un changement brusque qui rompt l'équilibre établi, et se heurtent à des résistances qui aggravent le trouble public.

Mais le révolutionnaire ne se résoud pas sans tristesse au sacrifice, même temporaire, de la sensibilité. Il sait, hélas! que la révolution est un état de siège, qui requiert d'autres moyens que les temps calmes et les périodes heureuses. Pourtant, il se préoccupe de sauvegarder, au fort de la tourmente, les sentiments d'humanité et de fraternité pour lesquels il combat. On lui reproche des actes cruels; il est tellement touché par le reproche, qu'il cherche à se justifier avec une méritoire insistance. Peut-être ne réussit-il pas toujours à convaincre autrui et à se convaincre. Aussi la meilleure solution lui apparaît-elle dans le renoncement à la violence. Mais comment renoncer à une arme dont les ennemis de la Révo-

lution ne craignent pas d'user, eux aussi? Renoncer,
dans ces conditions, à la violence, n'est-ce point renoncer
à la révolution même? Le problème, qui a tourmenté
nos ancêtres, nous tourmente encore aujourd'hui. Est-il
sans issue? On peut espérer que non.

Voici, en tout cas, trois exemples qui éclairent ce
problème, fondamental en 1936 comme en 1917 et en
1793; deux nous viennent de France, l'autre de Russie.
La violence « féroce » de 1793, héritière « de la violence de l'Ancien Régime et de la Royauté, de l'Eglise
et de l'Inquisition », cette violence fondée sur des scrupules de légalité, sur le retour au droit naturel et sur
la superstition du Dieu-Etat, semble à Georges Sorel
détestable. Mais, s'il rejette cette forme séculaire de
la violence, Sorel préconise une violence épurée, directe
et franche comme arme de la grève et du syndica-
lisme révolutionnaire, une violence qui, telle la guerre,
s'exerce au grand jour, une violence prolétarienne qui,
facteur essentiel du marxisme, confère au socialisme
« les hautes valeurs morales par lesquelles il apporte
le salut au monde ». — « Le socialisme, déclare-t-il,
ne saurait subsister sans une apologie de la violence. »
Cette *Apologie*, G. Sorel l'écrit dès 1908, et il la développe longuement dans les *Réflexions sur la violence*, où
l'idéologie bourgeoise de Jaurès, pour qui « la violence
est un signe de faiblesse passagère », et l'adresse opportuniste du socialisme parlementaire sont raillées et
combattues à fond. Ainsi la violence, entre les mains
du prolétariat, reste le moyen de salut, et G. Sorel
cherche quel est son rôle dans les rapports sociaux
actuels; elle lui apparaît « comme une chose très belle
et très héroïque », car la notion de lutte des classes
ennoblit la notion de violence [1]. Au contraire, pour

---

1. *Réflexions sur la violence*, p. 29, 60 à 67, 99 à 120, 130, 140 à

Jean Guéhenno, la question qui se pose à nous est celle
« de la volonté ou du refus de la violence ». Or la
violence n'est pas efficace, et la Révolution ne peut ni
ne doit se confondre avec elle. « Nous avons tout à
perdre à le laisser penser », à laisser dire par l'adversaire
que la Révolution est uniquement la Terreur. Il faut donc
renoncer à prendre l'initiative de la violence. Par quoi
remplacer celle-ci? Par la raison. Guéhenno revient à
ce guide éternel du Français, à cette raison cartésienne
que nos hommes d'État, comme nos chefs d'écoles
littéraires, invoquent sans cesse au nom d'un idéal
supérieur. Les affirmations se multiplient sous sa plume,
et valent qu'on les retienne. La victoire, dit-il, sera
acquise, « non par la violence, mais à force de raison...
Nous avons assez de notre raison pour vaincre. La raison
des misérables, la raison des hommes réels, la raison
révolutionnaire finira dans ce pays par l'emporter...
La France trouvera dans sa raison de quoi résoudre les
faux problèmes de l'Europe contemporaine.... La France
peut donner l'exemple d'une révolution rationnelle... »
Raison révolutionnaire, révolution rationnelle, ne seraient-ce
pas là des alliances de mots, qui surprennent? L'auteur
en convient, et il ajoute : « Une telle formule ne manquera
pas de déplaire à tous ceux qui ont d'abord besoin
d'exaltation. Ils ne pensent pas que c'est la pratique
de la raison qui exige le plus grand courage et que les
attitudes rationnelles ne sont pas nécessairement les

165, 269 à 299, 389, 433 à 437 (*Apologie de la violence*) G. Sorel considère la violence « seulement au point de vue de ses conséquences
idéologiques » (p. 272). Là est sans doute la faiblesse de son système. — Aux *Réflexions sur la violence*. A Séché répond par des vues
dispersées qu'il intitule *Réflexions sur la Force* (Paris, Éditions de France,
in-12, 1936). Tout en affirmant que Sorel « connaît la valeur créatrice de la violence » (p. 151), il oppose la force à la violence (p. 23).
Sur la Révolution de 1789, cf. p. 191.

moins pathétiques. L'amour seul nous jette au-devant de la foule gémissante, mais notre raison seule sera capable d'en faire un peuple. » Ainsi, une fois de plus, l'exaltation et la raison, la raison et l'amour sont aux prises; la raison doit être la plus forte, maintenir l'équilibre, résister à l'assaut de l'irrationnel, sauvegarder la lumière de l'esprit. Quiconque recourt à la violence est, ou bien un être de pur instinct, ou bien un intellectuel sans scrupules, qui utilise les passions inférieures[1]. Mais la raison est un mot. Comment agira-t-elle en dehors du domaine spéculatif, comment réalisera-t-elle la révolution? On aimerait le savoir. Un Russe, qui a participé aux luttes révolutionnaires, Victor-Serge, apporte à la solution du même problème des vues aussi rationnelles et plus directement pratiques. Selon lui, la violence et la Terreur rouge, condamnables en soi, pourront être évitées dans l'avenir par une organisation prolétarienne plus solide, capable de s'imposer d'emblée à l'adversaire, par une volonté révolutionnaire intrépide, par une solidarité internationale agissante. Alors le sang ne sera plus versé; une force tranquille, inébranlable, sûre d'elle-même, dominera les événements et les hommes[2].

Si je m'abstiens de prendre parti, c'est par ignorance, non par prudence. Je constate seulement que le pessimisme clairvoyant de G. Sorel met tout son espoir dans le recours à la violence, tandis que deux esprits différents, sincères et probes, s'efforcent d'éviter ce recours dans les conflits sociaux, où le monde risque d'être à nouveau précipité demain. L'effort est noble; Robespierre et Lénine seraient peut-être sceptiques, mais ils respecteraient cet effort. N'est-il pas juste

---

1. *Jeunesse de France* (*Europe*, 15 février 1936, p. 190 à 194).
1. *L'An I de la Révolution russe*, p. 383.

d'ailleurs qu'un progrès s'accomplisse sur eux, puisqu'eux-mêmes se résignèrent à la violence avec regret, avec appréhension, avec chagrin? Déjà Louis Blanc écrivait à propos des terroristes : « Leurs violences nous ont légué ainsi des destinées tranquilles. Ils ont épuisé l'épouvante, épuisé la peine de mort, et la Terreur, par son excès même, est devenue impossible à jamais [1]. » Peu importe que l'histoire ait contredit ces paroles, et que les dictactures, comme les démocraties nais-santes, ne reculent pas devant le terrorisme. Tout homme intelligent et sensible souhaite ce progrès, y travaille avec une ardeur efficace. Alors notre destin serait allégé d'un poids redoutable, son visage serait lavé de sang. Mais les plus idéalistes et les plus raisonnables font sa part au mirage et ne se bercent pas d'illusions chiméri-ques. Au moment même où il substitue la raison à la violence, Guéhenno affirme que « nous résisterons à la violence par la violence, que, si le combat nous est imposé, nous l'accepterons, le livrerons, le gagnerons... [2]. » L'avenir réserve donc un inconnu redoutable. Si tous les hommes étaient raisonnables, il n'y aurait jamais de révolutions ni de guerres. Le problème consiste à rendre les hommes raisonnables, de telle sorte que les concessions nécessaires soient toujours consenties au moment opportun. L'œuvre est difficile : il n'en est que plus beau de l'entreprendre. En attendant une meilleure organisation sociale, dont la réforme morale de l'homme serait l'indispensable prélude, il faut bien constater l'échec des solutions pacifiques et des ententes frater-nelles. « Je n'ai jamais dit que l'avenir fût gai, affir-mait Renan. Qui sait si la vérité n'est pas triste? » [3] Il se peut que l'histoire humaine le soit aussi ; il se peut

1. *Ouvr. cité*, t. I, p. xvi.
2. *Article cité*, p. 193.
3. *Dialogues philosophiques*, Paris, Calmann-Lévy, in-8°, s. d., p. 110.

qu'elle exige plus de violence et de colère que de douceur et de tendresse. Agir est souvent contrarier, blesser, ruiner, avant que de construire, et le geste d'Othello reste suspendu sur le monde. La Révolution nous enseigne que la sensibilité, cette compagne ardente et nécessaire, ne peut pas, ne doit pas toujours tenir ses promesses, qu'elle se transforme quelquefois en puissance mauvaise, qu'elle a ses détours calculés, ses révoltes farouches, ses chutes et ses abîmes. Le bien et le mal vont ainsi de pair, l'humain se mêle au surhumain, et l'héroïsme consiste à n'en être ni affligé ni réjoui.

———————

BIBLIOGRAPHIE[1]

I

Auteurs Consultés.

Anthologie de la Littérature Sovietique (1918-1934). — Paris, Gallimard, in-12, 1935.
Archives communales de Longny-du-Perche. — *(Registre des délibérations de la Société Populaire).* Non cataloguées et inédites.
BABEUF — *Page choisies.* Ed. Dommanget, Paris, Colin, in-8°, 1935.
BAILLY. — *Mémoires,* Paris, Baudouin, 3 vol. in-8°, 1825.
BARBAROUX. — *Correspondance et Mémoires,* publiés par Cl. Perroud, Paris, Société historique de la Révolution, in-8°, 1923[2].
BARÈRE. — *Mémoires,* publiés par Carnot, Paris, Labitte, 4 vol. in-8°, 1842-1843.
— *Correspondance Inédite* (Analyse du *Bulletin d'Autographes* de Juin 1905. — *Revue de la Révolution Française,* 1905, t. XLIX, p. 264-267).
BARNAVE. — *Œuvres,* publiées par Bérenger de la Drôme. Paris, Chapelle et Guiller, 4 vol. in-8°, 1843.
— *Lettres de Marie-Antoinette et de Barnave (Revue de Paris,* 1912, t. VI, p. 1-24 et 278-302).
— *Marie-Antoinette et Barnave. Correspondance secrète (1791-1792),* par Alma Söderhjelm. Paris, Colin, in-8°, 1935.
BARRAS. — *Mémoires,* publiés par G. Duruy, Paris, Hachette, 4 vol. in-8°, 1895-1896.

---

1. Il ne s'agit point d'une Bibliographie, même très succincte de la Révolution française. J'indique les ouvrages principaux qui m'ont aidé à comprendre la mentalité révolutionnaire.
2. Je n'ai pu utiliser l'édition critique des *Mémoires de Barbaroux* publiés par M. A. Chabaud à la librairie Colin, alors que mon livre était sous presse.

— *Lettres*, publiées par E. Poupé. Draguignan, Latil, in-8º, 1910.

BEUGNOT (Cᵗᵉ). — *Mémoires*, Paris, Dentu, 2 vol. in-8º, 1868.

BILLAUD-VARENNE. — *Mémoires*, publiés par Aulard (*Revue de la Révolution Française*, 1888, t. XIV, p. 745, 835, 929 et 1027).

— *Mémoires inédits et Correspondance*, publiés par A. Bégis, Paris, Librairie de la Nouvelle Revue, in-8º, 1899.

BRISSOT. — *Mémoires*, publiés par Cl. Perroud, Paris, Picard, 2 vol. in-8º, 1910.

— *Correspondance et Papiers*, publiés par Cl. Perroud, Paris, Picard, in-8º, 1911.

— *Théorie des lois criminelles*, Paris, 2 vol. in-8º, 1781.

CAHIERS DE DOLÉANCES POUR LES ÉTATS-GÉNÉRAUX (en particulier *Cahiers de doléances du baillage d'Orléans*, publiés par C. Bloch. Orléans, Imprimerie Orléanaise, in-8º, 1906).

CALENDRIER RÉPUBLICAIN (LE), poème, Paris, Mérigot et Chemin, in-8º, An VII.

CAMPAN (Mᵐᵉ). — *Mémoires sur la vie de Marie-Antoinette*, Paris, Firmin-Didot, in-12, 1886.

CASSANGES ET SES MÉMOIRES INÉDITS *(1758-1843)*, publiés par P. Vidal (*Revue de la Révolution française*, 1888, t. XIV, p. 968).

CARNOT. — *Correspondance*, publiée par E. Charavay, Paris, Imprimerie Nationale, 3 vol. in-4º, 1892-1897.

— *Mémoires*, Paris, Pagnerre, 2 vol. in-8º, 1869.

CHABOT. — *A ses Concitoyens* (*Annales Révolutionnaires*, 1913, t. VI, p. 533 et 681).

— *Histoire véritable du mariage de Chabot avec L. Frey* (*Annales Révolutionnaires*, 1914, t. VII, p. 248).

CHASTENAY (Mᵐᵉ de). — *Mémoires*, Paris, Plon, 2 vol. in-8º, 1896.

CHAUMETTE. — *Mémoires sur la Révolution du 10 Août*, publiés par Aulard (*Société de l'histoire de la Révolution française*, Paris, 1893).

— *Papiers*, publiés par F. Braesch (*Société de l'histoire de la Révolution française*, Paris, 1908).

— *Papiers* (compte rendu de la publication de Braesch par A. Mathiez : *Annales révolutionnaires*, 1908, t. I, p. 525).

— *A propos de la correspondance avec Doin*, par Braesch (*Revue de la Révolution française*, 1909, t. LVI, p. 498).

CHÉNIER (A.). — *Œuvres en Prose*, Paris, Gosselin, in-12, 1840.

— *Œuvres Complètes*, publiées par P. Dimoff. Paris, Delagrave, 3 vol. in-12, s. d.

CHÉNIER (M.-J.). — *Tableau historique de l'état et des progrès de la littérature française depuis 1789*. Paris, Pigoreau, in-8º, s. d.

— *Théâtre*, publié par Daunou, Paris, Baudouin, 2 vol. in-8°, 1818.

COLERIDGE. — *The Poems*, Leipzig, Tauchnitz, in-16, 1860 (Cf. p. 144 : *France An Ode*).

COLLOT-D'HERBOIS. — *Mémoires inédits et Correspondance*, publiés par A. Bégis. Paris, Librairie de la Nouvelle Revue, in-8°, 1893.

— *Almanach du Père Géraud pour l'année 1792*, Paris, Maillet, in-12, 1792.

CONDORCET. — *Œuvres Complètes*, Paris, Didot, 12 vol. in-8°, 1847.

COTTIN (Mme). — *Œuvres Complètes*, Paris, Foucault, 5 vol. in-8°, 1817.

CUSTINE. — *Dernière lettre à sa femme* (Wallon : *Histoire du Tribunal Révolutionnaire*, t. II, p. 322).

DANTON. — *Discours*, recueillis par Fribourg. Paris, Cornély, in-8°, 1910.

— *Œuvres*, recueillies par A. Vermorel. Paris, Cournol, in-12, s. d.

DESMOULINS (C.). — *Œuvres*, publiées par J. Claretie, Paris, Charpentier, 2 vol. in-12, 1874.

— *Correspondance avec Dillon*, publiée par Charavay (*Revue de la Révolution française*, 1884, t. VI, p. 826).

— *Le Vieux Cordelier*, publié par H. Calvet, d'après les notes d'A. Mathiez, Paris, Colin, in-8°, 1936.

DUBOIS-CRANCÉ. — *Analyse de la Révolution française*, Paris, Charpentier, in-12, 1885.

DUCIS. — *Œuvres*, Paris, Nepveu, 5 vol. in-8°, 1813.

— *Œuvres Posthumes*, Paris, Nepveu, 3 vol. in-8°, 1826.

DUCOS. — *Lettres* (Wallon, *Histoire du Tribunal révolutionnaire* t. I, p. 364 et 466).

DUCRAY-DUMINIL. — *Alexis ou la maisonnette dans les bois*. Grenoble, Paris, Maradan, 4 vol. in-12, 1789.

— *Petit Jacques et Georgette*. Grenoble, Paris, Maradan, 4 vol. in-18, 1791.

— *Codicille sentimental et moral*, Paris, Le Prieur, 2 vol. in-12, 1793.

DUFORT (J.-N. Cte de Cheverny). — *Mémoires sur les règnes de Louis XV et Louis XVI et sur la Révolution*, Paris, Plon, 2 vol. in-8°, 1886.

ENGELS (Fr.) et MARX. — *Le manifeste communiste*, trad. de Ch. Andler. Paris, Société d'Éditions, 2 vol. in-12, 1901.

FABRE D'ÉGLANTINE. — *L'Étude de la Nature*, poème à M. le Cte de Buffon, Londres, in-8°, 1783.

— *Correspondance amoureuse...* publiée par Roussel. Hambourg, Paris, Richard, 3 vol. in-12 (s. d.), (1796).

— *Œuvres mêlées et posthumes*, Paris, Vve Fabre d'Églantine, in-12, An XI.
— *Chefs-d'œuvre dramatiques*. Paris, Didot, in-24, 1822.
— *Le Philinte de Molière ou la Suite du Misanthrope*, 5 actes en vers. Paris, Prault, in-8°, 1791.

FAUCHET. — *Lettre aux Actes des Apôtres* (*Revue de la Révolution française*, Juin 1909, p. 543).
— Cf. l'ouvrage signalé plus loin de l'abbé Charrier sur Fauchet).

FERNIG (Mlle Théophile de). — *Correspondance inédite*, publiée par H. Bonhomme, Paris, Didot, in-12, 1873.

FLORIAN. — *Œuvres Complètes*, Paris, Guillaume et Nicolle, 24 vol. in-18, An VII (1799-1808).

FOUQUIER-TINVILLE. — *Réquisitoires*, publiés par H. Fleischmann. Paris, Fasquelle, in-12, 1911.

FRÉRON. — *Lettres de Barras et de Fréron en mission dans le Midi*, publiées par E. Poupé, Draguignan, Latil, in-8°, 1910.

GAULTIER DE BIAUZAT, par F. Mège, Clermont-Ferrand, Bellet, 2 vol. in-8°, 1890 (*Correspondance* au t. II, p. 213).

GENLIS (Mme de). — *Mémoires inédits sur le XVIIIe siècle et la Révolution française*, Paris, Ladvocat, 10 vol. in-8°, 1825.

GENSONNÉ. — *Œuvres* (Cf. *Œuvres de Vergniaud*, Paris, Cournol, in-12, s. d., p. 237).

GÉRAUD (Ed.). — *Journal d'un Etudiant pendant la Révolution* (*1789-1793*). Paris, Plon, in-8°, 1910.

GOETHE. — *Sämmtliche Werke*, Stuttgart, 1872 (Cf. t. X, p. 482 : *Kampagne in Frankreich*).

GRANDCHAMP (Sophie). — *Souvenirs*, publiés par Cl. Perroud. (*Revue de la Révolution Française*, Juillet-Août 1899, t. XXXVII, p. 65 et 153).

GRÉGOIRE (abbé H.-B.). — *Lettre du 22 Septembre* 1792 (*Revue de la Révolution Française*, 1904, t. XLVII, p. 370).
— *Mémoires*, publiés par H. Carnot, Paris, A. Dupont, 2 vol. in-8°, 1837.

GUADET. — *Œuvres* (Cf. *Œuvres de Vergniaud*, Paris, Cournol, in-12, s. d. p. 237).

HÉBERT. — *Le Père Duchesne* (1789-1795).

LA FAYETTE. — *Correspondance inédite (1793-1801)*, publiée par J. Thomas, Paris. Delagrave, in-8°, s. d. (1903).
— *Mémoires, Correspondances et Manuscrits*, Paris, Fournier, 6 vol. in-8°, 1837-1838.

LAKANAL. — Cf. *Revue de la Révolution Française*, 1911, t. LXI, p. 481.

LALLY-TOLLENDAL. — *Discours* (Cf. *Procès-Verbaux de la Constituante*, t. I).

— *Mémoires concernant Marie-Antoinette.* Londres, chez l'auteur, 3 vol. in-8º, 1804-1809.

LAREVELLIÈRE-LÉPEAUX. — *Mémoires*, Paris, Plon, 3 vol. in-8º, 1895.

LÉNINE. — *Œuvres Complètes*, Paris, Editions Sociales Internationales (en cours de publication).

— *Du matérialisme historique*, Paris, Bureau d'Editions, in-16, 1935.

— *Que faire?* Paris, Librairie de l'Humanité, 1925.

LOUVET DE COUVRAI. — *Mémoires sur la Révolution Française*, publiés par Aulard. Paris, Jouaust-Flammarion, 2 vol. in-12, s. d.

— *Les Aventures du Chevalier de Faublas*, Paris, J. Mallet, 2 vol. in-8º, 1842.

LUXEMBOURG (Rosa). — *Lettres de la Prison*, Paris, Cahiers du Travail, in-12, 1921.

— *Réforme ou Révolution?* Paris, Editions Sociales Internationales, in-8º, 1932.

MAISTRE (J. de). — *Considérations sur la France*, Londres, Neuchâtel, in-8º, 1796.

MAISTRE (X. de). — *Voyage autour de ma chambre*, Paris, Dufart, in-18, An VII.

MALLET DU PAN. — *Considérations sur la nature de la Révolution française et sur les causes qui en prolongent la durée.* Londres, Bruxelles, Flon, in-8º, 1793.

— *Mémoires et Correspondance*, publiés par A. Sayous, Paris, Amyot, 2 vol. in-8º, 1851.

MARAT. — *Placards de Marat, l'Ami du Peuple*, publiés par F. Chevremont, chez l'auteur, in-8º, 1877.

— *Œuvres*, recueillies par Vermorel, Paris, Décembre, Alonnier, in-12, 1869.

— *Correspondance*, publiée par Vellay, Paris, Fasquelle, in-12, 1908.

— *Supplément à la Correspondance* (Extrait de la *Revue historique de la Révolution française*, 1910) publié par Vellay, Le Puy, Peyriller, in-8º, 1910.

— *L'Ami du Peuple* (1789-1793), 685 numéros.

— *Les Pamphlets de Marat*, publiés par Vellay, Paris, Fasquelle, in-16, 1911.

MARX (Karl). — *Le Capital*, Paris, Giard et Brière, 3 vol. in-8º, 1901.

— *Lettres à Kugelmann.* Paris, Editions Sociales Internationales, in-8º, 1930.

— *Travail salarié et capital*, Paris, Editions Sociales Internationales, in-8º, 1931.

MEILLAN. — *Mémoires*, Paris, Beaudouin, in-12, 1823.

MERLIN DE THIONVILLE. — *Vie et Correspondance de Merlin de Thionville*, publiées par J. Reynaud. Paris, Furne, in-8°, 1860.

MEYNARD. — *Le Roman d'un Conventionnel en mission aux armées*, publié par Hermann (*Revue de la Révolution française*, 1900, t. XXXIX, p. 37).

MIRABEAU. — *Œuvres*, Paris, Brissot-Thivars, 8 vol. in-8°, 1825.

— *Discours et Opinions*, Paris, Kleffer et Cannes, 3 vol. in-8°, 1820.

— *Lettres de Sophie de Monnier à Mirabeau*, publiées par P. Cottin (*Nouvelle Revue rétrospective*, Juillet-Décembre 1903).

— *Lettres d'Amour*, publiées par Proth. Paris, Garnier, in-12, 1877.

— *Amour de la marquise de M*** et du Cte de M**** (*Revue de Paris*, 1er Décembre 1895, p. 462).

— *Lettres de Mirabeau à Yet-Lie* (*Revue Bleue*, 1909, t. II, p. 641 et suiv...)

— *Les Amours de Mirabeau et de Mlle de Nehra racontées par elle-même* (*Revue politique et littéraire*, 24 Décembre 1881, p. 384).

MOMORO. — *Dernière lettre à sa femme* (*Annales Révolutionnaires*, 1913, t. IV, p. 414).

MONITEUR UNIVERSEL (1789-1795).

PÉTION. — *Mémoires inédits*, et *Mémoires de Buzot et de Barbaroux*, publiés par Dauban. Paris, Plon, in-8°, 1866.

PHILIPPEAUX. — *Dernière lettre à sa femme* (Cf. Wallon : *Histoire du Tribunal révolutionnaire*, t. III, p. 514).

PICQUÉ. — *L'Hermite des Pyrénées* (Sur ce manuscrit, cf. Monglond : *Vies préromantiques*, p. 92, note 1).

— *Voyage dans les Pyrénées françaises*, Paris, Lejay, in-8°, 1789.

— *Veillées Béarnaises*. Paris, Guillot, 2 vol. in-12, s. d. (1790).

PIGAULT-LEBRUN. — *Œuvres Complètes*, Paris, Barba, 20 vol. in-8°, 1822-1824.

— *L'Enfant du Carnaval*, Rome, Impr. du Saint-Père, 2 vol. in-8°, An VI (1796).

Poésies Nationales de la Révolution française ou Recueil complet des chants, hymnes, couplets, odes, chansons poétiques, accompagné d'un Calendrier Républicain, Paris, Michel, in-8°, 1836.

Poésies Révolutionnaires et Contre-Révolutionnaires, Paris, 2 vol. in-18, 1821.

Procès-Verbaux de la Constituante, de la Législative et de la Convention.

Recueil de Chants philosophiques, civiques et moraux à l'usage des fêtes nationales et décadaires, An VIII (1800), in-12.

RETIF DE LA BRETONNE. — *Les Nuits de Paris ou le Spectateur nocturne*, Londres, 8 vol. in-12, 1788.

RIOUFFE. — *Mémoires d'un détenu pour servir à l'histoire de la tyrannie de Robespierre*. Paris, B. Mathé et Louvet, in-8°, An III.

RIVAROL. — *Œuvres*, Paris, L. Collin, 5 vol. in-8°, 1808.

— *Mémoires*, Paris, Baudouin, in-8°, 1824.

— *Essai sur les causes de la Révolution française*, Paris, Boucher, in-8°, 1827.

ROBESPIERRE. — *Œuvres Complètes* (Société des Etudes Robespierristes), Paris, E. Leroux (en cours de publication).

— *Poésies de Robespierre* (*Revue de la Révolution française*, 1885, t. IX, p. 97 et 396).

— *Œuvres Choisies*, publiées par Laponneraye (Préface d'A. Carrel), Paris, Rue Faub. Saint-Denis, 3 vol. in-8°, 1832-1842.

— *Œuvres*, publiées par Vermorel, Paris, Cournol, in-12, 1866.

— *Correspondance de Maximilien et Augustin Robespierre*, recueillie par G. Michon, Paris, Alcan, in-8°, 1926.

ROBESPIERRE (Charlotte). — *Mémoires sur ses deux frères*, publiés par Laponneraye, Paris, Levavasseur, in-8°, 1835.

— *Charlotte Robespierre et ses Mémoires*, édition critique par H. Fleischmann. Paris, A. Michel, in-8°, s. d.

ROCHECHOUART (Cte de). — *Souvenirs sur la Révolution, l'Empire et la Restauration*, Paris, Plon, in-8°, 1889.

ROLAND (Mme). — *Mémoires*, publiés par Cl. Perroud. Paris, Plon, 2 vol. in-8°, 1905.

— *Lettres*, publiées par Cl. Perroud, Paris, Impr. Nat., 2 vol. in-4°, 1900.

— *Lettres (Nouvelle Série)*, publiées par Cl. Perroud. Paris, Impr. Nat., 2 vol. in-4°, 1913.

— *Roland et Marie Phlipon. Lettres d'Amour (1777-1780)*, publiées par Cl. Perroud. Paris, Picard, in-8°, 1909.

SAINT-JUST. — *Œuvres Complètes*, publiées par Ch. Vellay, Paris, Fasquelle, 2 vol. in-12, 1908.

— *Lettres Inédites (1791-1794)*, Le Puy, Peyrillier, in-8°, 1910.

SAINT-PIERRE (Bernardin de). — *La Chaumière Indienne*, Paris, F.-Didot, in-16, 1791.

— *Vœux d'un Solitaire*, Paris, Didot, in-12, 1789.

SALLE. — *Dernière lettre à sa femme* (Cf. *Mémoires de Pétion, Buzot*, p. 506).

SÉDIN. — *Lettres de deux amants détenus pendant le Régime de la Terreur*, Paris, Chaigneau, 2 vol. in-12, 1823.

Souza (Mme de). — *Œuvres Complètes*, Paris, A. Eymery, 6 vol. in-8°, 1821-1822.

Théâtre de la Révolution, par L. Moland. Paris, Garnier, in-12, 1877.

Tourzel (Dsse de). — *Mémoires*, Paris, Plon, 2 vol. in-8°, 1883.

Trotsky (L.). — *Terrorisme et Communisme*, Paris, Librairie de l'Humanité, 1916.

— *Littérature et Révolution*.

Vergniaud. — *Œuvres*, publiées par Vermorel, Paris, Cournol, in-12, s. d.

Vincent. — *Les dernières lettres de Vincent à sa femme* (*Annales Révolutionnaires*, 1913, t. VI, p. 250).

Volney. — *Les Ruines* ou *Méditations sur les Révolutions des Empires*. Paris, Desenne, Volland, in-8°, 1791.

Wordsworth (W.). — *Choix de poésies*, par E. Legouis, Paris, Société des Belles-Lettres, in-12, 1928 (Cf. p. 172 : *French Revolution*).

II

Ouvrages consultés sur la Révolution.

I. — *Bibliographies.*

Tuetey (A.). — *Répertoire général des sources manuscrites de l'histoire de Paris pendant la Révolution française*, Paris, Impr. Nouvelle, 10 vol. gr. in-8°, 1890-1912.

Tourneux (M.). — *Bibliographie de l'histoire de Paris pendant la Révolution française*, Paris, Champion, 5 vol. in-8°, 1890-1906.

Caron (P.). — *Manuel pratique pour l'étude de la Révolution française* (t. V de la *Bibliographie historique*, 1912).

Hatin (E.). — *Bibliographie historique et critique de la Presse périodique française*, Paris, F.-Didot, in-8°, 1866.

— *Histoire politique et littéraire de la presse en France*. Paris, Poulet-Malassis, 8 vol. in-12, 1859-1861.

Avenel (H.). — *Histoire de la presse française depuis 1789 jusqu'à nos jours*. Paris, Flammarion, in-8°, 1900.

Gallois (L.). — *Histoire des journaux et des journalistes de la Révolution française* (*1789-1796*). Paris, Schneider, 2 vol. in-8°, 1845-1846.

Monglond (A.). — *La France Révolutionnaire et Impériale*, Grenoble, Arthaud, 4 vol. in-8°, 1930-1935.

II. — *Ouvrages de critique.*

ALANIC (Mathilde). — *Le mariage de Hoche* (*Revue des Deux Mondes*, 1ᵉʳ Décembre 1927, p. 499).

ALBERT (M.). — *La Littérature française sous la Révolution, l'Empire et la Restauration* (*1789-1830*), Paris, Société française d'Impr. et de Libr. in-12, 1891.

ALENGRY. — *Condorcet, guide de la Révolution française.* Paris, Giard et Brière, in-8°, 1904.

ARBAUD (L.). — *Mme Roland* (*Le Correspondant*, Février 1865, t. LXIV, p. 249).

ARRIGON (J.-L.). — *La Jeune Captive. Aimée de Coigny, duchesse de Fleury, et la société de son temps* (*1769-1820*). Paris, Lemerre, in-8°, 1921.

AULARD (A.). — *Les Orateurs de la Révolution. L'Assemblée Constituante*, Paris, Cornély, in-8°, 1882. (Edition revue en 1905).
— *Les Orateurs de la Législative et de la Convention*, Paris, Hachette, 2 vol. in-8°, 1885-1886.
— *Des portraits littéraires au XVIIIᵉ siècle pendant la Révolution* (*Revue de la Révolution française*, 1884, t. VI, p. 779 et 884).
— *Le Christianisme et la Révolution française*, Paris, Rieder, in-16, 1925.
— *Le Culte de la Raison et le culte de l'Etre Suprême*, Paris, Alcan, in-18, 1892.
— *La Société des Jacobins*, Paris, Jouaust, 6 vol. in-8°, 1889-1897.
— *Études et Leçons sur la Révolution française*, Paris, Alcan, 9 vol. in-12, 1893-1924.
— *Le Féminisme pendant la Révolution* (*Revue Bleue*, Mars 1898).
— *La Politique et l'éloquence de Brissot* (*Revue de la Révolution française*, Août 1884).
— *Taine historien de la Révolution française*, Paris, Colin, in-12, 1907.

BADER (Clarisse). — *Mᵐᵉ Roland.* (*Le Correspondant*, 25 Juin 1892, t. CLXVII, p. 1111 et 1 Jouillet 1892, t. CLXVIII, p. 142).

BALZAC (H.). — *Un Episode sous la Terreur* (1831).

BARRIÈRE. — *Notice* en tête des *Mémoires particuliers de Mᵐᵉ Roland*, Paris, Didot, in-12, 1863.

BARTHOU (L.). — *Mirabeau*, Paris, Hachette, in-8°, 1913.
— *Danton*, Paris, A. Michel, in-8°, s. d. (1932).

BEAUNIER (A.). — *Barnave et la Reine* (*Revue des Deux Mondes*, 1ᵉʳ Août 1920, p. 645).

BECQ DE FOUQUIÈRES (L.). — *Documents nouveaux sur André Chénier*, Paris, Charpentier, in-12, 1875.

BENDA (J.). — *Scholies* (*Nouvelle Revue Française*, 1ᵉʳ Novembre 1929).

BENOIT (F.). — *L'Art français sous la Révolution et l'Empire*. Paris, L. H. May, in-8°, 1897.

BERTRAND (L.). — *La fin du classicisme et le retour à l'antique dans la seconde moitié du XVIII*ᵉ *siècle et les premières années du XIX*ᵉ *siècle en France*, Paris, Hachette, in-8°, 1897.

BLANC (L.). — *Histoire de la Révolution française*, Paris, Langlois et Leclercq, 12 vol. in-8°, 1847-1862.

BLOCH (C.). — *Reine Chatton volontaire* (*Revue de la Révolution française*, 1905, t. XLIX, p. 440).

BRAESCH. — *Sur Chaumette* (A propos de la *Correspondance avec Doin*). (*Revue de la Révolution française*, 1909, t. LVI, p. 498).

BRÉHAT (J.). — *Barras ou les jeux corrupteurs de la politique et de l'amour*, Paris, Baudinière, in-12, 1934.

BREUIL (A.). — *Introduction* aux *Lettres inédites de M*ᵉˡˡᵉ *Phlipon* (*M*ᵐᵉ *Roland*) *adressées aux demoiselles Cannet de 1772 à 1780*. Paris, W. Coquebert, 2 vol. in-8°, 1841.

BRICON (E.). — *Prud'hon*, Paris, Laurens, in-8°, s. d.

BRUNETIÈRE (F.). — *Le Théâtre de la Révolution* (*Revue des Deux Mondes*, 15 Janvier 1881, p. 474).

— *Madame Roland* (*Revue des Deux Mondes*, 15 Mars 1901, p. 473).

CABANÈS (Dʳ). — *Le cabinet secret de l'histoire*. Paris, A. Michel, 4 vol. pet. in-8°, 1920.

— *Les indiscrétions de l'histoire*, Paris, A. Michel, 2 vol. in-16, 1903-1905.

— *Marat inconnu, l'homme privé, le médecin, le savant*. Paris, L. Genonceaux, in-18, 1891.

CABANÈS (Dʳ) et L. NAAS : *La névrose révolutionnaire*, Paris, A. Michel, in-12, s. d.

CAHEN (L.). — *Condorcet et la Révolution française*, Paris, Alcan, in-8°, 1904.

— *Rousseau et la Révolution française* (*Revue de Paris*, Juin 1912, p. 745).

CARCASSONNE (E.). — *Montesquieu et le problème de la Constitution française au XVIII*ᵉ *siècle*. Paris, Presses Universitaires, in-8°, s. d.

CARLYLE (Th.). — *Histoire de la Révolution française*, Paris, Germer-Baillière, 3 vol. in-12, 1865.

CARO (E.). — *André Chénier à Saint-Lazare* (*Revue des Deux Mondes*, 1875, t. I, p. 5).

CESTRE (Ch.). — *La Révolution française et les poètes anglais*, Dijon, Damidot, in-8°, 1906.

CHAMPION (E.). — *La France d'après les Cahiers de 1789*, Paris, Colin, in-12, 1897.
— *Rousseau et Marat* (*Revue Bleue*, 1908, t. II, p. 102).
— *J.-J. Rousseau et la Révolution française*, Paris, Colin, in-8° 1909.
— *L'Esprit de la Révolution française*, Paris, Reinwald, in-12, 1887.
CHAPUISAT. — *Un frère de l'Ami du peuple, l'horloger J.-P. Marat* (*Annales révolutionnaires*, t. V, p. 478).
CHARRIER (abbé). — *Claude Fauchet, évêque constitutionnel du Calvados, député de l'Assemblée Législative et de la Convention*, Paris, Champion, 2 vol. in-8°, 1909. (Cf. compte-rendu d'Aulard : *Revue de la Révolution française*, Juin 1909, p. 543.)
CHASLES (P.) *La vie de Lénine*. Paris, Plon, in-12, 1933.
CHATEAUBRIAND. — *Essai historique, politique et moral sur les Révolutions*, Londres, in-8°, 1797.
CHÉREL (A.). — *Fénelon au XVIIIᵉ siècle en France (1715-1820)*, Paris, Hachette, in-8°, 1917.
CHEVALLIER (J.-J.) : *Barnave*, Paris, Payot, in-8°, 1936.
CHEVREMONT (F.). — *J.-P. Marat. Esprit politique, accompagné de sa vie scientifique, politique et privée*. Paris, l'Auteur, 2 vol. in-8°, 1880.
CHUQUET (A.). — *La Jeunesse de C. Desmoulins* (*Annales Révolutionnaires*, 1908, t. I, p. 1).
— *Les Orateurs de la Constituante d'après C. Desmoulins* (*Revue Bleue*, 1908).
CLÉMENCEAU-JACQUEMAIRE (Mᵐᵉ). — *Vie de Madame Roland*, Paris, Tallandier, 2 vol. in-8°, s. d. (1935).
COCHIN (A.) et CHARPENTIER (Ch.). — *Les actes du gouvernement révolutionnaire*, Paris, Picard, in-8°, 1920.
COCHIN (A.). — *La crise de l'histoire révolutionnaire, Taine et M. Aulard*, Paris. Champion, in-8°, 1909.
— *Les actes du gouvernement révolutionnaire (23 Août 1793-27 Juillet 1794)*. Paris, Champion, in-8°, 1935.
COMPAYRÉ (G.). — *Histoire critique des doctrines de l'éducation en France depuis le XVIᵉ siècle*. Paris, Hachette, 2 vol. in-8°, 1879.
CONOR. — *La jeunesse de Mᵐᵉ Roland* (*Revue de Paris*, 1ᵉʳ Juillet, 1911, t. IV, p. 85).
CONSTANT (B.). — *Collection complète des ouvrages publiés sur le gouvernement représentatif et la Constitution actuelle de la France*, Paris, Plancher, 4 vol. in-8°, 1818.
— *Œuvres Politiques*, publiées par Ch. Louandre, Paris, Charpentier, in-12, 1874.
COTTIN (P.). — *Sophie de Monnier et Mirabeau d'après leur correspondance secrète inédite (1775-1789)*. Paris, Plon, in-8°, 1903.

DAUBAN (C.-A.). — *Introduction* aux *Lettres en partie inédites de Mme Roland aux demoiselles Cannet*, Paris, Plon, 2 vol. in-8°, 1867.
— *Etude sur Mme Roland et son temps*, Paris, Plon, in-8°, 1864.
— *La Démagogie en 1793 à Paris*, Paris, Plon, in-8°, 1868.
DAUPHIN-MEUNIER. — *Mirabeau et l'économie prussienne de son temps*. Paris, Presses Universitaires, in-8°, 1933.
DEBIDOUR (A.). — *Histoire des rapports de l'Eglise et de l'Etat en France de 1780 à 1870*. Paris, Alcan, in-8°, 1898.
— *Etudes critiques sur la Révolution, l'Empire et la période contemporaine*, Paris, Charpentier, in-18, 1896.
DE LA GORCE (P.). — *Histoire religieuse de la Révolution française*, Paris, Plon, 3 vol. in-8°, 1909.
DELÉCLUZE (E.-J.). — *Louis David, son école et son temps*, Paris, Didier, in-8°, 1855.
DELMAS (J.). — *La Jeunesse et les débuts de Carrier.* (*Revue de la Révolution française*, 1895, t. XXVIII, p. 417).
DELSAUX (Hélène). — *Condorcet journaliste (1790-1794)*. Paris, Champion, in-8°, 1931.
DESCHAMPS (L.). — *Les femmes soldats dans la Sarthe* (*Revue de la Révolution française*, 1904, t. XLVII, p. 326).
DESPOIS (E.). — *Le vandalisme révolutionnaire*, Paris, Germer-Baillière, in-12, 1868.
DE STAEL (Mme). — *Considérations sur les principaux événements de la Révolution française* (*Œuvres Complètes*, Paris, Treuttel et Wurtz, 1820, t. XII, p. 9).
D'ESTRÉE (P.). — *Le Théâtre sous la Terreur (Théâtre de la Peur)*, 1793-1794, Paris, Emile-Paul, in-8°, 1913.
DIMOFF (P.). — *La vie et l'art d'André Chénier jusqu'à la Révolution française, 1762-1790*. Paris, Droz, 2 vol. in-8°, 1936.
DOUMIC (R.). — *Condorcet et la Révolution* (*Revue des Deux Mondes*, 15 Septembre 1904, t. XXIII, p. 446).
— *Lettres d'un philosophe et d'une femme sensible. Condorcet et Mme Suard* (*Revue des Deux Mondes*, 15 Septembre, 15 Octobre 1911, 1er Janvier 1912).
— *Madame Roland* (*Revue des Deux Mondes*, 15 Juillet 1896, p. 456).
DREYFOUS (M.). — *Les Arts et les Artistes pendant la période révolutionnaire (1789-1795), d'après les documents de l'époque.* Paris, P. Paclot, in-18, s. d. (1906).
— *Les Femmes de la Révolution française*, Paris, Société française d'édition d'art, in-4°, 1903.
DUBOIS-CRANCÉ. — *Analyse de la Révolution Française*, Paris, Charpentier, in-12, 1885.
— *Portrait de Robespierre* (*Annales Révolutionnaires*, t. VI, p. 255).

DUPUY (E.). — *Les années de jeunesse de Mme Roland* (*Revue de Paris*, 1er Août 1904, p. 509).

DUVAL (G.). — *Histoire de la littérature révolutionnaire*, Paris, Dentu, in-12, 1879.

FAGUET (E.). — *Questions Politiques*, Paris, Colin, in-12, 1902, p. 1.

— *XVIIIe siècle*, Paris, Lecène et Oudin, in-18, 1890.

— *André Chénier*, Paris, Hachette, in-8°, 1902.

FAŸ (B.). — *L'esprit révolutionnaire en France et aux Etats-Unis à la fin du XVIIIe siècle*. Paris, Champion, in-8°, 1924.

— *Benjamin Franklin, bourgeois d'Amérique*, Paris, Calmann-Lévy, 3 vol. in-12, 1931.

— *La Franc-Maçonnerie et la Révolution intellectuelle au XVIIIe siècle*, Paris, Editions de Cluny, in-12, 1935.

FICHTE (J.-G.). — *Beitrage zur Berichtigung der Urteile des Publicums über die französische Revolution*, 1793. (*Sämtliche Werke*, Berlin, 8 B. 1845-1846, t. VI, p. 149).

FLEURY (E.). — *Etudes Révolutionnaires. Saint-Just et la Terreur*. Paris, Didier, 2 vol. in-12, 1852.

FOUCART (P.). — *Barbe Parant* (*Revue de la Révolution française*, 1895, t. XXVIII, p. 440).

FRANCE (A.). — *Les Dieux ont soif*, Paris, Calmann-Lévy, in-12, s. d. (1912).

FRANÇOIS-PRIMO. — *Manon Roland*, Paris, Editions Argo, in-12, s. d.

GAIFFE (F.). — *Le Rire et la scène française*, Paris, Boivin, in-12, 1931 (Cf. ch. VIII).

GAXOTTE (P.). — *La Révolution française*, Paris, Tallandier, 2 vol. in-8°, 1930.

GAZIER (A.). — *Etudes sur l'histoire religieuse de la Révolution française*. Paris, Colin, in-12, 1887.

GERBAUX (F.). — *Les femmes-soldats pendant la Révolution* (*Revue de la Révolution française*, 1904, t. XLVII, p. 47).

GÉRUZEZ (E.). — *Histoire de la Littérature française pendant la Révolution (1789-1800)*, Paris, Charpentier, in-12, 1869.

GIDNEY (Lucy). — *L'influence des Etats-Unis d'Amérique sur Brissot, Condorcet et Mme Roland*. Paris, Rieder, in-8°, 1930.

GIRARD (G.). — *Notre-Dame de Thermidor* (*Figaro*, 12 Janvier 1933).

GIRAUD (V.). — *Essai sur Taine, son œuvre et son influence*, Fribourg, Librairie de l'Université, in-8°, 1901.

GLADKOV (F.). — *Le Ciment*, Trad. de Victor-Serge, Paris, Editions Sociales Internationales, in-8°, 1928.

GONCOURT (E. et J.). — *Histoire de la Société française pendant la Révolution*, Paris, Dentu, in-8°, 1854.

GORKI (M.). — *La Mère*, Paris, Editions Sociales Internationales, in-12, s. d.

— *Eux et Nous*, Paris, Editions Sociales Internationales, in-12, 1932.

GUADET (J.). — *Les Girondins, leur vie privée, leur vie publique, leur proscription et leur mort*. Paris, Didier, 2 vol. in-8º, 1861.

GUÉHENNO (J.). — *Conversion à l'Humain*, Paris, Grasset, in-12, s. d.

— *Jeunesse de France (Europe*, 15 Novembre 1935-15 Février 1936).

GUÉPIN (Dᵣ A.). — *Histoire de Nantes*, Nantes, P. Sebire, in-8º, 1839.

GUILLOIS (A.). — *Pendant la Terreur. Le Poète Roucher (1745-1794)*. Paris, Calmann-Lévy, in-12, 1890.

HAMEL (E.). — *Histoire de Saint-Just*, Paris, Poulet-Malassis, in-8º, 1859.

— *Histoire de Robespierre*, Paris, A. Lacroix, 3 vol. in-8º, 1865-1867.

— *Précis de l'Histoire de la Révolution française*, Paris, Pagnerre, in-12, 1870.

— *Thermidor*, Paris, Dorbon, in-12, 1891.

— *Saint-Just et Mᵐᵉ Thorin (Revue de la Révolution française*, 1897, t. XXXII, p. 348).

HARASZTI (J.). — *La poésie d'André Chénier*, Paris, Hachette, in-12, 1892.

HENNET. — *Une femme-soldat, Pélagie Dulierre (Annales Révolutionnaires*, t. I, p. 610).

HERRIOT (E.). — *Dans la forêt normande*, Paris, Hachette, in-12, s. d. (Cf. p. 251).

HEYWOOD. — *La maladie de Marat (Revue de la Révolution Française*, 1884, t. VI, p. 691.)

HUGO (V.). — *Quatre-vingt-treize*, Paris, M. Lévy, 3 vol. in-8º, 1874.

— *Littérature et Philosophie mêlées*, Ed. de 1834, t. I, p. 130.

JAUFFRET (E.). — *Le Théâtre révolutionnaire (1788-1799)*, Paris, Furne, in-12, 1869.

JAURÈS (J.). — *Histoire Socialiste*, Paris, J. Rouff, 8 vol. in-8º, s. d.

— *Pages choisies*, Paris, Rieder, in-12, s. d.

JOIN-LAMBERT. — Introduction et Notes au *Mariage de Mᵐᵉ Roland, trois années de Correspondance amoureuse (1777-1780)*. Paris, Plon, in-8º, 1896.

JOUVENEL (H. de). — *La vie orageuse de Mirabeau*, Paris, Plon, in-12, 1928.

KORNGOLD (R.). — *Robespierre*, Paris, Payot, in-8º, 1936.

KRITSCHEWSKY (S.-B.). — *J.-J. Rousseau et Saint-Just*, Berne, in-12, 1895.

LACOMBE (P.). — *Taine historien et sociologue*, Paris, Giard et Brière, in-8º, 1909.

— *La psychologie des individus et des sociétés chez Taine historien des littératures*, Paris, Alcan, in-8º, 1906.

LACOUR (L.). — *Les origines du féminisme contemporain. Trois femmes de la Révolution : Olympe de Gouges, Théroigne de Méricourt, Rose Lacombe*. Paris, Plon, in-12, 1900.

LACROIX (C.). — *L'éloquence en France depuis 1789*, Paris, Dupont, 4 vol. in-8º, 1893.

LAIRTULLIER. — *Les femmes célèbres de 1789 à 1793*. Paris, France, 2 vol. in-8º, 1842.

LAMARTINE (A.). — *Histoire des Girondins*, Paris, Furne, 8 vol. in-8º, 1867.

LANFREY (P.). — *Essai sur la Révolution Française*, Paris, Charpentier, in-12, 1879.

LASSERRE (P.). — *Portraits et Discussions*, Paris, Mercure de France, in-12, s. d.

LEBÈGUE (E.). — *La Vie et l'Œuvre d'un Constituant, Thouret (1746-1794)*. Paris, Alcan, in-8º, 1910.

LE BRETON (A.). — *Le Roman français au XIXe siècle. 1re partie. Avant Balzac*. Paris, Société française d'Imprimerie et de Librairie, in-12, 1901.

LEFEBVRE (G.). — *Foules Révolutionnaires (Annales historiques de la Révolution française*, Janvier 1934, p. 1).

— *La Grande Peur de 1789*. Paris, Colin, in-12, 1932.

— *La Révolution* (en collaboration avec R. Guyot et Ph. Sagnac), Paris, Alcan, in-8º, 1930.

LENÉRU (Marie). — *Saint-Just*, Paris, Grasset, in-12, 1922. (*Introduction* de M. Barrès).

LENÔTRE (G.). — *La Révolution par ceux qui l'ont vue*, Paris, Grasset, in-12, s. d.

LOMÉNIE (L. de). — *Les Mirabeau. Nouvelles études sur la société française au XVIIIe siècle*, Paris, Dentu, 5 vol. in-8º, 1889-1892.

MADELIN (L.). — *La Révolution*, Paris, Hachette, in-8º, 1912.

— *Le Règne de la vertu (Revue des Deux Mondes*, 15 Février 1911).

— *Danton*, Paris, Hachette, in-8º, 1914.

MARX (Madeleine). — *C'est la lutte finale !...* Paris, Flammarion, in-12, s. d.

MATHIEU (A.). — *Marie-Antoinette et Barnave. (L'Information Universitaire*, 7 janvier 1935).

MATHIEZ (A.). — *La Révolution Française*, Paris, Colin, 3 vol. in-16, s. d. (1922-1927).

— *Etudes d'histoire révolutionnaire : Girondins et Montagnards*, Paris, Firmin-Didot, in-8º, 1930.

— *Contributions à l'histoire religieuse de la Révolution française.* Paris, Alcan, in-16, 1907.
— *La Révolution et l'Eglise*, Paris, Colin, in-16, 1910.
— *La Théophilanthropie et le culte décadaire.* Paris, Alcan, in-8°, 1903.
— *Autour de Robespierre*, Paris, Payot, in-8°, 1925.
— *Autour de Danton*, Paris, Payot, in-8°, 1926.
— *Robespierre terroriste*, Paris, Renaissance du Livre, in-18, s. d. (1921).
— *Etudes Robespierristes*, Paris, A. Colin, 2 vol. in-18, 1917-1918.
— *Les Origines des cultes révolutionnaires : 1789-1792*, Paris, Cornély, in-8°, 1904.
— *Les grandes journées de la Constituante : 1789-1791.* Paris, Hachette, in-16, 1913.
— *Le Bolchevisme et le Jacobinisme.* Paris, Librairie de l'*Humanité*, in-12, 1920.
— *Les Femmes et la Révolution (Annales Révolutionnaires*, 1908, t. I, p. 303).
— *Danton et la paix*, Paris, Renaissance du Livre, in-16, s. d. (1919).
MERCIER (S.). — *Paris pendant la Révolution ou le Nouveau Paris*, Paris, Poulet-Malassis, 2 vol. in-12, 1862.
MICHEL (A.). — *Histoire de l'Art*, Paris, Colin, 17 vol. in-8°, 1905. (Cf. t. VIII, 1ʳᵉ Partie, p. 1).
MICHELET. — *Histoire de la Révolution Française*, Paris, A. Lacroix, 6 vol. in-8°, 1868.
— *Les Femmes de la Révolution*, Paris, A. Delahaye, in-12, 1854.
MONGLOND (A.). — *Vies préromantiques*, Paris, Presses Françaises, in-12, 1925 (p. 91 : Picqué).
— *La Vie intérieure du préromantisme français*, Grenoble, Arthaud, 2 vol. in-8°, 1929 (t. II, p. 220 : Mᵐᵉ Roland).
MONIN (H.). — *Catherine Pochetat, canonnier volontaire et sous-lieutenant d'infanterie (Revue de la Révolution Française*, 1892, t. XXII, p. 83).
MORILLOT (P.). — *André Chénier*, Paris, Lecène et Oudin, in-8°, 1894.
MORNET (D.). — *Les Origines intellectuelles de la Révolution Française (1715-1787)*, Paris, Colin, in-8°, 1933.
MORTIMER-TERNAUX. — *Histoire de la Terreur*, Paris, Lévy, 8 vol. in-8°, 1864-1886.
MUNIER-JOLAIN. — *La plaidoirie dans la langue française*, Paris, Marescq, 3 vol. in-8°, 1897-1900.
NAVILLE (P.). — *La Révolution et les intellectuels*, Paris, Nouvelle Revue Française*, in-12, 1927.

NÉZELOF (P.). — *Mirabeau, homme d'amour, homme d'Etat*, Paris, A. Michel, in-12, s. d.

NODIER (Ch.). — *Souvenirs et Portraits de la Révolution*, Paris, Charpentier, in-12, 1841.

OLECHIA (Iouri). — *L'Envie*, trad. H. Mongault et L. Desormonts. Paris, Plon, in-12, 1936.

PARISET (G.). — *La Révolution (1792-1799)*, t. II (*Histoire de France Contemporaine*, de E. Lavisse, Paris, Hachette, in-8º, s. d.).

PARODI (D.). — Article *Philanthropie* dans la *Grande Encyclopédie*.

PASQUIER (L.). — Article *Assistance publique* dans la *Grande Encyclopédie*.

PAUPHILET (A.). — *J.-J. Rousseau et l'Age d'or* (*Revue Française de Prague*, 15 Novembre 1935, p. 153).

PÉLISSIER. — *Robespierre et une femme* (*Revue historique de la Révolution française*, 1910, t. I, p. 45).

PERRIN (Henriette). — *Le Club des femmes de Besançon* (*Annales Révolutionnaires*, t. IX, p. 629; X, 37, 505, 645).

PERROUD (Cl.). — *Introductions et Notes des Lettres de Mme Roland*, 4 vol. in-4º, 1900-1913.

— *Articles* sur les Roland (*Revue de la Révolution française*, 1896, t. XXXI, p. 163, 389; Mars-Avril 1897; Mai 1898, p. 403; 1904, p. 236; 1909, p. 481; 1916, p. 266.

PIERRE (C.). — *Musique des fêtes et cérémonies de la Révolution française*, in-4º, Ville de Paris, 1899.

— *Hymnes et Chansons de la Révolution*, in-4º. Ville de Paris, 1904.

PILON (E.). — *Muses et Bourgeoises de jadis*, Paris, Mercure de France, in-12, 1908, (p. 282 : Mᵐᵉ Cottin).

POISOT (Ch.). — *Histoire de la musique en France*, Paris, Dentu, in-12, 1860.

POULAILLE (H.). — *Nouvel Age Littéraire*, Paris, Valois, in-12, s. d.

QUINET (Ed.). — *La Révolution*, Paris, A. Lacroix, 2 vol. in-8º, 1865.

— *Critique de la Révolution*, Paris, A. Lacroix, in-8º, 1867.

RENAN (E.). — *Mélanges religieux et historiques*, Paris, Calmann-Lévy, in-8º, 1904 (sur *Turgot*).

— *Feuilles détachées*, Paris, Lévy, in-8º, 1892.

RENOUVIER (J.). — *Histoire de l'art pendant la Révolution*, Paris, J. Renouard, in-8º, 1863.

ROBINET (Dʳ). — *Condorcet, sa vie, son œuvre (1743-1793)*, Paris, May et Motteroz, in-8º, 1903.

— *Danton : Mémoires sur sa vie privée*, Paris, Charavay, in-8º, 1884.

— *Marat d'après un livre récent* (*Revue de la Révolution française*, 1891, t. XXI, p. 174).

ROLLAND (R.). — *Théâtre de la Révolution*, Paris, A. Michel, in-12, 1909.

— *Le Théâtre du Peuple*, Paris, A. Michel, in-12, 1903.

ROSENBERG (A.). — *Histoire du Bolchevisme*, Paris, Grasset, in-12, 1936.

ROUSSE (E.). — *Mirabeau*, Paris, Hachette, in-12, 1891.

SADOUL (J.). — *Quarante Lettres*. Paris, Société d'Editions, in-12, s. d.

SAGNAC (Ph.). — *La Révolution (1789-1792)*, t. I (*Histoire de France Contemporaine*, de E. Lavisse. Paris, Hachette, in-8°, s. d.).

— *La Révolution et l'Ancien Régime* (*Revue de Synthèse Historique*, Décembre 1906, t. XIII, p. 288).

— *Les Origines de la Révolution* (*Revue d'Histoire Moderne et Contemporaine*, Mai-Octobre 1910, t. XIV, p. 160).

— *La Révolution du 10 Août 1792. La Chute de la Royauté*, Paris, Hachette, in-16, 1909.

SAILLARD (G.). — *Florian, sa vie, son œuvre*, Toulouse, Privat, in-8°, 1912.

SAINTE-BEUVE. — *Causeries du Lundi*, t. IV, p. 263 (*Maury*). — IV, 1 (*Mirabeau et Sophie*), 97 (*Mirabeau et le Cte de la Marck*). II, 22 (*Barnave*). — III, 98 (*C. Desmoulins*). — *Portraits de Femmes*, p. 139 et 166 (*Mme Roland*). — *Nouveaux Lundis*, t. VIII, p. 190, 215 et 238 (*Mme Roland*). — *Causeries du Lundi*, t. IV, p. 144 : *A. Chénier homme politique*.

SANGNIER (M.). — *Aux sources de l'Eloquence*, Paris, Bloud, in-8°, 1909.

SAUNIER (Ch.). — *Les Conquêtes artistiques de la Révolution et de l'Empire*, Paris, Laurens, in-8°, 1902.

— *Louis David*, Paris, Renouard, in-8°, s. d.

SÉCHÉ (A.). — *Réflexions sur la Force*, Paris, Éditions de France, in-12, 1936.

SÉNAC DE MEILHAN. — *Des principes et des causes de la Révolution en France*, Londres, in-8°, 1790.

SERGE-VICTOR. — *Lénine*, Paris, Librairie du Travail, in-8°, 1925, — *Une littérature prolétarienne est-elle possible?* (*Clarté*, N° 72. 1er Mars 1925).

— *L'An I de la Révolution Russe*, Paris, Librairie du Travail, in-12, 1930.

— *Vie des Révolutionnaires*, Paris, Librairie du Travail, in-12, s. d.

SIEBURG (F.). — *Robespierre*, Paris, Flammarion, in-12, 1936.

SOREL (G.). — *Les Illusions du Progrès*, Paris, Rivière, in-12, s. d.

— *Réflexions sur la violence*, Paris, M. Rivière, in-12, 1936 (Ed. originale : 1908) (Cf. p. 433 : *Apologie de la violence*, parue le 18 mai 1908).

STALINE (J.), MOLOTOV, VOROCHILOV...... — *Lénine tel qu'il fut* (Paris, Bureau d'Editions, in-8°, 1934).

STENDHAL. — *Mémoires d'un Touriste*, Paris, Champion, 3 vol. in-8°, 1932, (Cf. I, 141 : Mme Roland).

TAINE (H.). — *Les Origines de la France Contemporaine*, Paris, Hachette, 6 vol. in-8°, 1875-1893.

TARBELL (Ida). — *Mme Roland*, New-York, 1896.

TIERSOT (J.). — *Les fêtes et les chants de la Révolution française*, Paris, Hachette, in-12, 1908.

TOCQUEVILLE (A. de). — *L'Ancien Régime et la Révolution*, Paris, Calmann-Lévy, in-8°, 1877.

TOUCHARD-LAFOSSE (G.). — *Histoire parlementaire et vie intime de Vergniaud*, Paris, Au Bureau de l'Administration, in-12, 1847.

TROTSKY (L.). — *Vie de Lénine. T. I, Jeunesse*, Paris, Rieder, in-12, 1936.

TUETEY (A.). — *L'abbé Fauchet et Mme Calon* (*Revue de la Révolution Française*, Novembre 1909, p. 417).

VALLÉE (O. de). — *André Chénier et les Jacobins*, Paris, Lévy, in-12, 1881.

VALLÈS (J.). — *Les Réfractaires*, Paris, Charpentier, in-12, 1881.
— *Jacques Vingtras*, Paris, Charpentier, in-12, 1879.
— *Le Bachelier*, Paris, Charpentier, in-12, 1902.
— *L'Insurgé*, Paris, Charpentier, in-12, 1900.

VATEL (Ch.). — *Recherches historiques sur les Girondins...* Paris, Dumoulin, 2 vol. in-8°, 1873.
— *Charlotte de Corday et les Girondins*, Paris, Plon, 3 vol. in-8°, 1864-1871.

VICHNIAC (M.). — *Lénine*, Paris, Colin, in-12, 1932.

VIGNY (A. de). — *Stello*, Paris, Conard, in-8°, 1925, ch. XX, p. 101.

VILLIERS (DE). — *Histoire des clubs de femmes et des légions d'Amazones*. Paris, Plon, in-8°, 1910.

WALLON (H.). — *Histoire du Tribunal révolutionnaire de Paris, avec le journal de ses actes*, Paris, Hachette, 6 vol. in-8°, 1880-1882.
— *La Terreur*, Paris, Hachette, 2 vol. in-16, 1873.

WALTER (Gérard). — *Marat*, Paris, A. Michel, in-8°, s. d.

WELSCHINGER (H.). — *Le Théâtre de la Révolution*, Paris, Charavay, in-12, 1880.

WEULERSSE (G.). — *Le mouvement physiocratique en France (1756-1770)*, Paris, Alcan, in-8°, 1919.

III

Revues consultées

Revue Historique.
Revue de Synthèse Historique.
Revue des Questions Historiques.
Revue d'Histoire Moderne et Contemporaine.
Revue de la Révolution Française.
Annales Révolutionnaires.
Annales Historiques de la Révolution Française.
Revue des Deux Mondes.
Revue de Paris.
Revue Bleue.
Le Correspondant.

TABLE DES GRAVURES

TABLE DES MATIÈRES

CHAPITRE I

L'Esprit Révolutionnaire.

CHAPITRE II

La Formation Sensible des Révolutionnaires.

CHAPITRE III

Victoires de la Sensibilité.

CHAPITRE IV

Défaite de la Sensibilité.

—————— Imprimé en France ——————
TYPOGRAPHIE FIRMIN-DIDOT ET Cie. — PARIS. — 1936.

PIERRE TRAHARD

Professeur à l'Université de Dijon

LA
SENSIBILITÉ
RÉVOLUTIONNAIRE

(1789-1794)

ANCIENNE LIBRAIRIE FURNE

BOIVIN & Cⁱᵉ, ÉDITEURS

3-5, Rue Palatine

PARIS (VIᵉ)

Prix : 3o fr.